CB132517

O preço de ser diferente

Editoração Eletrônica:
João Carlos de Pinho

Análise e Adaptação de Conteúdo:
Marcelo Cezar

Direção de Arte:
Luiz Antonio Gasparetto

Capa:
Kátia Cabello

3ª edição
Março • 2005
10.000 exemplares

Publicação, Distribuição
Impressão e Acabamento:
CENTRO DE ESTUDOS
VIDA & CONSCIÊNCIA EDITORA LTDA.

Rua Agostinho Gomes, 2312
Ipiranga • CEP 04206-001
São Paulo • SP • Brasil
Fone / Fax: (11) 6161-2739 / 6161-2670
E-mail: grafica@vidaeconsciencia.com.br
Site: www.vidaeconsciencia.com.br

É proibida a reprodução
de parte ou da totalidade
dos textos sem autorização
prévia do editor.

Mônica de Castro
ditado por Leonel

O preço de ser diferente

EDITORA GRÁFICA VIDA & CONSCIÊNCIA

Este livro é dedicado
a todos aqueles que,
de uma forma ou de outra,
foram alvo de algum
tipo de preconceito.
Porque o amor não conhece fronteiras
nem esbarra na convenção dos limites.

capítulo 1

Fazia um calor infernal quando as portas da escola pública em que Romero estudava se abriram. O menino saiu esbaforido, esfregando a testa e o pescoço para enxugar o suor. Caminhou alguns metros, até que chegou ao ponto de ônibus e parou. Do outro lado da rua, os colegas de turma passaram e apontaram para ele. Em seguida, pararam e cochicharam algo nos ouvidos uns dos outros, soltando risadas sarcásticas.

— Olha lá a bichinha! — cantarolou um deles, apontando o dedo para Romero e rindo feito um demônio.

Na mesma hora, Romero sentiu o rosto arder. Abraçou a pasta e desatou a correr, sob as risadas dos outros meninos, que continuavam a apontar para ele e a gritar:

— Lá vai a bichona!

— Pega, pega o veadinho!

— Ai, ai, boneca...

Romero correu tanto que nem percebeu que disparava a caminho de casa. Somente quando viu o portão de ferro de seu jardim foi que se deu conta de que havia chegado. Apoiou a mão no portão, tentando respirar e lutando para não chorar. Por que não o deixavam em paz? Por que viviam acusando-o de algo que não era?

— Veio a pé, Romero? — Era a voz de Judite, que vinha chegando da faculdade. — O que houve? Você está pálido.

Judite era a irmã querida, a única que parecia realmente se importar com ele. Cinco anos mais velha, ingressara na faculdade de letras e era muito bela. Romero correu para seus braços e desatou a chorar. Era sempre assim: os meninos da rua ou da escola implicavam com ele, e era Judite quem sempre o defendia e consolava.

— O que lhe fizeram? — prosseguiu ela, com ar bondoso. — Foram os garotos de novo? Debocharam de você?

— Ah, Judite, não sei por que fazem isso comigo. Não sou nada disso que eles dizem que sou!

— Sei que não, querido. E você não devia se importar.

— Mas eu me importo. Sabe o que papai vai dizer.

— Ele não vai dizer nada. Você não precisa contar.

— Mas ele tem um jeito de adivinhar as coisas...

Era verdade. O pai de Romero era inspetor na escola em que ele estudava, trabalhando em dois turnos para sustentar a família. Era honesto e correto, gozando de prestígio com o diretor. Não havia nada que acontecesse na escola que ele não descobrisse.

— Você acha que alguém viu e vai contar a ele? — perguntou Judite.

— Não sei...

— Mas o que lhe fizeram desta vez? Bateram em você? Xingaram?

— É. Eu estava no ponto, esperando a condução. Os meninos passaram e me chamaram de bichinha, de veado... Só porque não tenho namorada...

Romero fez um beicinho trêmulo e agarrou-se a Judite, que acariciou e beijou seus cabelos.

— Vamos entrar. Se papai chegar e brigar com você, direi que não foi culpa sua. E não foi mesmo. Que culpa tem se os garotos implicam com você?

— Você sabe que papai vive me cobrando coisas. Só porque não quis ir ao tal bordel, não quer dizer que não sou homem.

— É claro que não! Papai é um tolo. Pensa que sair por aí deitando com qualquer vagabunda é sinal de masculinidade. Mas você não precisa ir, se não quiser. Não tem de provar nada a ninguém. Nem a ele. No dia em que conhecer uma garota legal, vai ver como as coisas mudam.

Romero silenciou-se. Achava muito difícil conhecer uma garota legal. Quer dizer, conhecer, conhecia muitas garotas legais, mas nenhuma que o fizesse mudar. Mudar em quê? Ele era homem, disso não tinha dúvida... Mas, então, por que não se interessava pelas meninas? Judite dizia-lhe que ele era muito novo e ainda não conhecera a garota certa. Mas como seria a garota certa? Loura? Morena? Alta? Baixa? Gorda? Magra? Ele não sabia. Só o que sabia era que algo dentro dele lhe dizia que jamais encontraria a garota certa, o que lhe causava imenso desgosto, um quase desespero. O que o pai faria se ele não namorasse ninguém?

Enquanto Romero se trocava, ouviu o bater das panelas na cozinha, e a voz da mãe se elevou, falando algo com Judite. Mesmo sem entender, Romero sabia que falavam dele. Judite, na certa, contara à mãe o que acontecera. A mãe era uma mulher muito bondosa, mas tinha medo do marido e não ousava contrariá-lo. Por mais que tentasse proteger o filho, não se atrevia a contestar as ordens do marido, e Romero, muitas vezes, apanhava sem que a mãe sequer levantasse os olhos.

Apenas Judite interferia. Ela era danada! Meiga e decidida. Educada e atrevida. Carinhosa e corajosa. Romero queria ser como Judite quando crescesse. Ah! Se tivesse nascido menina, nada daquilo estaria acontecendo. Ele poderia ser ele mesmo, sem ter de corresponder às expectativas do pai. Romero era medroso e arredio, tímido e calado, mas sabia ser generoso e sentia que seu coração era um oceano de sentimentos. Era sensível, gostava de plantas e de animais. Adorava crianças e respeitava os idosos. Era um menino afável e extremamente educado, o que o pai interpretava como sinônimo de fragilidade. "Um homem deve ser forte e destemido", era o que dizia. "Deve ser viril, másculo e proteger as mulheres, jamais se misturar com elas ou com suas bobagens."

Mas Romero adorava as "bobagens femininas". Gostava de poesia, de apreciar a natureza, de escutar o canto dos pássaros. Amava ver a irmã vestir-se para sair, passar batom, empoar o rosto, levantar o cabelo em um coque ou rabo-de-cavalo. Chorava com as fitas de cinema, emocionava-se até com novelas. Lia romances e mais romances, derretendo-se com os beijos e as carícias que os personagens trocavam.

Em nada disso Romero conseguia vislumbrar problema ou defeito. Mas o pai se aborrecia e gritava com ele todas as vezes que o flagrava admirando os vestidos da irmã ou lendo um romance água-com-açúcar. Pior ainda quando Romero apanhava na rua ou chegava à casa choroso, magoado com as piadinhas que os colegas faziam. Ele não entendia. Não fazia nada para provocar tantos gracejos. Nem desmunhecava. Mas o fato era que todos duvidavam de sua masculinidade, e o pai ficava furioso quando ele voltava para casa fugido, após ter sido humilhado pelos outros garotos.

— Romero! Venha cá!

O garoto voltou de seu devaneio e teve um sobressalto. Silas, o pai, acabara de chegar e, pelo tom de voz, estava claro que já ficara sabendo do ocorrido. O garoto terminou de se trocar e foi para a sala, onde o pai caminhava de um lado para o outro.

— Mandou me chamar? — indagou com voz miúda.

O pai deu um salto sobre ele e agarrou-lhe a orelha, puxando-a com violência e fazendo com que ele se sentasse no sofá.

— Seu maricas! — vociferou. — Quando vai aprender que não se deixa que brinquem com a honra de um homem?

— Eu não fiz nada... — murmurou Romero, já sentindo o peito estrangular, uma vontade louca de chorar.

— Você, não! Mas aqueles cretinos daqueles garotos chamaram você de bichinha novamente!

Torceu a orelha do filho com mais força, e Romero choramingou sentido:

— Ai! Por favor, pai, não tive culpa. Foram eles que me xingaram...

— Porque você deixou. Devia ter reagido.

— O que eu poderia fazer?

— Sei lá, ter atirado uma pedra na cabeça deles, dado um murro no queixo, qualquer coisa.

— Eles estavam do outro lado da rua.

— Papai! — foi o grito de Judite, que correu até onde eles estavam. — Solte-o. Não vê que o está machucando?

Embora contrariado, Silas soltou o filho, não sem antes o ofender mais uma vez:

— Seu mariquinhas! Você só faz me envergonhar.

Saiu desabalado para a cozinha, onde sua mulher, à beira do fogão, fungava com os olhos cheios dágua.

— Isso é culpa sua, Noêmia! — berrou ele. — Quem manda criar o menino feito uma donzela?

— Não é verdade, Silas — contestou ela, magoada. — Romero é um menino de ouro.

— Ele é um maricas! Os outros têm razão. Vive se escondendo, só quer saber de ficar grudado na barra da saia da irmã. E você estimula esse comportamento.

— Eu!?

— É, você. Você e Judite. Por isso ele nem tem namorada.

— Mas ele só tem treze anos!

— E o que é que tem isso? Na idade dele, eu já conhecia mulher.

— Você está exagerando. Romero é um menino. Gosta de jogar bola e soltar pipa...

— Se fosse assim, eu não estaria preocupado nem me importaria com o futuro dele. Mas ele está mais para brincar de bonecas e casinha do que para soltar pipa.

— Você se preocupa demais. Romero é só uma criança. Nem tem idade para se interessar por mulheres. Mais tarde, você vai ver como ele muda.

— Mais tarde? Que mais tarde o quê? Vou resolver isso é agora.

Voltou às pressas para a sala, onde Romero via televisão, agarrado a Judite. Silas desligou o aparelho e estacou em frente a eles. Dedo em riste, disparou:

— Escute aqui, Romero, já perdi a paciência com você. Hoje você vai aprender a ser homem.

— O que quer dizer com isso, pai? — interveio Judite.

— Não se meta. Não é problema seu. O assunto agora é de homem para homem.

— Mas, pai — lamentou-se Romero —, o que o senhor vai fazer comigo?

— Vou ensiná-lo a ser um homem de verdade. E ai de você se me decepcionar!

Saiu batendo a porta. Naquele dia, Romero quase não comeu. Só pensava nas palavras do pai. Embora ele não tivesse dito abertamente, Romero estava certo de que pretendia levá-lo ao encontro de alguma mulher. Essa idéia causou-lhe pânico. O que faria diante de um corpo nu de mulher? E se ela o despisse também? Na certa, morreria de vergonha e não conseguiria fazer nada com ela, o que deixaria o pai ainda mais furioso.

Tentou conversar com Judite, mas ela ajudava a mãe com as costuras. Noêmia, todas as tardes, costurava para fora, e era assim que a família conseguia equilibrar o orçamento doméstico sem que Judite tivesse necessidade de trabalhar fora para ajudar.

— Mamãe... — começou a jovem, enquanto pregava botões numa blusa.

— O que foi?

— Por que não faz nada?

— Fazer o quê?

— Por que não impede papai de levar Romero... você sabe ...

Noêmia pousou a costura sobre os joelhos e olhou para a filha por cima dos óculos.

— Não há nada que eu possa fazer. Você conhece seu pai tão bem quanto eu e sabe como ele é teimoso. E, depois, talvez seja bom para Romero. Vai acabar com essa agonia.

Judite fixou-a com ar pensativo e tornou com voz grave:

— E se Romero não gostar?

— Como assim, não gostar? Romero pode ser só um menino, mas é homem. Ele está assustado, mas vai acabar se acostumando.

— Eu não teria tanta certeza.

— O que está querendo dizer, Judite? Que seu irmão não gosta de mulher?

— Não é isso. Mas Romero me parece tão inseguro...

— Seu pai acha que já é hora de acabar com os medos e as inseguranças dele, e eu concordo.

Concordava, nada. Judite sabia que ela estava mentindo. No fundo, morria de pena do filho, mas não tinha coragem de enfrentar o marido. E ela também não tinha como ajudar. Só lhe restava esperar e torcer para que Romero se saísse bem.

Quando o pai chegou para buscá-lo, já passava das nove da noite. Naquele dia, Silas não jantou em casa, e Romero imaginou que ele deveria ter ido a algum prostíbulo combinar tudo. Embora percebesse o nervosismo do filho, Silas não fez nenhum comentário. Limitou-se a abrir a porta do quarto e dizer laconicamente:

— Venha.

Romero obedeceu. Em silêncio, ganharam a rua, caminhando em direção ao ponto de ônibus. Da calçada, Romero pôde ver o rosto da irmã pela janela, tentando transmitir-lhe coragem.

— Boa sorte — foi o que ele leu em seus lábios.

Caminharam até o ponto sem trocar uma palavra. Entraram no ônibus, que rodou alguns minutos, até que desceram em frente a seu destino. Era uma casinha toda pintada de branco, com janelas azuis e vasos de flores nos peitoris. Romero não conseguiu ocultar a surpresa. Esperava algo bem diferente daquilo. Mas o pai, sabendo de seus receios, escolheu uma moça já conhecida de seus tempos de solteiro, que trabalhava por conta própria. Ela cobrava caro, mas valeria a pena.

Silas bateu e esperou. Pouco depois, a porta abriu-se, e uma mulher de trinta e poucos anos, vestida numa camisola vermelha transparente, rosto excessivamente pintado, veio abrir.

— Boa noite, Domitila — cumprimentou Silas, com certa intimidade.

Ela deu um sorriso e chegou para o lado, dando passagem para que ambos pudessem entrar.

— Então, é esse o rapazinho?

— É, sim. O menino está meio assustado, é a primeira vez... Você sabe como é.

Ainda sorrindo, Domitila aproximou-se e foi segurando Romero pela mão, puxando-o para outro cômodo.

— Pode deixá-lo comigo. Volte daqui a uma hora.

— Lembre-se — sussurrou Silas ao ouvido de Romero. — Não me decepcione.

Saiu e foi procurar um bar onde pudesse fazer hora até Domitila terminar com Romero.

Na casa, o menino tremia. Nem sabia se a mulher era bonita ou feia, pois não ousava levantar o rosto. Estava envergonhado, com medo, inseguro. Ela se acercou dele e, sem dizer nada, começou a tocá-lo em suas partes íntimas. Assustado, tentou fugir, mas ela não lhe deu chance. Estava tão apavorado que quase urinou nas calças.

— Que... quero... ir ao ba... banheiro... — gaguejou.

Com o dedo, Domitila indicou-lhe onde ficava o banheiro, e

ele correu para lá. Quando voltou, ela continuava no mesmo lugar em que a deixara, só que, agora, completamente nua. Romero quis chorar, mas ela nem lhe deu tempo para isso. Aproximou-se novamente e fez nova investida, acariciando-o e beijando-o por toda parte. Romero queria fugir, mas não sabia para onde. E, depois, havia o pai. Se Romero o decepcionasse, nem queria pensar no que o pai faria. Era até capaz de lhe dar uma surra.

Mais por medo do que por desejo, Romero conseguiu fazer o que esperavam dele. Foi tudo muito rápido. Ao sentir que ele correspondia, Domitila deitou-se na cama e puxou-o para cima dela, guiando-o apressadamente. Em poucos segundos, estava tudo terminado.

— Pronto, meu bem — falou ela com fingido carinho, empurrando-o para o lado. — Já terminou. Pode sair de cima de mim.

Na mesma hora, Romero correu para o banheiro e vomitou. Sentia-se arrasado, violado em sua intimidade, invadido em seus brios. Com o pé, fechou a porta do banheiro e desatou a chorar, torcendo para que Domitila não fosse perguntar o que estava acontecendo. Mas ela parecia nem ligar. No fundo, julgara-o mesmo um maricas, mas não seria ela que iria questionar aquilo. Se Silas dizia que o menino era másculo, isso era lá com ele. Cumprira sua parte e esperava receber seu dinheiro.

Quando Silas voltou, encontrou-os sentados no sofá da sala: ele bebendo um refrigerante; ela, uma cerveja. Como não tinham o que conversar, permaneceram bebericando, sem trocar palavra.

— E então? — perguntou Silas, ansioso. — Como foi? Correu tudo bem?

— Muito bem — respondeu Domitila, tentando parecer interessada. — O rapaz escondia o jogo. É um garanhão. Tive de implorar para que parasse.

— Não me diga! — tornou Silas, todo orgulhoso, nem percebendo o ar de espanto do filho. — Eu não lhe falei? O que ele tinha era vergonha.

— É. Os quietinhos são os piores!

Silas pagou Domitila e agarrou Romero pelo braço, saindo com ele em estado de quase euforia.

— Muito bem, meu filho — elogiou. — Sabia que você não iria me decepcionar. Garanhão, hein? Quem diria? Espere só até eu contar para o pessoal. Quero ver quem é que vai mexer com você depois disso. Vão todos morrer de inveja, isso sim.

Romero enrubesceu. Como poderia encarar alguém depois daquilo, ainda mais se o pai contasse aos outros o que acontecera? O que faria para esconder a vergonha que sentia?

Silas não estava preocupado com os sentimentos de Romero. Estava tão feliz que nem sequer se lembrara de perguntar ao jovem se havia gostado ou como se sentira. A única coisa em que pensava era que seu filho, ao contrário do que diziam, não era nenhuma bicha.

Só que Romero, longe de compartilhar a alegria do pai, sentia-se frustrado e deprimido, desejando jamais ter de passar por aquilo novamente.

Nos dias que se seguiram, as coisas acabaram se acalmando. Silas, satisfeito com o desempenho do filho, vivia apregoando aos quatro cantos o quão macho ele era. Apesar de envergonhado, Romero até que gostou. As crianças pararam de mexer com ele, e ele podia ir e vir da escola sem maiores problemas.

Noêmia também ficou satisfeita. O que mais queria era paz no lar. E, depois, o sucesso de Romero tirara-lhe um grande peso. Tinha medo de que ele não fosse capaz, o que causaria uma tempestade em casa. Mas Romero saíra-se muito bem, segundo o que o marido lhe dissera, e ela estava feliz. Silas, muito discretamente, contara-lhe que levara o garoto a uma prostituta muito bem recomendada. Noêmia, apesar da vergonha e da timidez, aquiescera com alívio.

Apenas Judite não se convencia. Sabia, pelo olhar de Romero, que a experiência devia ter sido das piores. Conhecia o irmão muito bem para saber quando ele não estava feliz. Romero parecia aliviado porque se livrara da perseguição do pai, mas parecia muito pouco à vontade em sua nova posição de homem.

No domingo, Judite convidou Romero para ir ao cinema. Estavam passando uma nova fita, *Tubarão*, a sensação do momento.

— Será que consigo entrar? — questionou ele, interessado. — A censura é para catorze anos.

— Você já tem quase isso. Aposto como ninguém vai perguntar.

O porteiro, ao contrário do que Judite esperava, pediu a carteirinha de estudante de Romero.

— Não pode entrar — falou com arrogância.

— Por favor, moço — pediu Judite. — Ele vai fazer catorze anos daqui a dois meses. Deixe-o entrar.

— Daqui a dois meses não é hoje. Hoje, ele só tem treze anos.

— Que diferença vai fazer ver o filme hoje ou daqui a dois meses? Ah! por favor, moço, deixe-o entrar.

Romero pregou os olhos no chão. Tinha pavor de estar em evidência. O porteiro encarou-o com ar carrancudo, mas acabou deixando-o passar. Como ainda era cedo, Judite foi com ele comprar balas e sentou-se na poltrona para esperar terminar a sessão anterior à sua. Acabou encontrando alguns amigos, e, enquanto conversavam, Romero ia olhando tudo que acontecia ao redor.

Notou que, de vez em quando, alguém o olhava, e prestou atenção. Era um rapaz de pouco mais de vinte anos, alto, moreno, forte. Em dado momento, os olhos de ambos se cruzaram, e Romero sentiu um arrepio. O rapaz pareceu-lhe bastante bonito, e o garoto surpreendeu-se ao perceber que lhe aprazia olhar para aquele tipo atraente. Assustou-se consigo mesmo e virou o rosto. Ele era homem, homem! Como podia sentir-se atraído por outro homem?

A sessão ia começar, e Judite pegou sua mão.

— Vamos nos sentar com o pessoal — chamou, sem perceber o que se passava.

Romero obedeceu e saiu seguindo a irmã e os amigos. As pessoas entravam em fila, vagarosamente, e ele, de vez em quando, olhava para trás e percebia que o rapaz continuava olhando-o. Corou violentamente. O que será que aquele moço estava pensando? Que ele era alguma bicha?

Sentou-se ao lado da irmã, e o rapaz sentou-se na fileira de trás, duas poltronas ao lado da sua, o que deixou Romero gelado. E se o homem falasse com ele? O que diria a irmã? Olhou de soslaio para Judite, mas ela estava muito interessada na conversa com um amigo. De repente, a tela se iluminou, e começaram a passar alguns anúncios. Veio um curta-metragem, alguns *trailers* e o jornal. Durante todo esse tempo, Romero olhava para o rapaz, que lhe devolvia o olhar com um sorriso maroto.

Quando as luzes se apagaram por completo, anunciando o começo do filme, Romero centrou sua atenção na tela. Durante cerca de duas horas, esqueceu-se do rapaz na fila de trás. Só quando a sessão terminou, e eles se levantaram para sair, foi que se lembrou dele, porque o rapaz estava parado no mesmo lugar, fitando-o insistentemente. Sem nada perceber, Judite saiu conversando com os amigos, falando sobre o filme, praticamente se esquecendo de Romero.

— Por que não vamos tomar um sorvete? — sugeriu Alex, um dos amigos, bastante interessado em Judite.

— Não sei — respondeu ela. — Preciso levar meu irmão para casa.

— Por que ele não vem conosco?

— Você quer vir? — perguntou ela a Romero.

O olhar de Judite quase que implorava, e Romero respondeu:

— Não quero, não. Mas você pode ir. Vou para casa.

— Ah! não, Romero! Não vou deixá-lo voltar sozinho.

— O que é que tem? Não sou nenhum bebê.

— Não é isso. Mas é chato voltar só.

— Bobagem. Você está com vontade de tomar sorvete com seus amigos. Eu não quero ir. Por que você tem de perder seu programa por minha causa?

— Tem certeza de que quer voltar sozinho?

— Absoluta.

— Não vai ficar chateado?

— Não. Ande, vá logo. Vai acabar ficando tarde.

Judite decidiu-se. Deu um beijo na bochecha de Romero e murmurou agradecida:

— Não vou demorar. Diga a papai que voltarei logo.

Romero ficou vendo a irmã afastar-se em direção à sorveteria. Depois que o grupo entrou, ele se virou para ir para casa e quase esbarrou no rapaz que ficara olhando para ele no cinema.

— Você?! — exclamou Romero, assustado. — Está me seguindo?

— Não — respondeu o outro, com simpatia. — Estava esperando você.

— Por quê?

— Para que pudéssemos nos conhecer. Como você se chama?

— Romero. E você?

— Júnior. Meus amigos me chamam assim. Não gostaria de dar uma volta por aí?

— Onde?

— Não sei. Podemos dar um passeio na praia.

— Na praia? Hum..., não sei, não. Fica muito longe, e eu preciso ir para casa.

— Que tal uma bebida?

— Um refrigerante?

— Se você quiser...

— Quantos anos você tem, Júnior?

— Vinte e um. Por quê? Isso tem importância para você?

— Para mim, não. Mas meu pai pode brigar comigo. Ele não gosta que eu ande com garotos mais velhos.

— Seu pai não precisa saber que nos conhecemos, não é mesmo?

Algo no tom de voz de Júnior não agradou Romero. Além disso, a admiração que sentira pelo outro assustou-o, e ele, pensando em recuar, considerou:

— Já está ficando tarde. Preciso ir para casa.

— Vou acompanhá-lo.

— Não precisa. Não é longe, chego rápido.

— Não, faço questão. Quero que sejamos amigos.

Sem saber o que dizer, Romero deu de ombros e tomou a direção de sua casa, e Júnior seguiu com ele. No caminho, iam conversando sobre o filme, e Romero entusiasmou-se, falando sobre o tubarão, cheio de admiração.

— Nossa, foi demais! E quando o tubarão comeu o homem no final? Quase morri de medo!

Júnior escutava as palavras de Romero e fazia observações interessantes, tocando-o de leve no braço. Romero estava tão empolgado com o filme que nem se deu conta de que haviam se desviado do caminho. Seguiam agora por uma ruazinha escura e quase deserta, e foi só quando Júnior parou que ele percebeu que aquele não era o caminho de sua casa.

— Onde estamos? — indagou assustado.

— Não sei. Pensei que você conhecesse o caminho.

— Acho que me distraí — acrescentou, olhando para os lados. — Não sei onde estou. Vamos voltar.

Deu meia-volta, mas sentiu que a mão do outro o segurava pelo braço.

— Por que a pressa? — perguntou Júnior com ar malicioso.

— Eu... eu... preciso ir... Minha irmã está me esperando...

— Sua irmã é aquela que saiu com a turma? Pois não creio que vá dar por sua falta tão cedo.

— Mas é que já está tarde... Meu pai...

Tentou se desvencilhar, mas Júnior era mais forte e puxou-o com violência, tentando beijá-lo na boca.

— O que está fazendo!? — contestou Romero com veemência. — Ficou louco? Não sou dessas coisas, sua bicha!

— A quem quer enganar? Então não vi o jeito como me olhava?

— Mas que jeito? Você ficou maluco? Eu não estava nem olhando para você.

— Ah! estava, sim! E era olhar de desejo. Conheço bem.

— Não, não, está enganado. Não sou desse tipo. Sou homem! Até já dormi com mulher. Sou homem, ouviu? Não sou veado como você!

— Você me provocou. Agora vai ter de agüentar.

Indiferente aos apelos e gritos de Romero, Júnior agarrou-o com força, deitando-o no chão frio da calçada. Sua superioridade física deu-lhe imensa vantagem, e ele facilmente subjugou Romero, que lutava desesperadamente para se soltar. Júnior segurou-o pelos cabelos, deitando-o de bruços no chão, ao mesmo tempo em que rasgava suas roupas. Romero chorava angustiado, implorando que ele não fizesse aquilo. O outro, porém, não lhe deu importância. Parecia mesmo que, quanto mais Romero gritava, mais ele se enchia de desejo, e Júnior começou a bater nele, esfregando seu rosto no chão. Ao mesmo tempo em que lhe dizia palavras sujas e obscenas, ia penetrando-o aos pouquinhos, até que, dominado pelo prazer, penetrou-o violentamente, fazendo com que Romero uivasse de dor.

Quando terminou, soltou-lhe os cabelos e levantou-se calmamente. Abotoou as calças, enquanto fitava o corpo caído e ferido de Romero, que não parava de chorar, sem coragem de encará-lo. Ajeitou a camisa, afivelou o cinto e, quando ia saindo, falou em tom sarcástico:

— Até que não foi mau, foi? — Romero não respondeu. — Você gostou. Pode não querer admitir, mas você gostou. É sempre assim. Todos gostam. No começo, dizem que não, que não querem, que não são disso. Mas, depois que são comidos, não querem mais saber de outra coisa.

Soltou uma risada nervosa e rodou nos calcanhares, saindo apressadamente. Sentindo que ele se afastava, Romero ergueu o corpo e, ajoelhado, gritou em desespero:

— Está enganado! Seu animal nojento! Sou homem! Não sou nenhum veado! Sou homem, homem!

Arriou o corpo no chão, chorando copiosamente. Sentia o corpo todo dolorido, uma imensa humilhação assolava-o. O que diria ao pai? O que diria o pai? Embora dorido, conseguiu pôr-se de pé e começou a caminhar na direção oposta à que Júnior tomara. Mal conseguia andar, tamanha a dor que sentia. Parecia que havia sido estilhaçado por dentro, sentia-se despedaçado. O sangue escorria de sua testa, que Júnior esfregara e batera no chão. O nariz também sangrava, e várias manchas roxas surgiam em suas costas, nos locais em que ele o socara. Por que tanta violência? Por que tivera de ser tão cruel? Já não lhe roubara a honra e a dignidade? Por que tivera de maltratá-lo daquela maneira?

A passos arrastados, Romero conseguiu voltar para a rua que dava acesso à sua casa. Queria esperar a irmã, mas achava que não conseguiria. Estava sentindo muita dor, um gosto amargo de sangue na boca. Precisava de um médico. Será que iria morrer? A muito custo, conseguiu chegar à casa e escancarou a porta. A mãe e o pai estavam na sala, vendo televisão, e levaram um susto quando ele entrou, todo machucado e inchado, andando de um jeito esquisito.

Romero não conseguiu dizer nada. Entrou todo trôpego e, chegando ao meio da sala, sentiu que o chão lhe faltava, a respiração parecia difícil, e tudo ficou escuro. Desmaiou.

capítulo 2

Ao sair para o plantão naquela noite, Plínio estava bastante aborrecido. Era médico do hospital municipal fazia alguns anos e trabalhava na emergência. Reconhecia que estava ficando cansado de tanta violência, mas sentia que não podia deixar aquele posto. Nascera para ajudar as pessoas e gostava do que fazia.

Já no hospital, lembrou-se da pequena discussão que tivera em casa na manhã anterior, logo que chegara do hospital. Lavínia, sua mulher, estava sentada na cadeira de balanço, tricotando uma roupinha para o filho recém-nascido, que dormia no carrinho a seu lado. Plínio beijou-a com suavidade, e ela exibiu o casaquinho, falando enternecida:

— Não está uma beleza? Já estou quase terminando. É para o batizado de Eric.

— Está lindo.

Ela sorriu embevecida e alisou o casaquinho. Retomou a agulha e continuou a tricotar, enquanto Plínio se servia de uma dose de uísque.

— Já estou cansado de tanto sofrimento — comentou ele. — Todos os dias chegam adolescentes e crianças estupradas, violentadas... E os pais não fazem nada.

Lavínia soltou o tricô por uns instantes e retrucou em dúvida:

— Não sei se deveria culpá-los. Talvez a dor de reviver a humilhação seja maior do que o desejo de ver o criminoso na cadeia.

— Você não deixa de ter razão, e, se o motivo fosse só esse, eu conseguiria compreender. Mas muitos pais não denunciam por medo da vergonha. E não é nem dos filhos. É deles mesmos.

— Até que ponto denunciar resolve alguma coisa? O mal já está feito, não pode ser reparado. Vingar-se do criminoso não restitui a honra, a vergonha, a dor e tudo o mais.

— Quem falou em vingança? Também sou contra querer se vingar. Mas a repressão penal é necessária. Quem comete um crime tem de arcar com as conseqüências daquilo que faz. Talvez, passando uns tempos na cadeia, o sujeito consiga refletir sobre o que fez...

— Duvido muito — disse uma voz irônica, vinda do outro lado da sala.

— Rafael! — exclamou Lavínia, surpresa com a chegada intempestiva do irmão.

— Não devia estar na faculdade? — perguntou Plínio, de má vontade.

— Saí mais cedo. Não estava com saco de assistir àquela aula chata.

— Não estava com saco? — repetiu o médico, abismado. — O que pensa da vida, Rafael? Pago faculdade para você sem cobrar nada em troca, mas o mínimo que espero é que assista às aulas.

— Vai jogar em minha cara agora, vai? Só porque não tenho dinheiro, não precisa me humilhar.

— Não o estou humilhando nem jogando nada em sua cara. Mas nosso trato foi esse: eu o sustento até você terminar a faculdade, mas você tem de ir às aulas.

— É sempre assim, não é, Plínio? Só porque é o dono do dinheiro, pensa que pode mandar em mim.

— Você está distorcendo as coisas. Não mando em você e não sou o dono do dinheiro. O que ganho é com o suor de meu trabalho.

— Será que vocês dois podiam deixar de discutir pelo menos uma vez? — queixou-se Lavínia, debruçando-se sobre o carrinho. — Vão acabar acordando o bebê.

— Está certo, Lavínia — concordou Rafael. — Por causa de você e de meu sobrinho, não vou dizer mais nada.

Com um sorriso de triunfo, Rafael deu meia-volta e sumiu pela porta da varanda, indo em direção à piscina.

— Esse rapaz me deixa louco — desabafou Plínio. — Concordei em ficar com ele aqui, comprometi-me com seus estudos, mas ele não reconhece nada. Quanto mais faço, mais ele me espezinha.

— Rafael é uma pessoa difícil. Não estou querendo justificá-lo, mas ele sofreu muito com a morte de mamãe e papai.

— Eu sei. Posso imaginar. Mas isso não lhe dá o direito de ser desagradável nem mal-agradecido.

— Procure relevar, meu bem. Rafael ainda é um garoto. Logo, logo, isso vai passar.

— Ele já é um homem. Tem vinte e dois anos. Já podia estar terminando a faculdade, mas vive sendo reprovado. Imagine que bom arquiteto ele não vai ser.

— Isso vai passar, você vai ver. Quando ficar mais velho, ele se emenda.

— Você vem me dizendo isso desde que seus pais morreram. De lá para cá, ele não mudou muito.

— Ele estava se sentindo muito sozinho. Perdeu tudo...

— Perdeu tudo porque sempre foi irresponsável. Se não fosse eu, ele teria torrado seu dinheiro também.

— Eu sei, eu sei. Mas tente entender. É duro viver de favor.

— Ele não vive de favor. Nunca lhe disse isso. Ele é meu cunhado; só o que quero é seu bem. Mas ele parece ter raiva disso. Tem raiva porque posso ajudá-lo e sente-se humilhado com minha ajuda, quando deveria se sentir agradecido. Mas deixe isso para lá. Não quero que você se aborreça nem quero perturbar o sono de Eric.

Plínio lembrou-se de que encerrara aquela discussão com um beijo na mulher e sorriu, procurando não pensar em Rafael. Seus pensamentos estavam agora inteiramente voltados para a mulher e o filhinho, quando a porta de seu consultório se abriu e uma enfermeira bem novinha entrou apressada.

— Doutor Plínio — chamou. — Acaba de chegar um rapazinho bastante machucado.

O médico assentiu e levantou-se, seguindo direto para a sala de emergência. Viu de relance os pais do menino no corredor, mas não lhes deu atenção. Mais tarde, falaria com eles.

Algum tempo depois, sentados na sala de espera do hospital, Silas e Noêmia conversavam com Plínio, que já completara os exames em Romero.

— Não pode ser, doutor — negava Silas, com ar abobado. — Isso não pode ter acontecido com meu filho.

— Seu Silas — rebateu o médico —, os crimes sexuais são bem mais comuns do que se imagina.

— Mas com meu filho, não. Ele não pode ter sido violado...

— Violentado. O nome é violentado. É um crime, seu Silas, e pode levar o criminoso à cadeia. Mas é preciso que se faça a queixa.

— Isso é que não! — Silas levantou-se bruscamente e tornou a sentar-se. — Não quero que ninguém saiba o que aconteceu.

— Mas, se o senhor não disser nada, o criminoso vai continuar impune.

— Se eu o encontrar, sou capaz de matá-lo.

— O senhor não vai matar ninguém. E ele vai fazer a outro menino o que fez a seu filho. Precisamos detê-lo.

— Não, não. Não vou me submeter a essa vergonha. Meu filho, mulherzinha de um marginal! Isso é que não!

— Ele tem razão, Silas — interveio Noêmia. — Esse monstro não pode continuar solto por aí. Imagine o que não vai fazer a outros meninos como nosso Romero.

— Isso não me interessa. Cada um que cuide de sua cria.

— Silas! Não pode falar assim.

— Não quero parecer insensível ou coisa parecida. Mas tenho de cuidar de meus interesses. E não vai ser nada agradável expor Romero ao ridículo. Imagine o que meus amigos não vão dizer!

— E ele, seu Silas, o que vai dizer?

— Não importa. Romero é menor de idade, e eu tenho de cuidar de seus interesses. Não vai pegar nada bem se os outros souberem que ele foi... sodomizado.

— Ainda assim, acho que o senhor deveria conversar com ele. Talvez ele tenha outra opinião.

— A opinião dele não tem importância nesse caso. Meu filho, vítima de um atentado... como é mesmo, doutor?

— Atentado violento ao pudor. É um crime sério.

— Não me interessa. E, depois, não tenho dinheiro para gastar com advogado.

— Mas não precisa. Olhe, já estou acostumado a ver esse tipo de coisa e sei que, se o senhor não tiver como pagar, um promotor público assume o caso.

— Deus me livre! Piorou. Imagine se vou tornar público o que aconteceu a meu filho! Isso é que nunca!

— Prefere manter sigilo, então?

— Prefiro. A essa altura, não vai adiantar nada. O mal já está feito, não está? Só espero que Romero não fique... diferente.

— Não diga isso nem brincando — objetou Noêmia. — Nosso filho não vai ficar diferente.

— Como assim? — indagou o médico, curioso. — Diferente em quê?

— Bem, doutor, sabe como é... O garoto é tímido, e o senhor sabe como são as línguas ferinas. Mas o meu Romero é homem, isso é. Outro dia mesmo, levei-o a uma... o senhor sabe... uma mulher da vida, e ela me disse que ele é um garanhão.

— Seu Silas, isso não importa agora. Seu filho foi vítima de um ato de extrema violência. Mesmo que ele fosse homossexual, não gostaria de ter passado por isso.

— Meu filho não é homossexual!

— Eu não disse que é. O que quis dizer é que ninguém gosta de sofrer um ato de violência. Nem mesmo quem é homossexual.

— Mas meu filho não é!

— É claro que ele não é — reafirmou Noêmia. — Não precisa ficar repetindo isso.

— Sua mulher tem razão — concordou o médico. — Esse assunto não vem ao caso agora. Temos de nos preocupar é com o bem-estar de Romero.

— Só falei para que não pairem dúvidas.

— Não precisa se preocupar. Ninguém está duvidando de nada.

— Melhor assim.

— Por que o senhor não vai para casa e pensa no assunto? Reflita, discuta com sua mulher. Talvez amanhã mude de idéia.

— Não vou mudar de idéia. E agora, doutor, se nos dá licença, queremos ir para casa. A noite foi cansativa, e Romero e eu ainda temos muito o que conversar. Quero saber direitinho como foi que isso aconteceu.

— Lamento, mas Romero não poderá ir para casa hoje. Ainda está em observação.

— Mas o senhor me disse que ele estava bem.

— E está. Mas sofreu muitos golpes e... bem, o senhor sabe...

— Sei, doutor, não precisa falar. — Engoliu em seco e desabafou: — Meu filho nunca mais será o mesmo depois disso.

— Não diga isso, Silas. — Era Noêmia novamente. — Ele vai continuar o mesmo, você vai ver. Com o tempo, vai esquecer. Arranja uma namorada bonitinha e nem pensa mais no assunto.

— Espero que você tenha razão. Porque, se ele ficar diferente, nem sei do que sou capaz.

Plínio assustou-se com a revolta de Silas e teve medo por Romero. Não sabia como tudo se passara. Descobrira que ele fora violentado porque procedera a um exame detido no menino. Ele chegara desmaiado, todo machucado e, ao examiná-lo, Plínio notou que havia sangue em sua cueca. Antes mesmo de constatar a violência, não foi difícil deduzir o que havia acontecido.

Mas havia em Silas algo mais do que um simples medo de que Romero ficasse falado. Pelo que Plínio podia perceber, o homem à sua frente estava apavorado com a idéia de que o filho pudesse ser homossexual, o que não era de todo uma idéia absurda. Plínio sabia que muitos meninos eram violentados por pura maldade, mas sabia também que outros atraíam o agressor por algo em seus gestos, em suas maneiras, em seu jeito de olhar. Algo que demonstrasse um homossexual em potencial, ainda que não assumido ou inconsciente. Romero podia estar num ou noutro caso, o que, para ele, não fazia a menor diferença. Não era preconceituoso e achava que toda violência devia ser reprimida, não importava contra quem fosse realizada.

Só que Silas parecia não compartilhar seu jeito de pensar. Pelo visto, aquele homem estava menos preocupado com o bem-estar do filho do que com sua própria imagem. Tudo em que pensava era no que os outros iriam dizer se descobrissem o que havia acontecido a Romero. Ou, o que lhe parecia pior, se descobrissem que Romero não fosse um homem de verdade, na concepção de Silas.

— Vá para casa — aconselhou Plínio novamente. — Descanse, e amanhã conversaremos.

— Quero levar Romero comigo.

— Infelizmente, não posso permitir que o leve. Se o fizer, não poderei me responsabilizar por nada que lhe aconteça.

— Ele tem razão, Silas — intercedeu Noêmia. — Deixe que Romero fique. Estará mais bem cuidado aqui.

Silas encarou Plínio com ar de dúvida e indagou inseguro:

— Quando ele terá alta?

— Talvez amanhã. Vamos ver como vai passar a noite. Se nenhum dos ferimentos inflamar, ele poderá sair amanhã, depois do almoço.

Com um aceno de cabeça, Silas levantou-se e permitiu-se conduzir pela mulher. Não queria deixar Romero no hospital; tinha medo de que alguém ficasse sabendo do que acontecera. Mas o médico lhe parecia decidido, e ele não queria assumir riscos.

Do lado de fora do prédio, fizeram sinal para um táxi e foram para casa. Já era muito tarde, e eles estavam também preocupados com Judite. Ela ainda não havia chegado quando eles saíram e não sabia de nada do que acontecera. Devia estar aflita em casa, esperando por notícias.

— Devíamos ter telefonado para ela — observou Noêmia.

— E você acha que tive cabeça para pensar em Judite? Só agora me lembrei dela.

— O que lhe diremos? A verdade?

— Isso nunca! Vamos contar-lhe o que contaremos a todo mundo: que Romero foi agredido num assalto. Ninguém nunca vai saber o que lhe aconteceu. Nem a irmã!

— Mas e se ele contar? Sabe como Romero e Judite são ligados.

— Eu o proibirei. Se ele disser alguma coisa, mesmo que seja a Judite, dou-lhe uma surra! E você, Noêmia, trate de não dizer nada a ninguém, entendeu bem?

Noêmia limitou-se a aquiescer. No fundo, não via motivo para tanto alarde, mas Silas era quem sabia. Se ele não queria que ela falasse, ela não falaria.

Em casa, Judite quase morria de preocupação. Chegara do cinema por volta das nove e meia e não encontrara ninguém. Não lhe deixaram nem um bilhete, não lhe telefonaram. O que teria acontecido?

Sentou-se na sala para esperar os pais. Estava quase pegando no sono quando ouviu o barulho de um automóvel parando na porta. Espiou pela janela e viu os pais saltando do táxi. Aflita, escancarou a porta e correu para o jardim, indagando quase sem fôlego:

— Pai? Mãe? O que aconteceu? Cadê Romero?

Noêmia olhou de soslaio para Silas, que foi caminhando a passos vagarosos para os degraus que davam acesso à pequena varanda de sua casa.

— Seu irmão está no hospital — respondeu cauteloso. — Sofreu um acidente.

— Acidente? Mas como? Eu o deixei no cinema...

— É isso mesmo, Judite. Você o deixou no cinema. Por que não veio para casa com ele?

O rosto de Judite tornou-se rubro, e ela sentiu algumas gotículas de suor deslizando pela testa. Com a voz embargada, respondeu receosa:

— É que fui tomar um sorvete...

— Sozinha?

— Não. Encontrei uns amigos da faculdade.

— Por que não levou seu irmão com você?

— Ele não quis ir. Disse que queria vir para casa. Oh! papai, eu não tive culpa. Não podia imaginar que ele sofreria um acidente. O que foi? Um carro? Ele foi atropelado?

— Não. Seu irmão foi assaltado.

— Assaltado? Mas, mas...

— Assaltado, sim, por quê? Você o deixou sozinho, já era tarde. Veio um malfeitor e o assaltou. E não foi só. Bateu nele também. Ele está todo machucado.

— Oh!

Judite desatou a chorar, e a mãe abraçou-a, tentando consolá-la.

— Não chore, minha filha. Ele foi hospitalizado, mas está passando bem. O médico disse que amanhã poderá sair.

— Quero vê-lo.

— Isso é impossível — objetou o pai, veemente.

— Por que não me deixaram um bilhete? Eu teria ido encontrá-los no hospital.

— E quem teve cabeça para isso? Só pensávamos em socorrer seu irmão.

— Tem razão, papai... É que essa notícia me deixou profundamente abalada.

— Todos nós ficamos, minha filha — contemporizou Noêmia. — Mas agora não há mais nada que possamos fazer. Apenas rezar. Ele já foi atendido e medicado. Graças a Deus, não foi nada realmente sério.

— Vamos dormir — ordenou Silas. — Já é tarde, e Judite tem aula de manhã cedo.

— Não quero ir à aula, pai — protestou a moça. — Quero ver Romero.

— Depois. Quando você voltar da faculdade, poderá vê-lo. Talvez, até lá, ele já esteja em casa.

— Ah! pai, por favor, deixe-me ir com vocês buscá-lo no hospital...

— Nada disso. Você vai à faculdade e pronto. Não poderá ajudar em nada mesmo.

— Como não? Romero vai se sentir mais seguro comigo a seu lado.

— Ele tem a mim e à sua mãe. E, agora, chega de discussão. Já para a cama.

Embora contrariada, Judite teve de obedecer. Sentia o peito oprimido, um remorso cruel a dominar-lhe o coração. Por que deixara Romero sozinho? Se o tivesse acompanhado, nada daquilo teria acontecido. Ela nem sabia direito o que tinha acontecido, nem como. O caminho do cinema até sua casa era movimentado e iluminado. Como alguém fora assaltar Romero em meio a tantas pessoas? Não adiantava ficar pensando. No dia seguinte, quando voltasse, ele mesmo lhe contaria tudo.

Pensando nisso, Judite deitou-se na cama e apagou a luz. Custou muito a pegar no sono, porque a imagem de Romero não lhe saía do pensamento. Como estaria passando o irmão? E mais: como estaria se sentindo, longe da segurança do lar?

No dia seguinte, bem cedinho, Romero despertou sentindo o corpo todo dolorido. Tentou levantar-se, mas a dor o impediu, e ele arriou novamente na cama. Olhou ao redor, tentando identificar o lugar em que estava. Era um hospital, com certeza, e ele estava numa enfermaria. A um canto, uma enfermeira aplicava uma injeção num velhinho e, ao levantar os olhos, ela viu que ele a olhava espantado. Deu-lhe um sorriso e saiu apressada. Em seguida, voltou acompanhada por alguém, que ele deduziu ser o médico, e foi retomar as suas atividades.

— Bom dia, Romero — disse o médico. — Sou o doutor Plínio e vim ver como está passando. Sente-se melhor?

Romero levou as mãos à cabeça e tornou com voz triste:

— O que... o que aconteceu?

— Não se lembra?

Ele balançou a cabeça, mas parou abruptamente, e em sua mente perpassou a sombra de uma lembrança mordaz. Baixou os olhos, envergonhado, e começou a chorar baixinho.

— Aquele homem... — balbuciou com amargura, calando-se com um soluço.

— Você não tem do que se envergonhar — tornou Plínio, notando seu constrangimento. — Você foi vítima de um ataque, e o único ato vergonhoso foi o de seu agressor.

— Onde está meu pai?

— Foi para casa ontem à noite, mas em breve voltará.

— Deve estar furioso.

— Seu pai ficou muito preocupado, assim como sua mãe. E não é para menos. O que fizeram com você foi muita covardia.

— Eu não tive culpa...

— É claro que não.

De repente, Romero viu-se abrindo o coração para aquele desconhecido, como se já fossem amigos de longa data:

— Ele... ele me enganou... Disse que queria ser meu amigo... Eu não sabia... não podia imaginar... Se eu soubesse, não teria feito aquilo.

Romero agora chorava convulsivamente, e Plínio condoeu-se sobremaneira. Já vira muitos casos como aquele. Meninos e meninas sofrendo com a traição e a violência, sentindo na carne a dor de ingressar no mundo adulto de forma tão abrupta, violenta e traumatizante.

— Você não fez nada — tranqüilizou o médico. — Não foi culpa sua.

— Deixei-o acompanhar-me. Estávamos falando do filme... eu me empolguei... nem percebi para onde ele estava me levando... De repente, ele me agarrou... começou a fazer coisas... Ah! doutor, foi horrível!

— Posso imaginar.

— O senhor sabe o que ele me fez?

— Fui eu que o examinei.

— Eu não queria! Mas ele me forçou! Fez de mim uma mulherzinha. Mas eu não queria. Juro, doutor, eu não queria. Eu sou homem!

Ante os soluços angustiados de Romero, Plínio afagou sua cabeça e tornou com voz bondosa:

— Tenha calma. Não precisa se justificar. Não estou aqui para julgá-lo. Só o que quero é ajudar.

— Mas meu pai... quando souber... vai querer me matar...

— Seu pai já sabe.

— Já? E não disse nada?

— Ele está bastante transtornado, o que é natural num caso como este. Mas não me parece que esteja querendo matá-lo.

— Não?

Nesse momento, a enfermeira entrou novamente e cochichou algo ao ouvido de Plínio, afastando-se em seguida. O médico fitou Romero com piedade e informou:

— Seus pais estão aí fora. Acabaram de chegar.

Silas e Noêmia entraram aflitos, procurando o leito de Romero entre tantos que ali estavam. Ao avistarem o médico ao lado de sua cama, correram para lá a passos apressados.

— Bom dia, doutor — disse Silas, e Noêmia balançou a cabeça.

— Bom dia — respondeu o médico.

Noêmia correu para junto do filho e abraçou-se a ele, falando entre lágrimas:

— Ah! Romero, meu filho, meu menino! O que fizeram a você?

— Ui! — gemeu Romero, sentindo o corpo doer sob o abraço da mãe.

— Cuidado, Dona Noêmia — advertiu Plínio. — Ele ainda está muito machucado.

— Desculpe-me, meu filho. Mas é que estava tão preocupada! Seu pai e eu ficamos muito aflitos.

Romero fitou o pai, que o cumprimentou com certa emoção:

— Como está, meu filho? Melhor?

— Vai-se indo.

Silas deu um sorriso amargo e virou-se para o médico:

— Então, doutor? Podemos levá-lo hoje?

— Creio que sim — respondeu o médico, a contragosto. — Ele está reagindo muito bem. Creio que, depois do almoço, poderá sair.

— Por que não agora?

— Por que a pressa? Ainda quero fazer mais alguns exames. Coisa de rotina, mas necessária.

— Entendo.

Plínio olhou para os lados e chegou o rosto mais para perto de Silas, indagando a meia-voz:

— E então? Pensou no que conversamos?

Sem tirar os olhos do chão, Silas respondeu:

— Pensei, sim, doutor. E minha resposta continua sendo "não".

Estava encerrado o assunto. Silas voltou-lhe as costas e aproximou-se do filho, pondo-se a apreciar os gestos de carinho da mulher. Não tendo mais o que dizer para convencê-lo, Plínio afastou-se, falando desapontado:

— Bem, podem ficar com ele. Vou preparar a alta para depois do meio-dia. Depois, virei aqui terminar os exames.

Assim que ele se foi, Silas virou-se para Romero e falou com ar grave:

— Nem uma palavra do que aconteceu ontem, Romero.

— O quê? — indignou-se o menino, pensando que não havia entendido direito.

— Nem uma palavra! Não quero que conte isso a ninguém. Nem à sua irmã. Se contar, dou-lhe uma surra da qual jamais irá se esquecer.

— Mas... mas... o que direi?

— Que você foi assaltado. Vinha caminhando distraído, e um

homenzarrão o assaltou. Bateu em você para tomar-lhe o dinheiro. Nada mais. E não se fala mais nisso.

— Mas, pai...

— Nada de "mas". O assunto está encerrado. Não quero mais ouvir falar nesse episódio. Para mim, está tudo acabado e enterrado. Não quero saber como foi que lhe tiraram a vergonha. Só espero que você não tire também a minha. Não diga mais nem uma palavra sobre esse... incidente. Vamos colocar uma pedra sobre tudo isso. O que passou passou. Agora, bola pra frente. Esqueça o que aconteceu e trate de arranjar uma namorada.

Romero engoliu em seco. Nada de perguntas... O pai nem queria saber como tudo acontecera. Simplesmente o proibia de tocar no assunto, com medo de se envergonhar. Mas envergonha-se de quê? Então não fora ele a única vítima de tudo aquilo? O único realmente humilhado, vilipendiado, tratado feito um traste, um cão sarnento? Quem, senão ele, tinha algo de que se envergonhar?

A ameaça do pai, entretanto, era por demais real e séria, e Romero não disse mais nada. Olhou para a mãe, em busca de apoio, mas ela grudou os olhos no chão e não ousava encará-lo. Por que tinha de ser tão passiva e omissa?

E Judite? Por que não estava ali também? Na certa, porque o pai não deixara. Pelo visto, não haviam contado nada a ela, e Judite devia estar pensando que ele fora mesmo assaltado. Romero queria correr e contar-lhe tudo, mas o pai o proibira de compartilhar sua dor até com a irmã, e ele o temia demais para contrariar suas ordens. Silas era bem capaz de cumprir suas ameaças e dar-lhe uma surra inesquecível, que hospital nenhum poderia curar.

Os exames transcorreram calmamente. A saúde de Romero, no geral, estava boa, e os ferimentos não davam mostras de infecção. Assim, logo depois do almoço, ele foi liberado para ir para casa. Plínio lamentou profundamente o fato de que mais um pai incompreensivo impedia que a justiça fosse feita, mas não havia nada que ele pudesse fazer. Se fosse seu filho, saberia direitinho como agir. Procuraria a polícia e faria a queixa-crime. Jamais deixaria passar impune o agressor de seu filho. Mas Romero não era seu filho, e ele não tinha o direito de passar por cima da vontade daquele pai. A lei o protegia, dava ao pai o direito de optar por ir avante ou não com uma ação criminal. E quem era ele para ir contra a lei?

Quando chegaram à casa, Noêmia levou Romero para o quarto, para descansar. Ele ainda estava muito doído e com dificuldades de andar, o que desgostava Silas imensamente, lembrando-se de que seu filho jamais seria o mesmo depois daquilo. Mesmo que ele arranjasse uma namorada e procurasse levar uma vida normal, Silas jamais poderia esquecer que Romero fora violado naquilo que possuía de mais valioso: sua masculinidade.

Noêmia deitou-o em sua cama e acomodou-o nos travesseiros. Ligou o ventilador e abriu a janela.

— Quer mais alguma coisa, meu filho? — indagou solícita.

— Não, mãe, obrigado. Onde está Judite?

— Na faculdade.

— Ela não quis ir me buscar?

— Seu pai não deixou. Sabe como ele é rigoroso com as coisas de estudo.

— Mas eu estava no hospital!

— Agora você está em casa. E Judite, logo, logo, chega por aí. Então poderão conversar. Mas cuidado: lembre-se do que seu pai falou.

— Pode deixar — tornou acabrunhado. — Não direi nada. É o que ele quer, não é? Que eu finja que nunca aconteceu nada.

— Seu pai só quer seu bem.

— Acho que ele quer é o bem dele mesmo.

— Não diga isso. Ele ficou muito preocupado. E, se o proibiu de tocar no assunto, foi para que você não virasse motivo de chacota na rua.

— Para que quem não virasse motivo de chacota? Eu ou ele?

— Não fale assim, Romero. Seu pai pode não gostar.

A idéia de que o pai pudesse escutar aquelas palavras assustou-o, e Romero silenciou. Faria, sem maiores questionamentos, o que o pai lhe ordenara. No entanto, não podia fingir que não estava magoado. Sofrera um duro golpe, e o mínimo que podia esperar era a compreensão da família. Mas o pai se negava a escutar, a mãe tinha medo de perguntar e a irmã ignorava tudo. E ele estava proibido de tocar no assunto.

Ninguém poderia imaginar como estava se sentindo. A violência de que fora vítima deixara-lhe profundas marcas. Sentia-se triste, inseguro, culpado. Se não tivesse dado conversa para aquele sujeito, nada daquilo teria acontecido. Mas ele era ingênuo e inexperiente, e jamais poderia prever uma coisa assim. Até porque aquele assunto era tabu em sua casa. O pai nunca o alertara para coisas daquele tipo. Por isso, ao deparar com aquele homem, Romero nem imaginou que ele fosse capaz de lhe fazer mal. Lembrava-se de que chegara a desconfiar de que ele fosse homossexual, mas nunca poderia supor que ele quisesse violentá-lo. Ainda mais com tanta brutalidade.

Depois que a mãe saiu, Romero afundou o rosto no travesseiro e desatou a chorar. Em minutos, adormeceu. Era melhor dormir do que enfrentar aquela situação, e ele ferrou num sono profundo e agitado. Despertou mais tarde, sentindo a presença de alguém a seu lado. Era Judite, que chegara da escola e se sentara em sua cama, acariciando-lhe os cabelos. Quando ele abriu os olhos, ela sorriu e deu-lhe um beijo na testa.

— Meu menino — falou com ternura —, o que foi que fizeram a você?

Ele não respondeu. Tentou sorrir, mas sua boca se contraiu num esgar de dor, e ele acabou chorando no colo da irmã. Ela alisava seus cabelos com carinho e, quanto mais doce e amorosa ela era, mais ele se entregava ao pranto. Por fim, quando achou que já não possuía mais lágrimas para chorar, enxugou os olhos e balbuciou:

— Judite... Você nem sabe o que passei...

— Como foi? Não posso imaginar. Aquela rua é tão movimentada...

Seguindo as ordens do pai, Romero mentiu:

— Eu vinha distraído... Nem percebi quando o cara se aproximou por trás. Ele me pegou de jeito, me bateu e me tomou todo o dinheiro.

— E ninguém viu? Não vieram ajudar?

— Não havia ninguém por perto.

— Mas que coisa!

— Deixe isso para lá. Já passou. Quero esquecer.

— Sinto-me tão culpada!

— Você não tem culpa de nada. Não podia imaginar que iam querer me assaltar.

— Não. Eu devia tê-lo acompanhado até em casa. Jamais irei me perdoar por isso.

— Assim você me deixa triste. Não foi culpa sua. Não foi culpa de ninguém.

— Ele o agrediu muito?

— Não quero mais falar sobre isso...

Romero sentiu que a voz se estrangulava na garganta, e Judite abraçou-se a ele, falando cheia de arrependimento:

— Tem razão, Romero, perdoe-me. Sei que deve ser horrível lembrar-se do que aconteceu. Só perguntei porque fiquei curiosa e porque estou muito arrependida de ter deixado você sozinho. Mas não vou perguntar mais. Agora descanse. Na hora do jantar, trarei uma bandeja para você.

Judite saiu. Ao vê-la se afastar, Romero sentiu-se extremamente só. Ela era sua única amiga, a única que o compreendia. Se não podia compartilhar com ela sua dor, como faria para enfrentá-la? E mais: como conseguiria vencê-la? Romero pensou que jamais o conseguiria.

capítulo 3

Sentada na lanchonete, Judite conversava com Alex. Desde o dia do assalto, vinham saindo juntos. Alex era amigo de um colega de turma de Judite e já estava quase terminando a faculdade de engenharia. Aos vinte e dois anos, era um rapaz bonito e inteligente, disputadíssimo pelas garotas.

— Sabe, Alex — começou Judite, enquanto mordiscava um queijo quente —, não entendo o que aconteceu com Romero. Desde que foi assaltado, anda muito esquisito.

— Ele está traumatizado. Com o tempo, isso passa.

— Tomara que você esteja certo. Ele anda arredio, não quer conversar com ninguém. Nem comigo, que sou sua maior amiga.

— Ele está apenas assustado. É natural. Levou uma surra do tal sujeito e deve se sentir envergonhado. Qual é o homem que gosta de apanhar?

Judite não estava bem certa. Fazia já dois meses que tudo acontecera, e, desde então, Romero nunca mais fora o mesmo. Mas talvez Alex tivesse razão e aquilo fosse passageiro. Passado o susto e o trauma, Romero voltaria ao normal. Ela suspirou e alisou a mão de Alex por cima da mesa, indagando meio sem jeito:

— Quando você vai lá em casa?

— Estive pensando. Já estamos namorando há dois meses, e creio que estou apaixonado por você. — Ela corou, e ele prosseguiu: — Por isso, gostaria de falar com seus pais, mostrar a eles que minhas intenções são sérias.

— Ah! Alex, que bom! Papai já estava mesmo começando a reclamar. Disse que rapaz bem-intencionado faz logo questão de conhecer a família da moça.

— Pois é. Podemos marcar para breve um encontro. Que tal um jantar em sua casa?

— Ótima idéia. Mamãe já havia sugerido isso.

— E quando pode ser?

— Creio que sábado estaria ótimo.

— Sábado, então. Está combinado.

Beijaram-se longamente, e a conversa mudou de rumo. Já eram quase nove horas, e Judite precisava voltar, porque o pai não gostava que permanecesse na rua até tarde. Alex levou-a de carro até a porta de casa e depois foi embora.

Ao descer do veículo, Judite parou alarmada. Mesmo da rua, podia ouvir os gritos do pai ecoando pela janela aberta. Atravessou correndo o jardim e irrompeu porta adentro, bem a tempo de presenciar a bofetada que Silas acabara de estalar na face de Romero.

— Seu mariquinhas! — esbravejou. — É por isso que todo mundo vive falando de você!

Romero encolheu-se todo a um canto, e Judite exclamou indignada:

— Papai!

O pai, a mãe e o irmão olharam-na ao mesmo tempo, e Romero sentiu imenso alívio ao vê-la. Na mesma hora, correu a seu encontro e atirou-se em seus braços, choramingando em seu ombro, agarrado como se ela fosse sua mãe. Silas encarava-os com raiva, e Noêmia abaixou a cabeça, ao mesmo tempo aliviada e temerosa. Pelo menos Judite tinha coragem de enfrentar Silas, algo que Noêmia não se atrevia a fazer, e tomaria a defesa de Romero.

— Mas o que está acontecendo? Posso saber? — Era Judite novamente.

— É esse moleque! — esbravejou Silas, apontando para Romero o dedo ameaçador. — Vai fazer catorze anos e se comporta feito uma mocinha. E donzela!

— O que ele fez?

— O que ele *não* fez! Já está na hora de voltar a sair sozinho, mas ele se recusa.

— Sair para onde?

— Não lhe interessa. É assunto de homem.

Pela voz irritada do pai e pelo olhar de súplica de Romero, Judite sabia que ele estava falando da tal Domitila, de quem o irmão lhe falara na primeira vez em que fora à sua casa. Ela sabia que a experiência havia sido ruim e que ela mentira, chamando-o de garanhão só para agradar o pai. Sabia que Romero havia detestado a mulher, o que ela julgava compreensível, visto a pouca idade do menino.

— Por que não o deixa em paz? — rebateu Judite, um tanto agressiva. — Por que não o deixa escolher quando é hora de sair?

— Já disse para não se meter nisso. Você é uma mocinha e não entende dessas coisas.

— E do que você entende, além de si mesmo? Só consegue pensar no que os outros vão dizer se o seu filho não dormir com uma rameira.

— Cale a boca! Isso não são modos de uma moça de família falar.

— E isso não são modos de um pai educar o filho. Filhos devem ser tratados com amor e respeito, não com violência e agressão.

— Está querendo dizer que não amo meus filhos?

— Não estou querendo dizer nada. O senhor é quem sabe o que sente por nós.

— Você é muito atrevida, menina.

— O senhor é que é autoritário, prepotente e dono da verdade. Por que não experimenta perguntar o que sentimos, só para variar?

Em vez de responder, Silas aproximou-se e ergueu a mão para bater em Judite também, mas Noêmia segurou sua mão e objetou:

— Pense no que vai fazer, Silas, para não se arrepender depois.

Caindo em si, Silas soltou o braço ao longo do corpo. Não costumava bater em Judite. Ela era uma menina, e ele tinha um jeito todo especial de tratar as meninas. Achava que toda mulher era um ser frágil e submisso, e levantar a mão para uma moça era, no mínimo, um pecado mortal. Com os meninos, podiam-se usar métodos mais agressivos. As meninas deviam ser tratadas com severidade, mas jamais com violência física.

— Vá já para seu quarto — ordenou ele.

Sem baixar os olhos, Judite apertou Romero contra si e saiu com ele para seu quarto. Não deixaria o irmão ali por nada. Pensou que o pai fosse mandar que o menino voltasse, mas ele não fez nada. Foi, ele também, para seu próprio quarto. Não queria mais conversar com ninguém.

Naquela noite, Romero dormiu no quarto de Judite. Sentia-se inseguro, com medo de que o pai surgisse de repente e o espancasse. Judite ajeitou a cama para os dois e trancou a porta, só para se certificar de que o pai não os incomodaria. Apagou a luz e acendeu o abajurzinho da mesinha-de-cabeceira. A casa toda estava em silêncio, e Judite puxou assunto:

— Papai brigou com você por causa daquela Domitila?

— É, sim. Quer me obrigar a ir lá novamente.

— E você não quer ir?

— Não.

— Por quê? Não gostou dela?

— Não — respondeu, após breve pausa. — Ela me dá nojo.

— Mas por quê, Romero? Ela é feia, gorda, malcheirosa?

— Não. Até que é uma mulher bonita.

— Então, qual o problema?

— Não sei, Judite. Ela é grosseira, vulgar. Faz coisas... — engoliu em seco e afundou o rosto no travesseiro.

— Não precisa ter vergonha de mim. Sei muito bem como são essas coisas.

— Você sabe?

— Mais ou menos. Nunca fiz, mas sei como são. Alex e eu... bem, estamos namorando.

Romero ergueu o corpo na cama e indagou perplexo:

— Vocês já dormiram juntos?

— Bem, dormir, não dormimos. Mas eu o deixei passar as mãos em meu seio.

— Judite!

— Não conte nada a papai. Se ele souber, me mata.

— Imagine se eu ia contar uma coisa dessas! Pode confiar em mim. Não digo nada a ninguém.

— Obrigada. Sabia que podia confiar em você. Você é meu irmãozinho, e é a pessoa no mundo que eu mais amo.

— E Alex?

— É diferente. Estamos namorando há pouco tempo, mas sinto que estou gostando dele também. E ele se declarou apaixonado. Quer vir aqui em casa, falar com papai.

— É mesmo? Quando?

— No sábado. Veja só: na confusão, esqueci de contar.

— Nem sei se papai ouviria. Estava tão bravo... Tudo por causa daquela Domitila.

Judite abraçou-o e, como que escolhendo as palavras, disse baixinho:

— Quero que saiba que amo você de qualquer jeito. Seja de que jeito você for, eu amo e amarei sempre você.

— O que quer dizer, Judite? Como assim, de que jeito eu for?

— Quero dizer, mesmo que você seja... diferente.

— Diferente como? Não sou diferente. Sou igual a todo mundo.

— Eu sei. Mas você... você... — ela baixou a cabeça e desanimou. — Deixe para lá.

Romero deixou. Não entendia bem o que Judite estava tentando lhe dizer, ou fingia que não entendia, e virou-se para o lado. Não agüentava mais a pressão do pai sobre ele. Quando ele iria compreender que Romero não apreciava aquelas ordinárias com quem ele insistia que o filho devia dormir? Quando chegasse a hora, arranjaria uma namorada como Judite: linda, meiga, inteligente, decidida. Não queria uma vagabunda qualquer. Queria uma moça decente.

Só na noite seguinte Judite conseguiu comunicar aos pais sobre o jantar no sábado. Silas até que ficou satisfeito. Pelo que a filha dissera, Alex era um rapaz estudioso e de boa família. O pai era engenheiro, e a mãe era professora. Seria um excelente partido para Judite, e ele até torcia para que eles se casassem logo. Em tempos como os que viviam, em que a garotada andava se esquecendo da moral e dos bons costumes, seria bom que ela se casasse com um rapaz decente e constituísse família cedo, o que significava uma preocupação a menos.

Silas não tocou mais no assunto de prostituta com Romero. Estava satisfeito com as perspectivas de um noivado para Judite, e os problemas com o filho podiam esperar. Ainda assim, quase não falava com ele, o que Romero até achou bom, para poder ficar livre daquela insistência.

Em seu íntimo, sentia-se profundamente magoado, não só com as lembranças do que passara, que ainda não conseguira apagar, mas, e principalmente, com a indiferença dos pais. Mais ainda, da mãe. Ele não conseguia entender como a mãe podia ser tão omissa. Como desejava que ela o defendesse, que o acariciasse, que o tomasse no colo e alisasse seus cabelos enquanto ele chorava, até que ele se acalmasse e pudesse dormir. Mas ela não fazia nada disso. Silas dizia à mulher que aquilo não era coisa para homem e que ele acabaria se transformando num mariquinhas, de tão mimado. E a mãe foi obrigada a concordar, passando a dispensar-lhe apenas carícias discretas e comedidas.

Por isso, afeiçoara-se cada vez mais a Judite. Esta não se importava com o que o pai dizia ou pensava e sempre tinha uma palavra amiga para Romero. Dava-lhe beijos, acarinhava-lhe as faces e os cabelos, deitava-se com ele na cama, e ficavam até tarde conversando, dividindo alegrias e tristezas. Mais do que amigos, eram cúmplices. A única coisa que Romero não ousava comentar com a irmã, por medo da reação do pai, era sua experiência com Júnior.

Pensando em Júnior, sentiu um calafrio. Ainda guardava no corpo as marcas da violência, e seu coração se confrangia todas as vezes em que se lembrava daquele episódio. Romero pensou que, enquanto vivesse, jamais passaria por aquela experiência novamente. Não permitiria que nenhum homem o tocasse, não acreditaria mais na conversa mole de malandro algum. Não queria passar por tudo aquilo de novo. Não queria servir de mulherzinha para nenhum veado.

capítulo 4

No sábado pela manhã, o telefone tocava insistentemente, e Noêmia veio atender. Era Alex, pedindo para falar com Judite. Ela veio correndo atender, e Alex foi logo dizendo:

— Oi, Judite, aconteceu uma coisa meio chata.

— O quê? Não vá me dizer que não poderá vir.

— Não é isso. Meus tios chegaram de Brasília hoje de manhã.

— E daí?

— E daí que trouxeram meu primo com eles. Meus pais e meus tios marcaram de ir ao show do Juca Chaves, mas o garoto só tem dezessete anos e não pode ir. Sabe como é a censura...

— Você está tentando me dizer que quer trazê-lo ao jantar?

— Se você não se importar...

— É claro que não. Imagine se me importaria. Traga-o com você. Se é seu primo, vai ser da minha família também.

— Ótimo. Sabia que você ia concordar.

Desligaram. Mais tarde, quando Alex chegou, veio trazendo o primo, um garoto alegre e extrovertido, que logo se pôs à vontade na casa de Judite. Chamava-se Mozart, em homenagem ao célebre compositor alemão, e era, segundo Alex, excelente pianista, o que deixou a família de Judite deveras impressionada.

Silas e Noêmia gostaram muito de Alex. Ele era educado e de boa família, e daria um excelente marido para sua filha. Depois do jantar, a família reuniu-se na sala de estar para uma conversa informal, e Noêmia demonstrou curiosidade a respeito de Mozart.

— Meu primo toca piano desde os seis anos — anunciou Alex. — Sempre teve dom para música.

— É mesmo? — admirou-se Noêmia. — Pena que não temos um piano em casa para o escutarmos.

— Que tal se fôssemos à casa de Dona Filomena? — sugeriu Judite. — Ela tem um piano antigo.

Dona Filomena era a vizinha que morava do outro lado da rua. Viúva idosa e solitária, adorava receber visitas em sua casa. Depois de uma breve discussão sobre os inconvenientes de importuná-la num sábado à noite, sem aviso, todos acabaram concordando que isso poderia ser uma boa idéia.

De um canto da sala, Romero assistia a tudo em silêncio. Simpatizara muito com o rapaz. Ele era alegre, inteligente, falante e divertido. Tudo que ele não era. Além disso, era muito bonito. De um louro pálido, olhos verde-escuros, parecia mesmo um alemão. Pensando nisso, Romero achou que seu nome fora apropriado e pegou-se olhando para o rapaz a todo instante.

Assustou-se consigo mesmo. Não entendia o que havia naquele jovem que lhe atraía tanto a atenção. Quanto mais Mozart falava, mais Romero se encantava. Em alguns instantes, chegou mesmo a rir de suas piadas engraçadas e de seu jeito espontâneo. Como gostaria de ser como Mozart! Achou que era essa admiração que o atraía para o rapaz e tranqüilizou-se. Não havia com que se preocupar. Mozart era um rapaz bonito e simpático, mas era apenas um menino. Não era seu parente nem seu amigo, e aquela admiração acabaria no instante em que ele cruzasse a porta da rua, de volta para sua casa.

Romero acompanhou os outros sem dizer nada e foi bater à porta da casa de Dona Filomena. Ela ficou muito feliz com a visita e convidou a todos para entrar. Seus dedos já estavam ficando duros e, há muito, ninguém tocava aquele instrumento.

— Já deve até estar desafinado — desculpou-se.

Mozart sentou-se ao piano e experimentou as teclas.

— Ainda está bom — anunciou, correndo os dedos pelo teclado, para admiração de todos, principalmente de Romero. — Deixem-me começar com algo de meu homenageado. Tocarei primeiro um clássico. — Pôs-se a dedilhar o piano e elucidou: — *Allegro*.

Estavam todos mudos, tamanha a admiração. O rapaz era, efetivamente, um *virtuose*. Judite, depois de ouvi-lo encantar a todos com as mais variadas sinfonias de Mozart, Bach e Tchaikovski, sugeriu:

— Por que não toca algo mais moderno agora?

— Ah! não, Judite — contestou o pai. — Está tão bom.

— Acho que os moços gostariam de ouvir algumas cantigas da moda — disse Dona Filomena.

Se a dona da casa concordava com música popular, não seria Silas quem iria discutir. Limitou-se a aquiescer e sorriu meio sem jeito. Com uma graça sem igual, Mozart começou a tocar uma música mais atual e, para espanto geral, limpou a garganta e soltou a voz de barítono:

"*Lindo, e eu me sinto enfeitiçada*
"*Iê, ê, correndo perigo,*
"*Seu olhar...*
"*É simplesmente lindo...*

Era "Menino Bonito", de Rita Lee. Ele cantava lindamente, e o mais estranho é que olhava para Romero de soslaio, todas as vezes em que levantava os olhos do teclado. Romero sentiu-se enrubescer. Olhou para o pai pelo canto do olho, mas ele parecia absorvido pela música e embalava-se na cadeira, com a mãe pendurada em seu braço. A um canto, Judite e Alex, sentados bem agarradinhos, pareciam não perceber a existência de mais ninguém no mundo, e dona Filomena havia se levantado para ir buscar limonada na cozinha.

Todos estavam distraídos, e ninguém percebeu os olhares de Mozart para ele. Eram para ele, sim. Tinha certeza. Cada vez que sua voz rouca diminuía um pouco mais, ele olhava para Romero, tomando o cuidado de não deixar que os outros notassem. Mozart cantava aquela música para ele, e Romero ficou envaidecido. Ele o achara bonito, estava elogiando-o por intermédio da música. Sem se dar conta, Romero começou a fixar o outro com insistência e, em pouco tempo, já o encarava sem constrangimento. Quanto mais ele olhava para Mozart, mais Mozart o fitava, até que tocou o acorde final da música e sorriu, desviando os olhos para os demais presentes.

Aquele sorriso foi encantador. Dona Filomena chegou com a limonada, elogiando a habilidade e o sentimento com que Mozart tocava, no que foi seguida pelos demais.

— Você já terminou seus estudos de música? — quis saber Silas. Romero desviou os olhos do rapaz para fitar o pai.

— Acabei de completar o curso básico.

— Mozart já tem uma bolsa de estudos garantida para estudar em Salzburgo — informou Alex.

— Não me diga! — espantou-se Dona Filomena.

— Isso é verdade? — indagou Judite.

— É, sim. Mas só vou em julho.

— Vai fazer faculdade na Europa? — tornou Silas.

— Vou, sim. E pretendo integrar a filarmônica de lá, quando terminar.

A conversa concentrou-se nos estudos de Mozart, até que Silas decidiu que era hora de partirem.

— Já é tarde — anunciou —, e Dona Filomena deve estar querendo dormir.

— Foi um prazer recebê-los em minha casa — finalizou Filomena. — Venham quando quiserem.

Despediram-se e voltaram para a casa de Silas. Alex entrou para um último café e, enquanto ele e Judite iam para a sala conversar com os pais, Mozart saiu para o jardim com Romero.

— Espero que não tenha ficado chateado por ter de tocar para nós — disse Romero, para puxar assunto.

— Chateado, eu? Imagine... Pois se é a coisa no mundo que mais gosto de fazer! — Olhou fundo nos olhos do outro e indagou: — E você? Do que mais gosta?

Romero, acanhado, deu de ombros e respondeu:

— Não sei. Acho que nada.

— Nada? Impossível. Todo mundo gosta de alguma coisa.

— Bem, o que aprecio, meu pai não me deixa fazer.

— Como assim?

— É que gosto de coisas... que ele considera... impróprias.

— O quê, por exemplo? Será que você gosta de fumar e beber?

— Não, não. Mas gosto de... poesias, por exemplo.

— E o que há de mais? Também gosto de poesias. Quer ver?

Recitou um verso de Vinícius de Morais e perguntou:

— Gostou?

— Será que existe alguma coisa que você não conheça? — tornou Romero, atônito.

— Muitas. Mas no que se refere às artes, acho difícil. Adoro tudo que se relaciona à arte.

— Sério? E seus pais não ligam?

— Ligar? É claro que não.

— Que sorte a sua. Meu pai acha muitas coisas inadequadas. Quero dizer, não é que ele não goste. Você viu hoje como ele ficou com sua música. Mas ele diz que poesias e romances açucarados são coisas para mocinhas.

— Ah! É isso? Seu pai é bem careta, não é?

— É, sim. É muito antiquado. Acha tudo feio.

— Ainda bem que meus pais não são assim. Eles concordam com tudo que faço. Ao menos, com quase tudo.

— Como assim? Você faz coisas que os desagradam?

— Não exatamente. Faço coisas que eles não sabem.

— O quê?

Antes que Mozart pudesse responder, Alex veio do interior da casa, de mãos dadas com Judite, e com Silas a seu lado.

— Vamos, Mozart — chamou o primo. — Está na hora de irmos também. Já é quase meia-noite.

Mozart levantou-se e limpou as calças. Estendeu a mão para Romero, que se levantara também, e esperou até que os outros passassem.

— Posso telefonar para você? — indagou, acompanhando com o olhar os outros caminharem até o portão. — Podemos marcar de ir a um cinema ou algo parecido. Você gostaria?

— É claro que sim — respondeu Romero, sentindo o rosto arder.

— Ótimo. Pegarei seu número com Alex.

Apertaram-se as mãos e separaram-se. Romero ficou onde estava, vendo o rapaz afastar-se, tentando imaginar por que alguém como Mozart sairia com um cara bobo igual a ele. Devia haver mil garotas querendo sair com ele, mas Mozart convidara-o para ir ao cinema. Por quê? Por mais que tentasse arranjar uma desculpa, Romero sabia que Mozart se interessara por ele. O rapaz nada dissera, mas seus olhares foram bastante significativos. Será que ele era homossexual? Se fosse, não seria muito apropriado que os vissem juntos.

Pensando melhor, que mal poderia haver? Pelo visto, ninguém sabia dessa particularidade da vida de Mozart, se é que isso era verdade. E ninguém teria motivos para desconfiar dele. Nem seu pai. Ele e Mozart poderiam travar uma amizade sincera, e o pai ainda os estimularia, só para ver se Mozart seria capaz de arranjar uma namorada para ele.

Mas era só isso que poderiam ter: uma amizade sincera. Romero não queria nada além disso. Se o rapaz era homossexual, isso era lá problema dele. Mas Romero não queria se envolver com aquele tipo de coisa. Ainda guardava fresquinha na memória a trágica experiência que tivera com Júnior e não pretendia que aquilo se repetisse. Fora horrível! As mãos grossas de Júnior em seu corpo, as pancadas que levara, a dor das entranhas dilaceradas.

Ao se lembrar desse episódio, Romero chorou baixinho. Como alguém era capaz de fazer aquilo com outra pessoa? Era medonho. Ser ultrajado daquela maneira, ferido, humilhado. Ele não merecia. Ficou recordando as mãos de Júnior e a sensação que tivera quando ele o tocara. Fora nojento! Júnior apalpara-o e apertara-o. Aquilo lhe causara dor.

Mas não fora apenas dor. Romero soltou um grito abafado de pavor ao pensar nisso. Por detrás da dor que Júnior lhe infligira, podia sentir algo diferente. Fora doloroso, sim, porque violento. Mas além da dor, da violência, havia algo que Romero não sabia definir. Ele queria se convencer de que fora vítima de um ato abominável e de que jamais passaria por aquilo novamente. Mas a verdade é que, pensando em Mozart, a experiência com Júnior não lhe parecia mais assim tão terrível.

Cada vez mais assustado consigo mesmo, Romero tinha até medo de pensar e descobrir coisas que não gostaria de ver. Mozart despertara nele sentimentos que antes Júnior havia despertado, sem que ele soubesse. Quanto mais constatava isso, mais se indignava e ficava repetindo para si mesmo que o que Júnior lhe fizera fora horrendo, porque ele o obrigara a fazer coisas que não queria. Não queria? Se não queria, por que então aceitara sua companhia? Então não vira que ele o ficara olhando? Que homem olha para outro homem do jeito como ele olhara para Júnior se é verdadeiramente homem?

Ele sabia. No fundo, sabia o que Júnior queria. E o que Júnior queria, inconscientemente, era o que ele queria também. Por isso lhe doía tanto. Saber que Júnior o maltratara por algo que ele também desejava, só que de outra forma. E era o mesmo que ele sentira com relação a Mozart. Só que Mozart era um jovem educado e sensível, ao passo que Júnior era um grosseirão. Mas, em seu íntimo, Romero sabia que o que o atraíra para Júnior era o mesmo sentimento que o atraía agora para Mozart. Não era paixão nem desejo. Nem curiosidade, nem perversidade. Era instinto. Apenas instinto. Por um motivo que Romero não sabia explicar, sentia-se atraído pelos rapazes, como jamais fora por garota nenhuma.

Mas como aquilo era possível? Talvez ele estivesse confuso. Talvez a experiência traumática com Domitila o houvesse levado para o outro lado. Mas, se Domitila o traumatizara, o que deveria dizer de Júnior? Domitila não lhe batera, ao passo que Júnior o espancara até quase o deixar inconsciente. As carícias de Domitila o enojaram, enquanto as mãos de Júnior lhe causaram imensa dor. Mas por detrás da dor...

Não queria reconhecer, teimava em não aceitar. O que sentira com Júnior fora dor, só dor. Contudo, se fora apenas dor, o que seria aquele fogo que o queimava por dentro todas as vezes em que se lembrava do contato da pele de Júnior sobre a sua própria pele? Era dor, insistia, dor. Dor, dor! Ficava repetindo para si mesmo essa palavra, tentando com isso se fazer surdo ao apelo do prazer que lutava para emergir. Um prazer que ele não queria reconhecer ou aceitar. Um prazer proibido, inaceitável, vil. Mas fora um prazer. Não fosse a dor do espancamento e da humilhação, Romero teria se deliciado com Júnior, ao passo que Domitila, por mais que o acariciasse, jamais conseguiria lhe dar um mínimo de prazer, o mais ínfimo que fosse.

Essa descoberta o angustiou e apavorou. Se o pai soubesse de uma coisa daquelas, era bem capaz de matá-lo. Jamais entenderia. Trataria de chamá-lo de veado, pederasta, bichona, mariquinhas e outras coisas do gênero. Dar-lhe-ia uma surra maior que a de Júnior. E, se não o matasse, ele o colocaria para fora de casa com uma mão na frente e outra atrás, dizendo que não tinha mais filho. Romero conhecia-o muito bem. Seu pai jamais aceitaria uma coisa daquelas. Mas quem aceitaria? Naquele mundo de preconceitos, ninguém. Talvez Judite. Apenas ela seria capaz de compreendê-lo. Apenas seu amor estava acima de todas aquelas coisas.

capítulo

5

Na terça-feira à tarde, o telefone tocou e Romero levantou os olhos do livro que estava lendo, apurando os ouvidos. Ouviu os passos da mãe aproximando-se pelo corredor e susteve a respiração. Em poucos segundos, a porta entreabriu-se de leve e a voz de Noêmia anunciou:

— Telefone para você. É Mozart, o primo de Alex.

Tentando não demonstrar excessiva ansiedade, Romero balançou a cabeça e levantou-se da escrivaninha. Sorriu para a mãe e atravessou o corredor, coração aos pulos, morrendo de medo de que a mãe percebesse sua euforia. Quando atendeu, esforçou-se para tornar a voz o mais casual possível:

— Alô?

— Alô! Romero? Sou eu, Mozart.

— Oi, Mozart. Tudo bem?

— Muito bem. Estou atrapalhando?

— Não, claro que não.

— Ótimo. Estive pensando... Não gostaria de ir ao cinema hoje?

— Hoje? Não sei. Meu pai não gosta de que eu saia nos dias de semana.

— Ah, que pena! Pensei que pudéssemos conversar. Há uma lanchonete ótima aonde podíamos ir depois.

— Eu gostaria, mas não sei se vai dar.

— É mesmo uma pena, mas enfim... Fica para uma próxima vez, então.

Antes que Mozart desligasse, Romero falou apressado:

— Espere! Não desligue ainda. Vamos fazer o seguinte: meu pai vem do trabalho lá pelas seis horas. Quando ele chegar, peço a ele. Se ele deixar, ligo para você de volta. Se não, deixamos para outra ocasião. Combinado?

— Combinado — respondeu Mozart rapidamente.

Desligaram. Romero percebeu que, assim como ele, Mozart também estava ansioso, e ficou perguntando-se por quê. No fundo, ele bem que sabia. Mozart estava interessado nele e deveria pensar nele com freqüência, assim como Romero também pensava em Mozart. Mas o que diria o pai se desconfiasse daquilo? Silas jamais poderia desconfiar. Não havia nem motivo. Romero falaria com ele e pediria para sair com Mozart, e talvez ele deixasse, pensando que seria uma ótima oportunidade para que Romero se entrosasse com um rapaz educado como Mozart e, quem sabe, juntos, não poderiam arranjar namoradas?

Efetivamente, foi o que aconteceu. Ao saber do convite de Mozart, Silas deu um sorriso maroto e considerou:

— Aquele Mozart é muito esperto. Nem bem chegou ao Rio e já está querendo companhia para ir à caça das meninas.

Romero achou aquela expressão terrivelmente vulgar, mas não disse nada. Sem dúvida, as meninas mereciam mais respeito, pois não eram animais para serem caçados, mas era assim que Silas entendia a noção de masculinidade. O verdadeiro homem, para ele, o macho, como dizia, era avaliado pela quantidade de mulheres com quem dormia. Romero escondeu uma careta de repulsa e indagou ansioso:

— Quer dizer que posso ir?

— Pode. Mas só porque é com Mozart, que é primo do namorado de sua irmã, um rapaz de bem, uma ótima amizade para você. Tenho certeza de que ele, no mínimo, vai ensiná-lo a paquerar.

Como Silas estava enganado! Mozart não lhe dissera nada, mas Romero sabia o que ele estava pretendendo. Pediu licença ao pai e foi telefonar. Quando Mozart atendeu, Romero foi logo falando, mal contendo a euforia:

— Tudo combinado. Meu pai concordou.

Mozart, do outro lado da linha, deixou escapar um sorriso de alívio e satisfação, e finalizou:

— Passo em sua casa às sete e meia. Pegamos a sessão das oito e depois vamos à lanchonete. Está bom assim?

— Está.

Assim que Mozart pousou o fone no gancho, Alex entrou na sala e viu o primo parado perto da mesinha do telefone. Cumprimentou-o com um sorriso e indagou curioso:

— Por que essa cara de felicidade? Já arranjou uma namoradinha carioca?

O outro fez um ar enigmático e objetou:

— Ainda não descobri nenhuma garota interessante.

— Não?

Alex queria perguntar com quem ele estava falando ao telefone, mas não teve coragem. Mozart, contudo, foi logo esclarecendo:

— Não. Eu estava falando com Romero.

— Romero? Irmão de minha namorada?

— Esse mesmo. Convidei-o para ir ao cinema e depois à lanchonete.

— Não diga! E o pai dele deixou?

— Deixou.

— Bom, fico feliz que tenha arranjado um amigo. Mas não vá se animando muito. Se pensa que arranjou uma companhia para paquerar, pode esquecer. Judite diz que Romero é tímido e retraído. Além disso, é mais novo do que você. Pode acabar atrapalhando.

— Quantos anos ele tem?

— Fez catorze há poucos dias.

— Isso não importa — tornou Mozart, com ar alheado. — E não creio que ele vá me atrapalhar. Há garotas de todas as idades por aí.

— Bom, você é quem sabe. De qualquer forma, é melhor sair com ele do que ficar em casa. Não posso ficar lhe dando atenção o tempo todo.

— Nem eu queria que você ficasse de babá. Já sou grandinho e posso me virar.

— Talvez seja até bom você e Romero fazerem amizade. Quem sabe você não ajuda o menino a se soltar?

— Farei isso — concluiu com ar sonhador.

Às sete e quinze, Mozart bateu à porta da casa de Romero. Noêmia atendeu e demonstrou genuína alegria ao deparar com o rapaz.

— Entre, Mozart. Romero está terminando de se arrumar e já vem.

Com um sorriso encantador, Mozart passou para o lado de dentro e sentou-se no sofá da sala, onde Silas já se encontrava, fazendo palavras cruzadas.

— Boa noite, seu Silas — cumprimentou com jovialidade.

— Ah! Mozart, boa noite. Chegou cedo.

— É que o ônibus veio rápido.

— Esses motoristas de hoje são mesmo uns loucos. Têm mania de Fittipaldi.

— É verdade...

— Quer dizer então que vocês vão ao cinema...

— É sim.

— E depois vão lanchar?

— Se o senhor não se incomodar que Romero chegue um pouco mais tarde...

— É claro que não me incomodo. Romero é homem. Eu, na idade dele, já aprontava das minhas.

Piscou um olho para Mozart e olhou de soslaio para Noêmia, como a dizer que aquele era um assunto que um marido não deveria comentar na frente da mulher. Mozart sorriu meio sem jeito e consultou o relógio, torcendo para que Romero aparecesse logo.

— Onde fica essa lanchonete? — indagou Noêmia, preocupada.

— Fica mais ou menos perto da casa de Alex. Inauguraram outro dia.

— Deve haver muitas garotas bonitas por lá, não é mesmo? — observou Silas, com ar de malícia.

Felizmente, Mozart não precisou responder, porque Romero chegou em companhia de Judite. Ele estava muito bonito, de jeans, camisa pólo e tênis Rainha. Mozart levantou-se embevecido, mas foi para Judite que dirigiu o cumprimento:

— Olá, Judite. Linda como sempre.

— Obrigada, priminho — respondeu ela, beijando-o no rosto.

Mozart sorriu satisfeito e devolveu o beijo, acrescentando de bom humor:

— Não vejo a hora de virarmos, realmente, primos.

— Ei, vá devagar — censurou Silas em tom de brincadeira. — Judite já tem namorado. E é seu primo.

Todos riram, inclusive Romero, que tinha medo até de falar. A mesma emoção que Mozart sentira, ele tivera também. Só que Mozart não tinha nenhuma irmã ali com ele para quem pudesse dirigir sua admiração.

— Acho que já está na hora de vocês irem — incentivou Judite. — Não querem perder a hora do cinema, querem?

Os dois rapazes despediram-se e seguiram rua abaixo, em direção ao ponto de ônibus.

— Não vamos a pé? — perguntou Romero, acostumado que estava a caminhar até o local onde ficava a maior parte dos cinemas de seu bairro.

— Estou um pouco cansado — desculpou-se Mozart. — Se não se importar, preferia ir de ônibus.

Romero deu de ombros e não respondeu. A condução logo chegou, e, depois que se acomodaram, Mozart retomou a palavra:

— Quer mesmo ir ao cinema?

— Como assim? Não foi para isso que você me convidou?

— Foi... quero dizer... foi essa a minha idéia, a princípio. Mas está uma noite tão bonita. E tão quente!

Aproximou-se de Romero e soprou de leve em seu rosto, causando-lhe arrepios pelo corpo todo. Romero assustou-se. Lembrou-se do que acontecera com Júnior e sentiu vontade de fugir. Rosto coberto de rubor, argumentou:

— Mas meu pai me deixou ir ao cinema.

— Por que não esquece seu pai?

— Ele pode não gostar se souber que não fomos.

— Não precisamos contar a ele.

Aquela situação pareceu a Romero extremamente familiar. Mozart dizia mais ou menos as mesmas coisas que Júnior lhe dissera. Assustado, virou o rosto para a janela, sentindo que o pânico o dominava, e só então percebeu que o ônibus que haviam tomado estava chegando à zona sul. Apavorou-se. Não era aquilo que haviam planejado. Será que Mozart tencionava fazer a ele o mesmo que Júnior fizera? Teria armado aquela encenação toda só para atraí-lo para longe e atacá-lo covardemente? De repente, sentiu a mão de Mozart apertar de leve a sua e virou o rosto para o rapaz.

— Por que está fazendo isso? — perguntou Romero com voz trêmula.

— Gostaria que fôssemos amigos.

Era demais. Mozart, efetivamente, não tinha boas intenções para com ele. Se não, não estaria repetindo quase as mesmas palavras que Júnior lhe dissera na noite em que o violentara. Mozart apertou ainda mais sua mão, e Romero descontrolou-se. De um salto, levantou-se do banco e deu o sinal, correndo pelo corredor até a porta da frente. Embora tomado de surpresa, Mozart conseguiu levantar-se e desceu atrás dele, correndo pela rua e chamando-o pelo nome:

— Romero! Espere! Pare aí! O que aconteceu?

Sem responder, Romero disparou em direção à praia, só parando ao sentir os tênis cheios de areia. Olhou para a frente e viu o mar escuro, calmo naquela noite de verão. Parou arfante, e Mozart conseguiu alcançá-lo.

— Fique longe de mim! — berrou aos prantos, andando para trás.

— Romero, por favor, espere. O que foi que fiz?

— Não se aproxime de mim, sua bicha nojenta!

— Mas o que é isso? Por que está me ofendendo?

— Não é isso o que você é? Uma bicha nojenta?

O outro olhou-o com ar magoado e respondeu lacônico:

— Não.

— Mentiroso! Por que me trouxe aqui, então?

— Pensei que pudéssemos ser amigos.

— Aqui? Na praia? Longe de casa? Igualzinho ao outro!

— Que outro?

— Não interessa! Você não tem nada a ver com minha vida!

— Ouça, Romero, não sei o que aconteceu com você, mas não é o que está pensando.

— Não estou pensando nada! Você é que está! Você pensa que, só porque aceitei seu convite, sou igual a você. Mas não sou. Eu sou homem, viu?

— Ninguém está dizendo o contrário.

— Mas você está pensando. Se não, não teria me arrastado para cá.

— Desculpe-me se tomei o ônibus sem o consultar. Mas pensei que você tivesse visto que ônibus era.

— Sou muito distraído para essas coisas. E você se aproveitou para... para...

— Para o quê?

— Você sabe. Não se faça de desentendido.

— Não, não sei. Não sei nem do que você está falando. Você me acusa, e nem sei de quê.

— Não sabe, não é? Vai me dizer que não ficou me olhando esquisito?

— Do mesmo jeito que você ficou me olhando.

— Eu!? Era só o que me faltava!

Mozart deu um passo à frente, e Romero ameaçou:

— Fique onde está. Se não, vou gritar até que alguém apareça. Não vou deixar que faça aquilo comigo. De novo, não!

— Aquilo o quê?

— Aquilo! Você sabe!

— Não vou fazer nada com você.

— É mentira! Você é igualzinho a Júnior. Fala as mesmas coisas que ele, ficou me olhando como ele também ficou. Depois, me atraiu para um lugar deserto e... e... — Desatou a chorar convulsivamente, e Mozart tentou aproximar-se novamente, mas Romero reagiu como da outra vez: — Não! Não chegue perto de mim!

Mozart estacou. Agora estava começando a entender. Sentou-se na areia e dobrou os joelhos. Aguardou alguns instantes até que Romero se acalmasse e falou com voz pausada:

— Ouça, Romero, não sei quem é esse Júnior nem o que ele fez a você. Mas posso imaginar...

— Ah! Você pode, não é? Porque faz as mesmas coisas!

— Está enganado. Há pouco, você me perguntou se eu era uma bicha nojenta...

— E você ainda teve coragem de dizer que não.

— Porque não sou. Se você quer saber se sou, bem, homossexual, sou. É isso o que sou. Só isso. Não sou nojento. Sou uma pessoa decente e jamais faria nada contra sua vontade. Nem a você, nem a quem quer que seja.

Romero fitou-o espantado.

— Você... é homossexual? O quê? Um veado?

— Se você prefere chamar assim... Eu não me importo. Mas não sou nojento. E não tenho culpa de ser o que sou.

— Meu pai diz que todo veado é nojento.

— Seu pai é um homem muito preconceituoso. Não o culpo; ele é como todo mundo. Mas você não precisa ser igual a ele. Pode ser do jeito que é.

— Eu não sou veado...

— Eu não disse que é. Mas, se for, ótimo. Para mim, pelo menos, porque gostei muito de você. Mas, se não for, não faz mal. Vou ser seu amigo assim mesmo. Podemos ir ao cinema, à lanchonete, mas sem susto. Não vou atacar você. Não sou nenhuma besta nem nada parecido.

— Não vai querer... me... violentar?

— Violentar? Deus me livre! Detesto violência.

— Então, por que me trouxe aqui?

— Para ser seu amigo, já disse.

— Você não quer ser só meu amigo.

— É verdade. Posso até querer algo mais. Mas somente se você quiser. Se não, vamos apenas ser amigos mesmo. Não sou tarado. Vou respeitar você e nunca mais tocarei nesse assunto nem insinuarei nada. Só o que peço é que me respeite também.

Agora mais calmo, Romero aproximou-se e sentou-se ao lado de Mozart. Ele parecia sincero, e seu semblante demonstrava uma serenidade que Romero não conhecia.

— Você gostou de mim? — perguntou Romero timidamente.

— Já disse que gostei. E pensei que você tivesse gostado de mim também. Mas, se me enganei, peço que me perdoe.

— Você... não se enganou... — tornou Romero, a voz cada vez mais sumida.

Mozart sentiu imensa emoção. Teve vontade de tomá-lo nos braços e beijá-lo, mas não queria assustá-lo. Estava na cara que Romero estava ainda muito confuso, nem sabia que era homossexual. Mas era. Apesar de seus dezessete anos, Mozart já era um rapaz experiente no assunto e reconhecia um homossexual à distância, mesmo que o outro não se reconhecesse. Era o que acontecia com Romero. Muito novinho, não sabia ainda lidar com seus instintos. E o pai não ajudava. Pelo visto, era um homem preconceituoso e crítico, e condenava as pessoas antes mesmo de as conhecer, apenas com base em seu comportamento externo. Se Silas soubesse que Mozart era homossexual, apagaria toda a boa impressão que fizera dele, de sua educação, de sua simpatia, de sua música, e trataria logo de tachá-lo de pessoa ruim e indesejável.

— Fico feliz — balbuciou Mozart, por fim. — Assim, podemos nos conhecer melhor.

— Olhe, Mozart, gostei muito de você, mas não sou igual a você. Sou diferente.

— Então, por que gostou de mim?

— Porque você é um cara legal.

— Só por isso?

— Só.

Mozart deu um suspiro profundo e tornou conformado:

— Está bem. Só você para dizer o que sentiu.

Passaram alguns minutos em silêncio e ficaram observando a espuma branca das ondas sobressaindo-se no negrume do mar. Olhando pelo canto do olho, Mozart notou lágrimas nos olhos de Romero, mas tinha medo de perguntar por que ele estava chorando.

— Tenho medo... — falou Romero de repente. — Medo de mim mesmo.

— Por quê?

— Tenho medo de descobrir em mim coisas que não gostaria de descobrir.

— O quê, por exemplo?

— Você sabe. Já passou por isso.

— É, passei. Mas, em meu caso, as coisas foram mais fáceis. Eu não tenho um pai machista nem encontrei nenhum Júnior em minha vida.

— Como você sabe de Júnior? — revidou Romero em tom agressivo.

— Foi você quem falou.

— Eu?

— Disse que sou igualzinho a ele.

— Você não é...

— Que bom. Não sei quem é Júnior, mas, seja quem for, quero que saiba que não sou como ele.

Agora foi a vez de Romero suspirar, um suspiro doloroso, carregado de lembranças difíceis.

— Júnior foi o cara que... que... me... o cara que...

Era difícil para Romero tocar no assunto, e Mozart compreendeu isso. Apertou novamente sua mão e, com voz doce, finalizou:

— Não tem importância. Não precisa falar, se não quiser.

Mozart levantou-se e puxou o outro pela mão, caminhando com ele pela praia. Mesmo sem admitir, Romero sabia que estava feliz. À exceção de Judite, Mozart fora a única pessoa que o tratara bem, que realmente parecia se importar com ele. Romero sorriu intimamente e buscou a mão de Mozart a seu lado. Apertou-a gentilmente e sorriu. Estava realmente feliz.

Daquele dia em diante, Mozart e Romero, sempre que podiam, ficavam juntos. Como estavam de férias, tinham bastante tempo para se divertir. Os pais de Mozart haviam voltado para Brasília, deixando o menino com os tios até o final da estação. Silas parecia satisfeito com aquela amizade, ainda mais porque Mozart sempre tocava no nome de uma ou outra garota em sua frente, levando-o a crer que estavam saindo com elas. Mas eles saíam quase sempre sozinhos. Vez ou outra, Judite e Alex acompanhavam-nos; outras vezes, tinham de fazer passeios em família, mas ninguém percebia nada entre eles. Para todos os efeitos, Romero e Mozart eram garotos e camaradas, dividindo juntos as aventuras das férias de verão.

— Quando você vai embora? — perguntou Romero a Mozart, enquanto jogavam cartas na cama do primeiro.

— Ainda falta muito.

— Mas quando?

— No fim de fevereiro. Fico em Brasília até julho e depois parto para Salzburgo.

— Como será lá?

— Frio.

Ambos riram, e Mozart anunciou, estirando as cartas na cama:

— Bati.

Ouviram batidas na porta, e Noêmia entrou com uma bandeja de sanduíches e refrigerantes.

— Vocês vão sair hoje? — perguntou, depositando a bandeja perto deles.

— Não sabemos ainda, mãe. Por quê?

— Porque parece que vai chover.

— Chuva de verão — disse Mozart. — Passa logo.

— Não sei, não. Parece que está armando um temporal.

Efetivamente, a chuva desabou cerca de meia hora depois e durou quase quarenta minutos. Quando estiou, Silas chegou do trabalho, todo molhado, indagando pelos filhos.

— Judite está no quarto escutando música — esclareceu Noêmia. — E Romero está jogando cartas com Mozart.

— Graças a Deus! Parece que as ruas estão alagadas por aí. É bom que ninguém saia hoje.

— E Mozart?

— Pode dormir no quarto de Romero.

Foi, ele mesmo, dar a notícia aos meninos.

— Acho que minha tia vai ficar preocupada — objetou Mozart, internamente saltitando de felicidade.

— Pode deixar que eu mesmo ligo para ela. Você dorme aqui hoje e, amanhã cedo, vai para casa.

Foi uma felicidade. Os dois ouviram música com Judite, jogaram *Banco Imobiliário*, brincaram de mímica, assistiram à televisão. Vendo os dois juntos, Judite punha-se a observá-los. Havia algo de estranho naqueles dois. Nem o pai, nem a mãe, nem Alex notaram nada. Mas ela percebia. Havia em seus gestos um quê de intimidade que não era comum entre amigos. Os dois viviam se tocando e se esbarrando de uma maneira fora do comum. Além disso, havia os olhares. Eles eram cuidadosos na presença dos pais, mas pareciam não se importar muito com ela. E Judite percebia que a excessiva camaradagem existente entre eles ia além de uma simples amizade.

Mas Romero estava feliz, ela reconhecia. Fosse o que fosse que estivesse acontecendo entre eles, estava fazendo bem ao irmão. E ver a felicidade dele era o suficiente para Judite não questionar nem sugerir nada. Há muito desconfiava de Romero, mas ele nunca lhe dissera nada. Agora, porém, tinha quase certeza. E o pai deveria ser cego para não notar. Logo ele, que era tão machista, tão preocupado com a virilidade, com sua noção distorcida do homem de verdade.

Judite não se importava. Temia apenas as conseqüências. Se alguma coisa estivesse acontecendo entre Romero e Mozart, era muito perigoso. Se o pai descobrisse, ela nem queria pensar. Por isso, tinha medo. Medo da reação do pai, das pessoas em geral. Será que Romero agüentaria ser rejeitado pela família e pela sociedade? Amigos, ele não tinha, a não ser ela e, agora, Mozart. E Alex? Será que ia aceitar? Ela nunca havia conversado sobre isso com ele, mas tinha quase certeza de que Alex não aceitaria uma coisa daquelas. Se é que havia mesmo alguma coisa entre Romero e Mozart.

Depois do jantar, os três ficaram ainda um pouco mais vendo televisão, até que Judite, bocejando, anunciou que ia dormir.

— Será que Mozart não quer tomar um banho? — indagou Noêmia, toda solícita.

— Eu gostaria, sim. Mas não trouxe nenhuma roupa.

— Isso não é problema — respondeu Romero. — Posso lhe emprestar um short e uma camiseta.

— Isso mesmo — concordou Silas. — Noêmia, providencie uma toalha limpa para o menino.

Noêmia deu a toalha para Mozart e voltou para a sala. Sentou-se ao lado do marido e continuou assistindo à TV. Pouco depois, Mozart reapareceu, cabelos molhados, vestindo as roupas de Romero.

— Também vou tomar banho — anunciou o outro, encaminhando-se para o banheiro.

Demorou mais que o habitual. Fazia muito calor, e a presença de Mozart desconcertava-o. Quando saiu do banheiro, a casa estava quase silenciosa, à exceção da televisão, que tocava baixinho a canção de um filme. Romero espiou da porta e viu que apenas o pai estava na sala, cabeceando em frente ao aparelho ligado. Sorrindo, deu meia-volta e foi para seu quarto.

A mãe havia colocado um colchonete aos pés de sua cama, onde Mozart estava deitado, braços cruzados embaixo da cabeça. Os cabelos, agora secos, esvoaçavam toda vez que o vento do ventilador os atingia. Romero engoliu em seco e entrou.

— Está com sono? — perguntou a Mozart.

— Não. Acho que hoje não conseguirei dormir.

— Por quê? Está sentindo alguma coisa?

Ele sorriu e não respondeu. Levantou-se do colchonete e foi sentar-se na cama, ao lado de Romero.

— Está fazendo muito calor hoje — observou.

— É, sim.

Estavam os dois desconcertados. Ambos sentiam uma atração irresistível um pelo outro, mas nenhum dos dois queria tomar iniciativa. Romero, por medo e insegurança; Mozart, temendo assustar e chocar o amigo. Mas o coração, muitas vezes, não consegue conter o sentimento, assim como o medo não detém a paixão. Num impulso genuíno, Mozart afastou os cabelos da testa de Romero e, num segundo, pousou-lhe delicado beijo nos lábios.

A princípio, Romero pensou em repeli-lo. Mas aquele beijo lhe causava uma sensação tão gostosa, um prazer nunca antes experimentado, uma paz reconfortante, que Romero se deixou beijar. No começo, limitou-se a deixar-se beijar. Aos poucos, porém, sentindo-se confiante, passou a corresponder com ardor e, em breve, os dois estavam se amando.

Tudo terminado, Mozart acariciou-o gentilmente e foi só então que percebeu lágrimas nos olhos de Romero.

— Por que está chorando? — perguntou aflito. — Por acaso o magoei? Fiz algo de que não gostasse ou que o agredisse?

— Não... É que você é tão diferente! Diferente do que eu pensava. Tudo com você é diferente. Diferente de Júnior...

— Lá vem você de novo com esse tal de Júnior.

— Sinto muito. É que não consigo me esquecer de que foi Júnior... — Calou-se envergonhado.

— Por que não me conta logo o que ele lhe fez?

— Não sei se poderia. É vergonhoso.

— Sente vergonha do que fizemos hoje?

— Não sei... Não. Sinto medo.

— Melhor sentir medo do que vergonha. O medo é natural, porque você é diferente, e ninguém gosta de ser diferente. Por isso, vem o medo da rejeição. Mas, se você sente vergonha, isso significa que você não consegue se aceitar e acha que o que está fazendo não é certo.

— E é?

— Por que não é?

— Porque não é natural.

— E o que é natural?

— Não sei. Acho que normal é um homem transar com uma mulher.

— Isso pode ser o mais normal. Mas não é a única coisa natural. Natural, para mim, é fazer tudo aquilo que o coração manda, porque o coração jamais engana ninguém.

Romero quedou pensativo por alguns segundos e depois acrescentou:

— Você tem um jeito de pensar sobre as coisas! Como pode ser assim?

— Sei lá. Acho que é porque eu sempre me assumi.

— Sempre? Contou a todo mundo?

— Isso é outra coisa. Para me assumir, não preciso me expor, até porque não tenho necessidade de ter a aprovação de ninguém. Eu me assumi porque aceito o que sou e não me sinto nem culpado, nem uma aberração. Sou apenas diferente em uma particularidade, o que não significa que seja melhor ou pior do que ninguém.

— E seus pais? Eles sabem?

— Creio que desconfiam. Mas nunca me perguntaram nada.

— E se perguntarem?

— Vou dizer a verdade. E tenho certeza de que eles vão compreender. Minha mãe era meio *hippie* quando conheceu meu pai, que é um artista.

— Seu pai também é artista?

— Por que acha que tenho este nome? A música é um dom de família.

— Você tem sorte. Quisera eu ter pais iguais aos seus. Mas meu pai é superpreconceituoso, e minha mãe não abre a boca para dizer nada. Morre de medo de contrariá-lo.

— E sua irmã?

— Judite é diferente. É minha amiga, e acho que também entenderia. Uma vez, ela veio até com uma conversa de que gosta de mim de qualquer jeito, mesmo eu sendo diferente.

— Isso é muito bom. E você? Já teve outras experiências além desta?

— Não... quero dizer... houve Júnior... Mas ele não conta.

— Por quê?

— Porque ele foi... foi... violento.

— O que ele lhe fez?

— Quer mesmo saber?

— Se não quisesse, não estaria perguntando.

— Ele... ele... me... ele me... violentou...

— Como?

Romero baixou os olhos e chorou de mansinho. Abriu a boca para falar e contou tudo, desde a troca de olhares no cinema até quando o pai lhe proibira de tocar no assunto. Mozart foi bastante compreensivo e abraçou o outro com ternura, dizendo-lhe palavras reconfortantes e amistosas. Romero, mais uma vez, sentiu-se feliz. Feliz e seguro. Tudo que queria era alguém como Mozart. E ele não queria mais se separar de Mozart. Nunca mais.

capítulo 6

A partir daquela noite, passou a ser costume Mozart dormir na casa de Romero, e os dois ficavam acordados até tarde, jogando cartas ou assistindo à televisão, até que Silas e Noêmia fossem dormir. Depois, tudo em silêncio, os dois se trancavam no quarto e acabavam quase sempre se amando, pegando no sono altas horas da madrugada.

— Acha certo o que estamos fazendo? — indagou Mozart, certa vez.

— Como assim? Não vá me dizer que mudou de idéia e que agora acha que devemos virar heterossexuais — gracejou o outro.

— Não me refiro a isso, mas sim ao fato de estarmos transando dentro de sua casa. Seu pai pode ser um careta, mas sempre me tratou bem e confia em mim.

Romero ficou pensativo. Mozart não deixava de ter razão, mas o que poderiam fazer?

— Não temos idade bastante para entrar num motel — arriscou Romero. — Por isso, não vejo outro jeito.

— Ainda assim, não me sinto bem. Parece uma traição.

— Não exagere. Não temos culpa se nos amamos e não temos um lugar só para nós. Quando eu ficar maior, vou me formar e nós vamos viver juntos.

— Você se esquece de que vou para Salzburgo?

— É verdade — tornou Romero, pensativo. — Quase havia me esquecido... Mozart?

— Hum?

— O que vai ser de mim quando você for embora?

— Vai arranjar outra pessoa — respondeu Mozart, hesitante.

— Não quero outra pessoa. Quero você. Você não me quer?

— É claro que quero.

— Então, o que vamos fazer? Em julho, você parte para a Áustria. E eu? Como vou me arranjar por aqui sem você?

— Não sei, Romero, nem quero pensar nisso. Dói, só de imaginar o dia em que teremos de nos separar.

— Você tem mesmo de ir?

— Tenho. É um sonho antigo... E é muito difícil arranjar uma bolsa como a que eu arrumei.

— Não vai sentir minha falta?

— Vou.

— Pois, então, não vá.

Mozart fitou Romero com angústia. Estava realmente gostando dele, e uma separação seria bastante dolorosa. Mas como abandonar o sonho de toda uma vida? Ambos eram ainda muito jovens, mas Mozart já definira o que queria fazer de sua vida. Amava a música e, desde pequenino, via-se como solista de uma grande orquestra.

— Não posso fazer isso — desabafou com angústia. — É minha vida, minha carreira que está em jogo. Mais do que isso, é um sonho. Meu sonho, aquilo por que me esforcei e lutei durante vários anos. A carreira de pianista não é fácil, Romero. São necessárias várias horas de estudo diárias para ser um bom músico.

— Sua carreira é assim tão importante?

— É.

— Mais do que eu?

— Você está sendo injusto. Não dá para comparar as coisas.

— Desculpe se estou sendo insistente. Mas eu o amo tanto...

— Será mesmo? Será que não está apenas deslumbrado com o mundo em que o introduzi?

— Como pode dizer uma coisa dessas? Sei bem o que sinto, e não é deslumbramento. É amor.

— Eu sei. Não queria ofendê-lo. Mas não sei o que fazer.

— Por favor, Mozart, pense bem. Não posso viver sem você. E, se você me ama, não me deixe.

Durante alguns segundos, Mozart permaneceu de olhos fechados, segurando a vontade de chorar.

— Você podia ir comigo — considerou.

— Eu? Como? Meu pai jamais permitiria.

— E se contássemos tudo a ele? Se nos explicássemos e dissésemos que estamos apaixonados? Ele teria de entender.

— Você deve ter ficado maluco! Meu pai nos mataria. Ou me expulsaria de casa. De qualquer forma, eu não poderia ir. Sou menor, lembra-se? Como espera que eu saia do País sem uma autorização?

Cada vez mais angustiado, Mozart abraçou-se a Romero e suplicou com voz chorosa:

— Não pensemos mais nisso agora. Vamos aproveitar os momentos que ainda temos juntos. Quando chegar a hora, veremos o que fazer.

Romero não insistiu. Apertou a mão do outro, e Mozart desceu da cama para o colchonete. Pouco depois, ambos estavam adormecidos.

Quando acordaram, notaram o ar de contentamento de Silas, mas Romero não quis perguntar do que se tratava. O pai, porém, logo após a saída das moças, apertou o braço do filho e anunciou animado:

— Tenho uma ótima surpresa para vocês hoje.

— Sério? — tornou Mozart, curioso. — O que é?

Silas chegou o corpo para a frente e olhou para os lados, certificando-se de que nem a mulher, nem a filha poderiam ouvi-lo.

— Falei com Domitila ontem. E adivinhem só! Ela convidou uma amiga, e ambas estarão esperando vocês hoje à noite para uma festinha particular. Só os quatro.

— O quê?! — Romero estava horrorizado e quase se delatou, mas Mozart interveio a tempo de salvar a situação:

— Eu gostaria muito, seu Silas, mas não tenho dinheiro.

— E quem falou em dinheiro? Não se preocupe, é tudo por minha conta.

— Não sei se devo...

— Ora, vamos, meu rapaz, o que é isso? Não faça cerimônia comigo. Domitila é uma mulher e tanto! Romero já lhe falou sobre ela, não falou?

— Falou.

— Pois então? Não se acanhe. Vamos, Romero, diga a ele o quanto você gostou. Vamos, diga.

O menino engoliu em seco e obedeceu balbuciante:

— É verdade... gostei muito... Domitila é... sensacional...

— Viu só?

— Mas, seu Silas...

— Nada de "mas". Se você não aceitar, vou ficar ofendido. Não vá me fazer uma desfeita dessas. Ou será que você não gosta dessas coisas? — ironizou, piscando um olho para Mozart.

— Gosto...

— Já experimentou? É claro que já. Você já é um homem.

Terminou batendo-lhe com força nas costas. Mozart teve de se esforçar para não ter uma crise de tosse, e Silas levantou-se, indo para a sala ler o jornal.

— E agora? — indagou Romero, apavorado.

— E agora, nada. Vamos fazer o que ele mandar.

— Você ficou maluco? Da primeira vez, já foi difícil conseguir. Agora, então, vai ser impossível.

— E quem disse que precisamos conseguir?

— Como assim? Se não conseguirmos, meu pai vai desconfiar.

— Deixe comigo — finalizou Mozart, misterioso. — Agora, vou até em casa. Mais tarde, volto para irmos até a casa de... como é mesmo o nome?

— Domitila.

— Isso, Domitila.

Saiu apressado, deixando Romero entregue a um quase desespero. Quando chegou à casa de seus tios, Alex deu-lhe o recado de que os pais haviam ligado. Mozart apanhou o telefone e ligou de volta. Precisava de algum dinheiro, e o pai consentiu em lhe dar. Era só pedir ao tio, e ele enviaria o dinheiro pelo banco.

Mais tarde, quando chegou de volta, Silas e Romero já o estavam esperando para irem juntos à casa de Domitila. Mozart estava sorridente e confiante; Romero, acabrunhado e receoso. Silas, por sua vez, ia falando nas maravilhas que Domitila era capaz de fazer, até que concluiu:

— Faz muito tempo que trouxe Romero aqui, e ele nunca se

interessou em voltar. Domitila falou que ele é um garanhão, sabia, Mozart?

— Sabia. Romero me contou.

— Mas um garanhão muito tímido. Se eu deixasse por conta dele, aposto como nunca mais veria mulher novamente. É ou não é, Romero?

Romero estava apavorado. Jurara a si mesmo que jamais passaria por aquilo novamente. Ao avistar a casinha branca de janelas azuis, pensou que iria vomitar. Mas o olhar confiante de Mozart lhe deu coragem de seguir avante, sem dizer uma palavra.

Chegaram. Silas bateu e Domitila veio atender. Recebeu-os com um sorriso cordial e frio e fê-los entrar. Sentada no sofá, a amiga olhava-os com ar crítico. Como da outra vez, Domitila tratou de despachar Silas, recomendando que só voltasse dali a duas horas. Assim que a porta se fechou, Domitila investiu contra Romero e a outra se acercou de Mozart, tentando beijar-lhe o pescoço.

— Como é seu nome? — indagou Mozart.

— Úrsula — respondeu a moça, sem muito interesse.

— Muito bem, Úrsula, o que acha de você e Domitila ganharem uns trocados a mais?

Essa pergunta aguçou a curiosidade e a ganância de Domitila, que soltou Romero e se aproximou dele, perguntando com avidez:

— Por quê? O que pretende? Não vá me dizer que é algum tipo de sádico, porque Úrsula e eu não gostamos de apanhar.

— E quem falou em apanhar?

— O que você quer?

— Nada.

— Se não quer nada, por que quer nos pagar a mais? — insistiu Úrsula. — O que quer que façamos?

— Nada, já disse.

— Qual é, garoto? — revidou Domitila, zangada. — Deixe de brincadeiras conosco. Se quer algo especial, vá logo falando.

— Quero que vocês nos deixem em paz — disparou Mozart. — Não estamos a fim de transar.

— O problema é de vocês. Silas nos paga pelo nosso tempo, mas vou ser obrigada a dizer a ele que vocês não quiseram. É o nosso trato, e não quero perder a confiança de um ótimo cliente.

— Sei disso. Mas ele não precisa saber. Basta vocês dizerem que correu tudo bem. E ficarem de boca fechada.

Domitila estava começando a entender. Quando transara com Romero, percebera que o garoto não se interessara muito e se esforçara ao máximo para conseguir uma ereção. Ela bem que desconfiara, mas não tinha certeza, e também não lhe interessava muito. Desde que Silas lhe pagasse, estava tudo bem.

— Vocês por acaso são veados? — foi logo perguntando.

— Somos — respondeu Mozart, sem titubear. — E é por isso que estamos lhe oferecendo uma graninha a mais... Para que vocês nos deixem em paz e não digam nada.

Úrsula desatou a rir, mas Domitila cortou com veemência:

— Onde está o dinheiro?

Mozart retirou as notas do bolso e exibiu-as a Domitila, que as apanhou e contou.

— Isso basta? — perguntou ele.

— Basta.

Contou novamente as cédulas e passou metade a Úrsula, que as apanhou rapidamente. Em seguida, sentaram-se no sofá, e Domitila ligou a vitrola.

— Vamos dançar, pelo menos — convidou. — Assim, quando Silas chegar, não vai perceber nada.

Romero assistia a tudo boquiaberto. Estava espantado com a astúcia e a segurança de Mozart. Levantou-se aturdido e foi dançar, mas, ao invés de tomar Domitila como par, dirigiu-se a Mozart e pôs-se a dançar com ele. Domitila e Úrsula riram e deram de ombros, indo sentar-se no sofá com um copo de bebida na mão.

— Obrigado — sussurrou Romero ao ouvido de Mozart.

— Não disse que escaparíamos desta?

Riram também e continuaram a dançar, até que Silas voltou. Domitila recebeu-o novamente, e ambas fizeram muitos elogios ao desempenho de Romero e Mozart. Silas ficou satisfeito e recompensou-as regiamente. Escutara o que queria escutar.

capítulo 7

Faltava pouco menos de um mês para o fim das férias, e Mozart queria aproveitar ao máximo sua estada no Rio de Janeiro. Chegou cedo à casa de Romero, e logo pela manhã foram à praia. Na volta, Mozart foi para casa, e Romero entrou para tomar banho. Iriam almoçar e tinham combinado de ir ao cinema com Alex e Judite. Por volta das cinco horas, Alex chegou com Mozart. Depois dos usuais cumprimentos, foram todos ao cinema.

Ao atravessar a roleta da entrada, uma tristeza perpassou o olhar de Romero, e Mozart indagou ao seu ouvido:

— Aconteceu alguma coisa?

— Não. É que foi neste cinema que conheci Júnior.

— E daí? Provavelmente, ele não está aqui hoje. E, se estiver, você não tem com o que se preocupar. Estamos juntos.

Era verdade. Desde o incidente com Júnior, Romero nunca mais fora ao cinema. Agora, porém, em companhia de Mozart, sentia-se seguro e confiante. Deixou de lado o medo e entrou decidido. Como ainda era cedo, tiveram de esperar. A sessão só começaria às seis horas, e eles ainda tinham tempo suficiente para comprar balas e pipocas.

No balcão de doces, Romero escolhia um chocolate quando ouviu uma voz familiar atrás de si:

— Ora, ora, se não é a bichinha enrustida que eu vejo por aqui. Sentiu saudade?

Romero voltou-se assustado, e todos os seus temores se confirmaram. Era realmente Júnior quem estava ali, parado à sua frente, um sorriso debochado pendurado no rosto.

— Deixe-me em paz — falou Romero, agressivo.

— Ui! — debochou o outro. — A mocinha ficou valente, foi?

— O que quer de mim, Júnior? Já não basta o que me fez?

— Ah! Ainda se lembra de meu nome? É claro que se lembra. Depois daquele dia, não poderia esquecer. Você gostou, não gostou? Fale a verdade.

Olhando por cima do ombro de Júnior, Romero avistou os outros em animada conversa, ninguém se dando conta do que lhe acontecia. Até que Mozart, passando os olhos ao redor do salão, deu de cara com seu olhar de súplica e, ao ver que ele conversava com outro rapaz, imediatamente desconfiou de quem se tratava. Pediu licença ao primo e foi em sua direção.

— Romero — chamou, parando a seu lado. — Você não vem? A sessão já está para começar.

Mozart lançou um olhar de desafio para Júnior, que respondeu com outro, ameaçador.

— Parece que seu namorado está com ciúme — ironizou Júnior. — E é para estar. Duvido que seja como eu.

— Tenho certeza de que não sou — respondeu Mozart firmemente. — Sou uma pessoa decente, ao passo que você não passa de um oportunista covarde e nojento, que se aproveita da ingenuidade de criancinhas para conseguir o que nenhum homem de verdade irá lhe dar.

Puxou Romero pelo braço e saiu com ele em direção a Judite e Alex, deixando Júnior vermelho e furioso.

— Aquele é Júnior?

Romero limitou-se a assentir. Tinha vontade de sair correndo, mas a firmeza da mão de Mozart ao redor de seu braço deu-lhe tranqüilidade. Rapidamente, chegaram até onde os outros estavam.

— Por que demorou tanto? — indagou Judite. — E cadê as balas?

— A fila estava muito grande — apressou-se Mozart em responder. — Íamos perder o começo do filme.

Alex, lendo o programa de filmes em cartaz, nada percebeu, mas Judite, olhando para o balcão de balas, não viu nenhuma fila que pudesse causar a perda do início da sessão. Ainda mais porque antes havia *trailers*, anúncios, jornal, curta-metragem e tantas outras coisas. Não disse nada, porém. Avistou um rapaz parado perto do balcão, que não conhecia, mas, a julgar pelo olhar de ódio que lançava para Mozart e Romero, devia ser ele o motivo da retirada dos dois. Achou aquilo estranho, mas guardou silêncio. Não queria encher o irmão de perguntas ali, na frente de todo mundo.

A sessão transcorreu normalmente. Quando saíram, Júnior estava parado na calçada, fingindo que esperava o ônibus. Judite percebeu que Mozart o encarava e Romero se encolheu todo, cabeça baixa, evitando olhar para o rapaz. Quando passaram por ele, Júnior deu dois passos adiante e esbarrou propositalmente em Mozart, falando em tom de sarcasmo:

— Desculpe-me. Fiquei distraído e não o vi. As coisas que a gente não faz sem querer...

Passou adiante feito uma bala.

— Vocês conhecem esse rapaz? — quis saber Judite.

— Não — respondeu Romero.

— É um idiota qualquer — acrescentou Mozart.

— Por que tudo isso? — tornou Alex. — Foi só um esbarrão.

— Tem razão, Alex — concordou Mozart. — Foi só um esbarrão. Vamos embora.

Partiram para a casa de Romero. Sem que percebessem, Júnior os seguira. Queria saber onde ele morava. Notou que era em uma casa com ar distinto, numa rua familiar, e sorriu intimamente. Aquele Romero devia ser filhinho de papai, e ele e seu namoradinho iam ver só uma coisa. Tomou nota do endereço e foi embora. Daria um jeito de se vingar daqueles dois.

Como já era tarde, Mozart foi para casa com Alex. Depois que eles saíram, Judite foi se trocar e, já de camisola, foi bater à porta do quarto de Romero.

— Está acordado? — perguntou ela, aproximando-se da cama.

— Estou.

Sentou-se a seu lado e tomou sua mão. Acariciou seu rosto, alisou seus cabelos e beijou sua testa.

— Sou sua irmã, Romero — sussurrou. — Amo você imensamente. Sabe disso, não sabe?

— Sei.

— Acima de tudo, sou sua amiga. Você pode confiar em mim.

Romero não sabia aonde ela queria chegar, mas começou a desconfiar daquela conversa macia.

— O que está querendo, Judite?

— Não estou querendo nada. Talvez você é quem queira desabafar.

— Não tenho nada para desabafar.

— Tem certeza?

— Tenho.

— E aquele rapaz do cinema?

— O que tem ele?

— Vai repetir que não o conhece?

— Não o conheço.

— Não acredito em você. Vi o terror em seus olhos, o ódio nos olhos dele e o desafio nos de Mozart. O que há? Pensa que sou alguma tonta?

Havia tanta ternura, tanta segurança, tanto amor na voz de Judite, que Romero desatou a chorar. Não agüentava mais tanta pressão. Vivia torturado por aquela lembrança, uma lembrança que o amor de Mozart conseguira diminuir, mas não exterminar. E naquele dia, ao ouvir a voz de Júnior no cinema e dar de cara com sua fisionomia odienta, sentiu que todo o antigo pavor retornara.

— Ah! Judite...

Agarrou-se à irmã e chorou ainda mais, tentando engolir os soluços.

— O que houve, Romero? Por que está assim?

— Papai vai me matar.

— Por quê? O que você fez?

— Ele não quer que eu conte a você.

— O quê? O que você não pode me contar?

— Judite — levantou-se e encarou-a, os olhos brilhantes —, aquele rapaz é... um marginal... ele desgraçou minha vida.

— Como? O que ele fez?

— Ele... ele... me violentou...

Judite não demonstrou surpresa. Não sabia por quê, mas aquilo não a surpreendia. Esperou até que ele lhe contasse tudo e sentiu imensa revolta do pai. Aquilo não era jeito de tratar o próprio filho. Fingir que nada havia acontecido era muita insensibilidade.

— Papai se sentiu muito envergonhado...

— E você, Romero, como se sentiu?

— Eu... eu...

Não conseguiu terminar. Agarrou-se ainda mais à irmã e deu livre curso às lágrimas. Judite não fez mais perguntas. Abraçou-o com ternura e afagou seus cabelos. Em seu íntimo, sabia como ele se sentia. Percebia isso no jeito como ele e Mozart se tratavam. Mas Romero estava angustiado. Aquelas lembranças o haviam incomodado sobremaneira, e ela não queria causar-lhe ainda mais transtornos com perguntas indiscretas. Sentiu que, naquele momento, o que ele mais necessitava era de amor, e por isso estreitou-o ainda mais. Não precisava fazer perguntas nem dizer nada. Bastava que ele sentisse quanto era amado e querido.

No dia seguinte, o telefone tocou bem cedinho, ainda não eram nem sete horas da manhã. Noêmia estranhou, mas foi atender.

— Alô? — Ninguém disse nada. — Alô? Quem é? Alô?

Noêmia pensou que a ligação havia caído, mas o som de uma respiração ofegante indicou-lhe que havia alguém do outro lado da linha.

— Hum... — gemeu a voz.

Assustada, Noêmia desligou. Devia ser um trote, mas de muito mau gosto. Não prestou mais atenção ao ocorrido e, mais tarde, com a família toda reunida ao redor da mesa do café, o telefone tocou de novo, e a própria Noêmia foi atender.

— Alô?

Novamente aquela respiração. Aborrecida, Noêmia fez sinal para que Silas se aproximasse e, tapando o bocal com uma das mãos, falou baixinho:

— Acho que é um trote.

Silas apanhou o telefone e disse com voz grave:

— Quem está falando? O que deseja?

A voz deu um gemido, como se estivesse tendo um orgasmo, e soltou uma gargalhada debochada. Desligou, e Silas pousou o fone no gancho.

— Quem era? — perguntou Judite, nervosa.

— Algum palhaço — respondeu Silas. — Não tem o que fazer. A vida pela hora da morte, e ele aí, gastando dinheiro de ligação à toa, só para passar trotes.

— O que ele disse? — perguntou Romero, fingindo displicência.

— Nada. Ficou só gemendo.

— Que tolice — recriminou Noêmia. — Mas já é a segunda vez que ele liga hoje.

— É? — retrucou Silas, curioso.

— É, sim. Ligou antes, bem cedo.

— É voz de homem ou de mulher? — quis saber Judite.

— Não sei bem, mas parecia de homem. Ele não disse nada. Só gemeu e riu, mas parecia uma gargalhada masculina. Por quê? Não vá me dizer que é alguém atrás de você, Judite!

— De mim? Deus me livre! Não conheço gente dessa espécie.

— Ai, meu Deus! — rogou Noêmia. — Será que é algum tarado de olho em nossa filha?

— Não diga besteiras, mamãe! Deve ser algum idiota que não tem mais o que fazer.

Mudaram de assunto. Cerca de meia hora depois, o telefone tocou novamente. Silas correu a atender apressado, e lá estava o mesmo gemido, a mesma gargalhada.

— Não tem mais o que fazer, não, seu cretino? — xingou. — Por que não vai arranjar uma mulher?

Bateu o telefone, com raiva. Do outro lado da linha, Júnior também desligava, às gargalhadas. Fora muito fácil descobrir o telefone daquele tolinho. Bastara anotar o endereço e procurar na lista telefônica. Ele não sabia quem havia atendido àquelas ligações mas, pelo jeito e pela voz, deveriam ter sido a mãe e o pai de Romero. Ótimo, pensou. Seu plano daria certo.

— É, meu amigo — disse em voz alta. — Vamos ver quem vai rir por último.

Quando Mozart chegou, no final da tarde, encontrou Silas de cara amarrada, demonstrando-se bastante aborrecido.

— Aconteceu alguma coisa, seu Silas? — perguntou cauteloso.

— Nada que mereça seu tempo, meu rapaz — respondeu de forma cortês. — Algum palhaço resolveu nos passar um trote. Fica ligando de meia em meia hora, como se nós não tivéssemos mais nada para fazer.

— Um trote? E o que ele diz?

— Nada. Fica só gemendo e rindo. Ah! se eu descubro quem é o desgraçado...

— Ainda acho que é alguém de olho em Judite — considerou Noêmia.

— Pode ser. E é mais um motivo para me aborrecer. Não quero nenhum marginal dando em cima de minha filha.

Mozart não fez nenhum comentário. Romero chegou em seguida e chamou-o, levando-o para o quarto de Judite. Fechou a porta, e os dois foram se sentar perto dela.

— Que história é essa de trote? — questionou Mozart.

— Alguém está ligando aqui para casa desde cedo — esclareceu Judite. — Não diz nada. Geme e dá gargalhadas. O pior é que meu pai pensa que é comigo.

— E é?

— Não. Romero e eu estamos desconfiados de que seja Júnior.

Mozart olhou para Romero com ar de dúvida, e ele tratou logo de explicar:

— Contei a Judite sobre Júnior. Ela precisava saber.

— Fez bem — concordou Mozart, percebendo que aquilo fora o máximo que ele contara. — Mas será que é ele mesmo?

— É bem possível. Ele pode ter nos seguido ontem e descoberto nosso telefone no catálogo.

— O que será que ele quer?

— Não sei. Queria perguntar eu mesma, mas papai não deixa mais ninguém atender o telefone. Está danado da vida com esse sujeito.

— Será que Júnior ficou com raiva por causa de ontem, no cinema?

— Deve ter ficado. Romero me contou como você lhe respondeu à altura, e ele deve estar morrendo de raiva.

— Isso é perigoso — refletiu Mozart.

— Também acho — concordou Judite prontamente. — Ele pode estar pensando em lhes fazer algum mal.

— Que tipo de mal?

— Dar-lhes uma surra, sei lá. Uma pessoa que fez o que ele fez a Romero é capaz de muitas outras coisas.

— Judite tem razão — aquiesceu Romero. — Ele pode estar nos armando alguma cilada.

— De hoje em diante — aconselhou Judite —, é melhor que nenhum dos dois saia sozinho.

— Isso é que não! — objetou Mozart. — Não vou me curvar às ameaças de nenhum covarde marginal.

— Nem eu... — apoiou Romero, embora sem muita convicção.

Mozart temia mais por Romero do que por ele. Ele sempre fora destemido e audacioso, ao passo que Romero era um menino tímido e medroso. E Júnior sabia disso. Como era covarde, não seria de espantar se ele procurasse Romero para algum tipo de vingança.

Mas a vingança de Júnior era bem outra. Estava mais interessado em destruir a vida de Romero do que em lhe dar uma surra ou mesmo matá-lo. Ele conhecia bem aqueles garotos. Sentiam, desde cedo, o desejo a corroê-los por dentro e ficavam aturdidos quando percebiam que esse desejo não era o que eles esperavam. Ao invés de se interessarem por garotas, como todos os colegas, voltavam seus olhos para os meninos e se assustavam com seus próprios pensamentos. Não viam graça nas mocinhas. Gostavam mesmo era dos rapazes bonitos e esbeltos, embora custassem a se dar conta disso. Até que chegava alguém mais experiente e lhes mostrava o caminho do prazer, e eles passavam a não querer outra coisa.

Com Romero, não seria diferente. Depois de ter sido violentado, Júnior apostava que ele havia se descoberto sexualmente. Daí para um namorado, era apenas um pulo. Fosse quem fosse o garotão que estava com Romero, Júnior tinha certeza de que não era apenas um amigo. Era algo mais. Vira no jeito como o defendera, como segurara seu braço, como falara com ele. Aqueles dois eram amantes, tinha certeza.

Só que Romero era de família direita. Desde o primeiro dia, dera para perceber. E o que diriam seus pais se soubessem que o filhinho querido, depositário de todos os seus sonhos e esperanças, não passava de uma bicha louca, um pederasta enrustido? Sim, porque Júnior duvidava que os pais soubessem ou desconfiassem de algo.

É claro que eles sabiam que o filhinho não era mais intacto, que fora violado por outro homem e que jamais seria o mesmo depois disso. Mas, até aí, eles podiam dar a desculpa de que Romero fora atacado e violentado à força. Contudo, se descobrissem que Romero gostara da experiência, que sentira prazer na subjugação por outro homem, o que iria acontecer? Seria a vergonha total, a humilhação, o escárnio e o desprezo, tanto da família, quanto dos amigos e da sociedade. E era isso que Romero merecia por incitar seu amiguinho emplumado a desdenhar de Júnior publicamente.

Com um sorriso de escárnio nos lábios, Júnior apanhou o telefone e ligou de novo. Já havia decorado o número. Como das outras vezes, foi o homem que atendeu, quem ele acreditava ser o pai de Romero, Silas, que era o nome constante na lista telefônica. Júnior gemia e soltava gritinhos de prazer, terminando com aquela gargalhada debochada. O homem ficava louco. Xingava e batia o telefone, mas sempre tornava a atender. Estava curioso para saber quem era.

— Seu porco! — esbravejou Silas, como de costume. — Por que não nos deixa em paz? Se pensa que assim vai conseguir alguma coisa com minha filha, está muito enganado. Mato-o antes mesmo de chegar perto dela.

Bateu o telefone, completamente transtornado, e Júnior redobrou a gargalhada. O idiota ainda pensava que ele estava de olho em sua filha! Ela até que era bonitinha, mas ele não gostava de mulher. Ligou de novo, e Silas atendeu:

— Alô! É você, seu cretino? Por que não dá uma de homem e diz alguma coisa? É porque tem medo?

Para espanto e surpresa de Silas, a voz do outro lado, ao invés de gemer, como de costume, fez um breve silêncio e respondeu, rouca e baixa:

— Não. Não tenho medo de nada.

Num instante, Silas se recobrou do espanto e revidou:

— O que você quer? É com minha filha?

— Não — foi a resposta lacônica.

— O que quer, então?

— Romero.

Desligou rapidamente, sem dar a Silas tempo de responder. Silas também desligou e esperou para ver se o telefone ia tocar novamente, mas ele permaneceu mudo. Ficou desconfiado. O que aquele homem, gemendo e urrando como se estivesse tendo relações sexuais, podia querer com seu filho? Se fosse com Judite, ele ficaria furioso, mas conseguiria entender. Judite era uma moça muito bonita, e não seria de espantar que tivesse despertado o interesse de algum tarado ou maníaco. Mas com Romero...

Balançou a cabeça, a fim de afastar aquela desconfiança, e foi até o quarto do filho. Ele saíra com Mozart e ainda não havia voltado. Nervoso, Silas voltou para a sala. Sentou-se no sofá e ligou a televisão, tentando prestar atenção ao programa. Durante o resto da tarde, permaneceu sentado junto ao telefone, à espera de que o homem ligasse novamente. Mas Júnior, para aguçar-lhe a curiosidade, não telefonou mais o resto do dia.

Somente na tarde seguinte foi que ele tornou a ligar. Silas atendeu ansioso, e Júnior foi logo dizendo:

— O senhor é o pai de Romero?

— Sou. Por quê? O que quer com meu filho?

— O senhor sabe — riu debochado.

— Não sei, não. Não vejo o que um sujeito sujo como você possa querer com um rapaz direito como meu filho.

— Direito? — gargalhou. — Só não vê quem não quer.

— Por quê? O que está querendo dizer?

— Pergunte a ele. Ou a seu amiguinho...

Desligou novamente. Silas não gostou nada do jeito como ele pronunciara aquele *seu amiguinho*. Parecia que estava tentando lhe dizer alguma coisa. Mas o quê? Seria possível que Romero e Mozart...? Abanou a cabeça, dizendo a si mesmo que não, e ficou imaginando que motivos poderia ter aquele homem para ligar para sua casa e fazer insinuações sobre o filho.

De repente, uma idéia lhe ocorreu. Seria possível que aquele homem fosse o mesmo que violentara Romero? Sim, era bem possível. Na certa, descobrira onde ele morava e estava pensando em atacá-lo novamente, só para viciá-lo e aliciá-lo para seu bando de pederastas. Sim, só podia ser isso! A essa certeza, soltou um suspiro de alívio. Romero não era culpado se aquele homossexual tarado resolvera persegui-lo. Só que não conseguiria nada. Romero não gostava daquelas coisas, saía-se muito bem com Domitila. De nada adiantaria tentar viciá-lo naquela vida... Ou será que adiantaria?

Júnior não ligou mais naquele dia. Agora agia de forma diferente. Se antes não dava descanso, causando a impaciência de Silas, agora fazia suspense, aguçando-lhe a curiosidade e levando-o a esperar e a desejar que ligasse. Queria saber mais.

Quando Romero voltou da rua, em companhia de Mozart, Silas, gentilmente, pediu a este que fosse embora.

— Não me leve a mal, Mozart — justificou —, mas é um assunto de família. Amanhã vocês se encontram de novo. Estou até pensando em levá-los a Domitila novamente.

Mozart nem ligou para esse anúncio. Estava mais preocupado com o teor daquela conversa. Contudo, não tinha como ficar. Silas pedira-lhe que saísse, e ele obedeceu. Depois que ele se foi, Romero sentou-se ao lado do pai, todo trêmulo, à espera do pior.

— Filho — começou pausadamente —, sei que eu mesmo lhe pedi para nunca mais tocar nesse assunto, mas como é o nome do rapaz que o atacou?

Romero quase caiu da cadeira. Podia esperar qualquer coisa do pai, menos que ele perguntasse sobre Júnior. Recompôs-se rapidamente e respondeu inseguro:

— Júnior.

— Só Júnior?

— É só o que sei.

— Você acha possível que Júnior esteja nos passando esses trotes?

— Por quê?

— Acha ou não acha?

— Bem... — titubeou o jovem, a voz trêmula. — Acho...

Silas sacudiu a cabeça e continuou:

— Você o tem visto?

— Não...

A resposta foi tão hesitante que Silas não acreditou.

— Tem certeza? Vamos, filho, pode falar.

Romero jamais ouvira o pai falar com tanta serenidade, de forma quase carinhosa, e acabou confessando:

— Vi-o uma vez... no cinema.

— Falou com ele?

— Ele falou comigo.

— O que ele disse?

— Nada. Perguntou como eu estava.

— Só isso?

— Só isso.

— E Mozart?

— O que tem ele?

— Mozart conhece Júnior?

— Não.

— Júnior não o viu no cinema?

— Viu.

— Então eles se conhecem.

— Não. Mozart só o viu de relance.

— Entendo.

— Por que está fazendo essas perguntas, pai? O que Mozart tem a ver com isso?

Silas olhou bem dentro de seus olhos e respondeu:

— Porque o rapaz que tem telefonado disse que está interessado em você.

— Em mim? Como assim?

— Disse que quer você. Que você não é um rapaz direito. E ainda sugeriu que eu perguntasse a Mozart.

— Perguntasse o quê?

— Se você é um rapaz direito.

Romero remexeu-se, inquieto.

— Você é, Romero? É um rapaz direito?

Ele engoliu em seco e respondeu com a maior convicção possível:

— Sou.

— Tem certeza?

— Tenho.

Ele tinha. Era um rapaz direito. Não da forma como o pai pensava, mas da forma como tinha de ser. Só agora compreendia os parâmetros que Mozart traçava para delinear o caráter das pessoas. O fato de ser homossexual não o transformava em bandido ou marginal. Era um rapaz direito, sim, e precisava afirmar isso com bastante convicção. Pena que não tinha coragem de expor aqueles pensamentos diante do pai. Para Silas, a concepção de rapaz direito era bem diferente da sua e da de Mozart. Para ele, um rapaz direito era aquele que não se metia em pouca-vergonha, ou seja, que não se deitava com outro homem.

— Está certo, Romero. Pode ir agora.

O menino foi saindo, e Silas acrescentou:

— Não quero que saia mais hoje.

Romero nem discutiu. Não estava em condições. Júnior fizera insinuações gravíssimas a seu respeito que puseram o pai em dúvida. Júnior devia saber. Romero tinha certeza de que Júnior sabia que ele era homossexual. Experiente, deveria ter desconfiado de Mozart também. Pois não fora Mozart mesmo quem lhe dissera que era fácil reconhecer um homossexual apenas pelo jeito de olhar? Júnior reconhecera. E agora estava tentando destruir sua vida, insinuando ao pai que ele era homossexual também.

O que poderia fazer? Ele era homossexual mesmo, reconhecia-se como tal, assumia sua preferência pelos homens. Não podia negar isso a si mesmo. Todavia, diante do pai, era imperioso que fingisse. Jamais confirmaria as insinuações de Júnior. Por mais que o pai lhe perguntasse, diria que Júnior era um pederasta mentiroso e só estava dizendo aquilo para denegrir sua imagem. Convenceu-se: precisava mentir.

capítulo

8

A primeira coisa que Judite percebeu quando entrou em casa foi o pai andando de um lado para o outro na sala, rodeando o telefone, sobressaltando-se cada vez que ouvia um barulhinho qualquer.

— Pai! — exclamou espantada. — O que houve? Por que está rodando pela sala feito uma barata tonta?

Antes que Silas pudesse responder, Noêmia entrou no aposento com um copo de suco na mão e estendeu-o para o marido.

— Seu pai agora está obcecado com aquele homem — respondeu contrariada. — Vive à espera de que ele ligue.

— Que homem?

— O tal dos trotes.

— Ah!

— Ele não perde por esperar — rugiu Silas, colérico.

— Já parou para pensar que ele deve estar se divertindo à sua custa? — tornou Judite, cansada daquela história.

— Divertindo-se? Pois vamos ver quem vai rir por último.

— Talvez, se o senhor o ignorar, ele pare de telefonar.

— Judite tem razão — concordou Noêmia. — Talvez ele só ligue porque você lhe dá muita atenção, e é isso o que ele quer.

— Ele falou mal de Romero... — deixou escapar.

— Falou? — era Noêmia. — Como assim? O que ele disse?

Já arrependido, Silas tentou voltar atrás:

— Nada. Ele é um idiota, isso sim.

Silas não queria que ninguém mais soubesse das insinuações de Júnior, nem a mulher nem a filha. Por isso, murmurou uma desculpa qualquer e saiu em direção ao banheiro. Noêmia foi cuidar de seus afazeres, mas Judite ficou preocupada. Agora que sabia o que havia acontecido entre Júnior e Romero, bem podia imaginar o que ele andava falando do irmão. Já ia saindo para seu quarto quando o telefone tocou. Mais que depressa, Judite correu a atender, antes que o pai, ainda no banheiro, pudesse chegar à sala.

Ao ouvir uma voz feminina, Júnior não disse nada. Apenas deu seus gemidos e riu baixinho.

— Escute aqui, seu cretino — rosnou Judite, entre dentes —, não adianta tentar denegrir a imagem de meu irmão. Ele não é um pederasta covarde como você, que nem tem coragem de mostrar a cara. Vive se escondendo atrás de um fio de telefone.

Furioso, Júnior desligou. Quem era aquela que se intrometia assim em sua vida? Seu assunto não era com ela, era com o pai de Romero. Seria aquela voz a de sua mãe ou de sua irmã? Parecia jovem demais para ser da mãe, logo só podia ser da tal irmãzinha.

Cada vez mais, Júnior abria seu coração para o ódio, sem perceber que densas sombras se aproximavam dele, envolvendo-o num abraço sinistro, transmitindo-lhe vibrações de ódio e revolta. Júnior nem sabia por que se sentia daquele jeito. Não era lá nenhum santinho e sabia bem o que havia feito a Romero. Apesar de tudo, nunca havia forçado nenhum rapaz a ter relações com ele. Não daquela forma. Podia ter insistido algumas vezes, até usado uma forcinha. Mas jamais havia machucado nem humilhado alguém como fizera com Romero. Por que Romero?

Ele não sabia a resposta. Tudo que sabia era que, quando viu Romero pela primeira vez, sentiu uma estranha inquietação no peito, como se fosse imperioso para sua vida que se aproximasse dele. Por isso seguira-o com os olhos durante toda a sessão de cinema. Por isso também o acompanhara, já premeditando o que iria fazer. Precisava desesperadamente transar com ele, e fora exatamente o que fizera.

Ainda se lembrava do prazer que sentira ao vê-lo subjugado e humilhado, chorando e implorando que o soltasse. Uma parte dele até queria soltá-lo, mas outra lhe dizia que era bem-feito e que ele até estava gostando. Se, por um lado, sua consciência alertava-o para a impropriedade de sua conduta, por outro, as sombras que o acompanhavam lhe toldavam o raciocínio, estimulando seus instintos, cada vez mais, para a violência.

Romero tinha muitos inimigos. Alguns, encarnados como Júnior, não compreendiam bem a origem daquele sentimento, atribuindo seu ódio às circunstâncias a que haviam chegado. Os desencarnados, por sua vez, sabedores dos comprometimentos de Romero, se aproveitavam do ódio de Júnior para atingi-lo, o que também só era possível graças aos medos e às culpas do rapaz. Mesmo sem saber, Romero vivia atormentado por forte sentimento de culpa e, desconhecendo a razão desse sentimento, atribuía-o ao fato de ser homossexual e de estar fazendo algo que talvez não fosse certo.

Fosse como fosse, o fato era que o medo e a culpa haviam colocado Romero em sintonia com Júnior, e o ódio aproximara este dos espíritos inferiores.

Quando Silas chegou à sala, correndo e ainda abotoando as calças, Judite já havia desligado o telefone. Ele estacou esbaforido e perguntou ansioso:

— Quem era?

— Não era quem o senhor esperava, papai. Era para mim.

Judite virou-lhe as costas e saiu a passos rápidos. Não queria que o pai soubesse que ela desafiara o homem.

Aquilo já estava virando uma obsessão. Ninguém conseguia convencer Silas a deixar de lado aquela história. Ele vivia obcecado, não mais pela chateação e o desaforo, mas pelas insinuações que Júnior fizera sobre Romero.

Somente no dia seguinte Júnior ligou novamente, e, dessa vez, foi Silas quem atendeu.

— Olá — cumprimentou Júnior irônico. — Pensei que houvesse me abandonado.

— Já sei quem é você — fremiu Silas. — É o veado nojento que fez aquilo a meu filho.

Júnior soltou uma gargalhada e respondeu naturalmente:

— Seu filho gostou muito *daquilo*.

— É mentira! Romero é um homem de verdade!

— Se é assim, por que você está tão preocupado?

— Não estou preocupado. Só não quero que você ultraje a imagem de meu filho.

— A imagem de seu filho é a de uma mocinha vibrando de prazer ao ser penetrada pela primeira vez.

Aquilo foi muito forte. Trêmulo de ódio, Silas atirou o telefone longe, sem, contudo, desligá-lo. Do outro lado da linha, Júnior percebeu o que acontecera e permaneceu firme. Tinha certeza de que ele tornaria a pegar o fone. E foi o que aconteceu. Não demorou nem um minuto, e a voz de Silas fez-se ouvir novamente.

— O que você quer para nos deixar em paz? Dinheiro? Não tenho dinheiro, mas posso tentar arranjar alguma coisa.

Nova gargalhada se fez ouvir. O homem estava ficando desesperado, e Júnior exultava. Estava alcançando seu objetivo.

— Dinheiro não me interessa.

— O que quer, então?

— Romero, já disse.

— Romero não está interessado em você — rebateu, com voz sofrida. — Ele não é desse tipo.

— Acho que o senhor está enganado.

— Ouça, rapaz... Júnior. É esse o nome, não é? — O outro não respondeu. — Só porque você fez mal a meu filho, não quer dizer que ele tenha se viciado nisso... — Silas tinha até medo de falar. — Por isso, vou lhe dar um conselho: deixe-nos em paz, ou serei obrigado a chamar a polícia. Você já está passando dos limites.

Júnior fez alguns segundos de silêncio, o que deixou Silas ainda mais nervoso. Quando falou, foi com voz calma e civilizada:

— Agora quem vai me ouvir é o senhor. Seu filho é tão veado quanto eu.

— Não...

— Deixe-me terminar, por favor. Romero está enganando-o. Faz o senhor pensar que ele é homem, se é que isso é possível. Também, tem pai que é cego... Mas isso não vem ao caso. O fato é que Romero está de caso com aquela outra bichinha... não sei seu nome.

Ele estava se referindo a Mozart. Silas queria rebater aquela infâmia, xingá-lo, ameaçá-lo. Mas ficou paralisado. Por mais que não quisesse reconhecer, algo dentro dele lhe dizia que Júnior estava falando a verdade. Tentando segurar as lágrimas, Silas desligou. Esperou alguns minutos, mas Júnior não ligou novamente. Seria verdade o que dissera? Seriam, Mozart e seu filho, amantes?

Naquele dia, quando Romero chegou com Mozart, Silas olhou-os desconfiado, mas não disse nada. Os dois estavam alegres, como sempre. Sentaram-se para ver um pouco de televisão, e Mozart foi embora mais tarde. Na noite seguinte, Romero e Mozart saíram, dizendo que iam ao cinema. Assim que eles saíram, Silas levantou-se e saiu atrás deles. Tinha de se certificar. Precisava descobrir.

Os dois tomaram um ônibus para o centro da cidade, e Silas fez sinal para um táxi. Ia gastar uma nota, mas não fazia mal. Se aqueles dois estivessem fazendo alguma coisa errada, era hoje que iria descobrir. Na Cinelândia, saltaram, e Silas saltou mais atrás. Era um cinema, e estava passando um filme pornográfico. Silas teria achado graça, não fosse o filme sobre casais de homossexuais. Olhando o cartaz, sentiu nojo e teve ânsias de vômito. Olhou a censura: 18 anos. Como haviam deixado seu filho entrar?

Silas foi até a bilheteria e comprou um bilhete. Entrou no cinema, constrangido com os olhares dos homens sobre ele. Alguns cochichavam, outros chegaram a piscar o olho para ele. Teve vontade de gritar com eles e agredi-los, mas sentiu medo. Era melhor não os provocar.

Sentindo-se pouco à vontade, entrou na sala de projeção e procurou com o olhar, tentando ver no escuro. A sessão há havia começado, e um lanterninha veio oferecer ajuda.

— Está sozinho? — perguntou com voz mole. — Quer um lugar mais à frente ou mais atrás?

— Pode deixar que me arranjo sozinho — respondeu de má vontade.

O lanterninha deu de ombros e afastou-se, e Silas sentou-se na última fileira. O cinema estava praticamente vazio, apenas alguns casais de homossexuais aqui e ali. De vez em quando, o filme na tela projetava uma claridade pálida no cinema, e Silas podia ver um pouco melhor. Alguns se beijavam descaradamente. Outros pareciam assistir ao filme, mas o movimento de seus braços dava sinais de que se acariciavam mutuamente. Silas sentia-se cada vez mais enojado. Ainda se recusava a acreditar que seu filho se prestasse àquilo.

De repente, nova luminosidade invadiu a tela, e Silas avistou Romero e Mozart mais à frente. Eles estavam de costas, beijando-se e acariciando-se. Na mesma hora, Silas levantou-se. Não conseguia pensar em nada. A revolta foi tomando conta dele, e ele se mostrou cego à razão. Se não estivesse vendo com seus próprios olhos, não acreditaria que era seu filho quem estava ali, esfregando-se em outro homem. Era nojento, revoltante!

Mais que depressa, aproximou-se, chegando pelo lado de Mozart. Sem que os dois percebessem, agarrou o rapaz pelo colarinho e começou a sacudi-lo, gritando descontrolado:

— Seu veado nojento! Sem-vergonha! Então recebo-o em minha casa, e é assim que me paga?

Levou algum tempo até que Romero entendesse que era seu pai quem estava ali. Como os descobrira? Será que os seguira?

— Pai... — falou aturdido. — Como... o que... o que está fazendo aqui?

— De você, cuido depois! — esbravejou.

Aproveitando-se de sua distração, Mozart conseguiu empurrá-lo para o lado e levantou-se, ao mesmo tempo em que os seguranças do cinema se aproximavam.

— Vamos parar com isso aí — disse um grandalhão. — Não quero saber de briga de veados!

— Não sou veado! — berrou Silas, ofendido. — Onde está o gerente desta espelunca? Exijo falar com o responsável daqui!

— Vamos andando, dondoca — continuou o outro, em tom de deboche. — Resolva seu ciuminho lá fora.

Silas estava cada vez mais indignado e ofendido. Como aquele brutamontes se atrevia a confundi-lo com aqueles homossexuais nojentos? O homem segurou-o pelo braço e começou a puxá-lo para longe de Mozart e Romero, que, aturdidos, não conseguiam dizer nada. Na mesma hora, Silas pôs-se a berrar:

— Solte-me, animal! Ou chamo a polícia!

A palavra *polícia* deu excelente resultado. O segurança soltou-o espantado, porque não era comum falar em polícia naquele lugar.

O que costumavam fazer era correr da polícia, e não procurá-la. As outras pessoas já os olhavam carrancudas, e alguém reclamou:

— Será que dá para fazer silêncio aí?

— Chi! — acrescentou mais alguém.

Veio o gerente.

— O que está acontecendo aqui? — perguntou baixinho.

— Exijo respeito! — esperneou Silas. — Seus corruptores de menores! Vou processá-los por admitir a entrada de menores neste antro!

— Menores!? — indignou-se. — Que menores?

— Meu filho!

Silas apontou para o lugar em que Romero e Mozart estiveram sentados, mas as poltronas estavam vazias. Os dois haviam se aproveitado da confusão para fugir. Saíram sorrateiramente e ganharam a rua, sem que Silas ou o gerente notassem.

— Onde está seu filho? — tornou o homem, aliviado, percebendo que o garoto havia desaparecido. — Não estou vendo ninguém.

— Ali... — balbuciou Silas, olhando ao redor, confuso. — Eles estavam ali... mas fugiram... ele e aquele garoto... tenho certeza...

— O senhor deve ter se enganado — continuou o gerente, agora mais confiante.

— Não me enganei, não! Então acha que não conheço meu filho? Ele só tem catorze anos.

— Pode provar que era seu filho?

Silas encarou-o com desgosto e respondeu desanimado:

— Não. Mas era, eu juro. Tenho certeza.

Deixou cair os braços ao longo do corpo e foi se afastando em lágrimas. Sentia-se tão envergonhado que, se pudesse, cavaria um buraco ali mesmo e enterraria a cabeça para sempre. Não tinha mais o que dizer. O homem estava certo. Como ele iria provar que seu filho estivera ali? E, depois, será que valeria a pena processar aquele homem? Não estaria assumindo publicamente o que, até então, lutara para esconder? Não, decididamente, não era aquilo que ele desejava. Surpreendera Mozart e Romero aos beijos e abraços naquele cinema, e nada no mundo poderia apagar aquela cena de sua mente. Entender-se-ia com os dois sem a necessidade de expor a pouca-vergonha do filho.

Logo que ganharam a rua, Mozart e Romero correram feito loucos, só parando após se certificarem de que Silas não os estava seguindo. Pararam ofegantes num ponto de ônibus e tomaram uma condução para Copacabana. Queriam estar o mais longe possível de casa.

— Acha que ele nos seguiu? — perguntou Romero, olhando pela janela do ônibus.

— Acho que não. Ele estava distraído, tentando se livrar do segurança. Só agora deve ter dado pela nossa falta.

— O que faremos? — perguntou Romero com angústia, os olhos rasos dágua.

— Acha que pode voltar para casa?

— Ficou louco? Meu pai vai me matar.

— Vamos para a casa de meus tios. De lá, ligaremos para meus pais.

— E se seus tios nos expulsarem? Na certa, vão ficar sabendo de tudo. Será o primeiro lugar onde meu pai irá nos procurar.

— Você tem alguma idéia melhor? — Romero meneou a cabeça. — Então, é isso mesmo o que faremos.

Desceram do ônibus no primeiro ponto e atravessaram a rua, tomando outro coletivo para a casa de Alex. Quando chegaram, já era tarde, e os tios pareciam de nada saber. Estavam vendo televisão e apenas sorriram quando eles entraram. Alex havia saído com Judite, e os dois seguiram direto para o quarto que Mozart dividia com o primo.

— E agora? — indagou Romero.

— Pelo visto, seu pai não veio aqui.

— Mas ainda pode vir.

— Pode...

Mal teve tempo de terminar, e logo ouviram a campainha da frente soar com estridência. Ambos prenderam a respiração e aguardaram. De repente, uma voz elevou-se, nervosa e agitada, e eles reconheceram a voz de Silas.

— Ele já chegou — anunciou Mozart.

Do quarto, não podiam distinguir com clareza as palavras de Silas. Mas, pelo tom de sua voz, sabiam que ele estava contando tudo que acontecera. Não demorou muito, e o tio veio chamá-los.

— Mozart — falou com desgosto. — O pai de Romero está aí. Disse que os surpreendeu num cinema suspeito, aos beijos e abraços. Não sei o que pensar...

— Tio Clóvis — respondeu Mozart, em tom de desculpa —, perdoe-me...

— Quer dizer que ele está certo?

Mozart apenas baixou e sacudiu a cabeça. Não conseguia dizer nada. Estava envergonhado, não por estar aos beijos e abraços com Romero, como o tio dizia. Mas porque fora apanhado como um gatuno surpreendido com a mão na bolsa de alguma senhora. E ele tinha certeza de que não cometera crime nenhum. Mas como dizer isso ao tio? Pior: como se explicar ao pai de Romero?

— Acho melhor você ir com ele, Romero — continuou Clóvis. — E vou telefonar a seus pais, Mozart. Não sei como lidar com isso e não posso mais ficar com você aqui.

— Por favor, seu Clóvis — implorou Romero —, deixe-me ficar aqui. Meu pai vai me matar.

— Não vai, não. Ele está aborrecido, e com razão. Mas não vai matar você.

— Vai, sim, tenho certeza.

— Sinto muito, Romero, mas não posso contrariar seu pai. E, depois, vocês traíram nossa confiança. A minha e a dele. Venha, ele o espera.

Derrotado, Romero levantou-se, seguido por Mozart.

— Você, não — disse para o sobrinho. — Você fica aqui. Não quero complicar ainda mais as coisas.

Mozart não ousou contestá-lo. Estava na casa dele e, embora não achasse que o houvesse traído, devia-lhe respeito e não podia enfrentá-lo. Romero saiu sozinho. Chegou à sala, onde o pai havia ficado, em companhia da tia de Mozart. O olhar de Silas era de ódio. Se não estivesse diante de outras pessoas, teria arrancado o menino dali a tapas. Contudo, conseguiu controlar-se. Puxou o filho pelo braço e despediu-se. Silas fez sinal para um táxi, e os dois entraram, seguindo em silêncio até em casa. Pelo canto do olho, Romero podia ver a cara de ódio do pai. Ele mordia os lábios e fechava as mãos, controlando o ímpeto de acertar um soco no queixo do filho.

Saltaram na porta de casa, e Noêmia correu a seu encontro. Silas havia saído sem dizer nada, deixando-a deveras preocupada.

— Graças a Deus! — exclamou ela. — O que houve? Por que saiu sem me dizer nada, Silas?

Silas não respondeu. Foi empurrando o filho pela nuca para dentro de casa e fechou a porta com estrondo. Sem dizer nada, acertou em seu queixo o murro que havia horas vinha segurando.

— Sem-vergonha! — rugiu.

— Silas! — protestou Noêmia. — O que é isso? Por acaso enlouqueceu?

— Pergunte a seu filho! Pergunte a ele o que ele fez para me levar ao extremo da loucura!

O olhar interrogativo de Noêmia causou imenso transtorno em Romero, sentado no sofá, segurando o queixo dolorido e a boca que sangrava.

— Responda à sua mãe! Vamos, canalha, responda à sua mãe!

Como Romero nada dissesse, Silas partiu para cima dele novamente e acertou-lhe novo soco, dessa vez no olho, que logo foi se tornando roxo.

— Meu Deus, Silas, pare com isso! — gritou Noêmia, tentando segurar o braço do marido. — Ele é seu filho.

— Ele não é mais meu filho! Não tenho filho veado!

— Não o estou reconhecendo, Silas. Isso lá é linguagem para usar dentro de casa? Ainda mais diante de sua mulher e de seu filho.

— Pois não estou falando nenhuma mentira. Romero é um veadinho, pederasta, bichona!

— Silas!

— É isso mesmo! Ele e aquele maricas do Mozart.

— Não diga isso.

— Peguei-os hoje, sabe onde, Noêmia? Num cinema, na Cinelândia, desses só para veados. Passavam um filme pornográfico, e sabe de quê? De homens, Noêmia, de homens! Fazendo as coisas mais repulsivas com outros homens!

Noêmia recuou aterrada, cobrindo a boca com a mão.

— Não... Não é verdade! — contestou, atônita. — Meu filho, não.

— Eu bem devia ter desconfiado. Sempre agarradinho com

Mozart, saindo juntos, dormindo juntos. Como fui estúpido! Ainda cedi minha casa para essa pouca-vergonha! Vocês faziam essa nojeira bem debaixo de meu nariz!

Um barulho de carro do lado de fora fê-los perceber que Judite estava chegando, e Silas calou-se. Não queria envolver a filha naquilo. Ela abriu a porta vagarosamente e virou-se para dar um último adeus a Alex. Quando entrou em casa, estacou abismada.

— Nossa! — indignou-se, olhando para os pais, sem perceber Romero num canto. — O que deu em vocês? Estão com umas caras...

— Vá para seu quarto — ordenou Silas. — E só saia quando eu mandar.

— Por quê? O que foi que eu fiz?

— Faça como estou mandando, menina! Se não quiser apanhar também.

Só então Judite se deu conta de que Romero estava presente, chorando, com o rosto todo machucado. Pronto! Foi o suficiente para desobedecer às ordens do pai. Largou a bolsa sobre a poltrona e correu para ele.

— Romero! — assustou-se. — O que houve, meu Deus? Quem fez isso com você? Foi Júnior?

Ela nem se lembrou de que o pai não queria que ela soubesse do episódio com Júnior, o que deixou Silas ainda mais irado. Romero desobedecera-lhe e contara a ela o que lhe acontecera. Cada vez mais irritado, puxou Judite pelo braço e empurrou-a para o corredor.

— Para o quarto, já disse — tornou a mandar.

Ela não obedeceu. Desvencilhou-se dele e agarrou-se a Romero, respondendo em tom de desafio:

— Não vou. Meu irmão está ferido. Quero ficar com ele.

Silas perdeu de vez as estribeiras. Já não pensava em mais nada. A única coisa que conseguia sentir era a raiva a crescer dentro do peito. Sem raciocinar direito, partiu para cima de Judite e puxou-a pelos cabelos, ignorando os gritos de protesto e angústia de Noêmia.

— Você vai para o quarto agora! — esbravejou, dando-lhe um tapa no rosto.

Aquela cena foi demais, até para Romero. Pela primeira vez em sua vida, conseguiu reagir. Que o pai descontasse nele, podia entender. Mas bater em Judite era uma injustiça, e ele não iria permitir. De um salto, agarrou o braço do pai e torceu-o para trás, gritando entre lágrimas e soluços:

— Deixe-a em paz, seu monstro! Covarde! Solte-a!

Aturdido, Silas largou-a e virou-se para ele. Romero sempre fora um menino franzino, e o pai descarregou sobre ele toda a fúria de seu ódio. Nem Judite, nem Noêmia conseguiram impedi-lo. Espancou o filho quase até a morte, só parando quando percebeu que ele estava imóvel no chão.

— Cachorro! — berrou. — Não o quero mais em minha casa, debaixo de meu teto, comendo de minha comida! Isto aqui é lugar de gente direita! Levante-se e ponha-se daqui para fora!

Romero mal conseguia se mexer. O rosto inchado, não enxergava direito. O corpo todo doído, parecia que havia quebrado alguma coisa. Ainda assim, conseguiu se levantar, auxiliado por Noêmia e Judite.

— Deixem-no — ordenou o pai, totalmente irado. — Não quero que ninguém o ajude.

Na mesma hora, Noêmia soltou-o, chorando desconsolada. Mas Judite não obedeceu. Encarou o pai com olhar frio e disparou:

— Se quiser me impedir, vai ter de me espancar também.

Silas conteve o ímpeto de esbofeteá-la novamente. Ela era mulher, e não ficava bem bater em mulheres, principalmente numa filha. Furioso, correu para a porta e escancarou-a. Apontou o dedo para fora e bradou a plenos pulmões:

— Muito bem. Leve-o daqui. Não quero esse pederasta em minha casa.

Judite ainda não sabia qual fora o motivo daquele briga horrenda, mas podia imaginar. Só que aquela não era a hora de perguntar nada. Sustentando-o em seus braços, apanhou a bolsa e saiu com ele para a rua. Foi caminhando até uma transversal, onde havia um orelhão. Amparando Romero, quase desmaiado, tirou uma ficha da carteira e telefonou para Alex, pedindo que fosse buscá-los.

Alex havia acabado de entrar em casa quando o telefone tocou. Estranhou ver a família reunida na sala, Mozart com os olhos inchados de tanto chorar, mas nem teve tempo de perguntar o que estava acontecendo. A voz de Judite ao telefone era grave, e ele foi às pressas a seu encontro. Parou o carro ao lado do orelhão onde ela disse que estaria e saltou, abrindo a porta para Romero.

— O que houve? — perguntou, sem de nada desconfiar.

— Vamos para o hospital — pediu ela, sem responder à sua pergunta.

Judite sentou-se com Romero no banco de trás e pousou a cabeça dele sobre seu ombro, afagando-lhe os cabelos. Ele começou a chorar, envergonhado e dolorido, sentindo os olhares de Alex pelo espelho retrovisor. Não conseguia dizer nada, apenas chorar.

No hospital, Romero ainda teve de esperar algum tempo antes de ser atendido. Havia muitas emergências naquele dia e, com poucos médicos, a prioridade era para aqueles que apresentassem perigo de vida. Romero, apesar de seu estado, não corria risco de vida e teve de esperar sua vez. Era dia de plantão de Plínio, o mesmo que o atendera no dia em que fora violentado. Ele não se lembrava do rapaz, porque eram muitas as pessoas que atendia ali, mas tratou-o com o cuidado de sempre.

Examinou-o minuciosamente. Deu-lhe alguns pontos no rosto e apalpou seu corpo, em busca de alguma fratura. Felizmente, estava tudo inteiro. As costelas doíam-lhe, mas não havia quebrado nenhuma. Depois de medicado, Plínio colocou-o em observação e foi ao encontro de Judite, que havia acabado de preencher uma ficha no balcão de atendimento.

— Boa noite — disse ele. — Foram vocês que trouxeram o rapazinho?

— Fomos, doutor. Sou a irmã dele, Judite. Como ele está?

— Bem. Levou uma surra danada, mas vai ficar bom.

Ela suspirou aliviada e deixou escapar um desabafo:

— Graças a Deus.

— Pode me contar o que aconteceu?

Judite não queria dizer que o pai havia espancado o irmão, com medo de que ele fosse preso. Por isso, ao dar seu nome na recepção, dissera que Romero fora assaltado e que apanhara do ladrão. E foi exatamente isso que ela repetiu ao médico.

Plínio sabia que aquilo não era verdade, mas não era direito insistir. Limitou-se a balançar a cabeça e concluiu:

— Ele vai passar umas duas noites aqui. Depois, pode levá-lo.

Sorriu com simpatia e foi para dentro atender outros clientes. Judite e Alex, não tendo mais o que fazer, saíram também, e só o que ela pôde dizer-lhe foi que o pai batera em Romero. O motivo, não conhecia. Embora ela até pudesse imaginar, tinha medo de compartilhar suas suspeitas com o namorado. Como todo mundo, Alex era preconceituoso com essas coisas de homossexualismo, e Judite não queria se desentender com ele e também não queria que ele se desentendesse com Romero.

capítulo 9

Ainda assustada, Judite entrou em casa. Despedira-se de Alex da porta e entrou, pensando no que o pai estaria fazendo. Estranhamente, a casa estava toda às escuras. Ela entrou na ponta dos pés e foi espiar o quarto dos pais. Nenhum dos dois estava dormindo, embora fingissem estar. Com cuidado, Judite encostou a porta e dirigiu-se a seu quarto. Despiu-se e foi tomar um banho. Quando voltou, a mãe estava sentada em sua cama, olhos inchados de tanto chorar.

— Como está seu irmão? — foi logo perguntando, aflita.

— Como a senhora queria que ele estivesse, depois daquela surra?

— O que o médico disse? Ele vai ficar bom?

— Vai. O doutor disse que não é nada grave. Mas Romero vai passar duas noites no hospital.

Noêmia juntou as mãos sobre a boca e cerrou os olhos, e Judite sabia que ela estava rezando.

— E papai? — indagou, assim que a mãe abriu os olhos.

— Está dormindo, eu acho.

— Por que não impediu, mãe? Por que deixou que papai fizesse aquilo com Romero?

— O que eu poderia fazer? Seu pai me proibiu...

— E a senhora obedece, não é? A tudo que papai fala, a senhora diz amém. É sempre assim. Será que, ao menos uma vez na vida, não podia ter reagido?

— Não me acuse, Judite. Estou sofrendo muito.

— Não tanto quanto Romero. Imagine só o que ele deve estar passando naquele hospital.

— A culpa não é minha. Seu pai é o chefe da família.

— Ah! E por isso ele pode fazer o que quiser, não é? Até nos matar, se for de sua vontade.

— Não diga isso. Seu pai é um homem bom.

— Nota-se.

— Ele ficou transtornado. Romero tirou-o do sério.

— Por quê? O que foi que ele fez de tão terrível para provocar essa fúria de papai?

— Ele não lhe contou?

— Ele não estava em condições de me contar nada.

Noêmia soltou doloroso suspiro e ciciou:

— Seu pai não vai gostar...

— Será que a senhora não pode esquecer papai um momento? Estamos falando de seu filho!

— Silas não quer que eu conte nada. Principalmente a você.

— Mamãe! Deixe de ser medrosa e submissa. O que papai vai fazer contra a senhora? Bater-lhe também?

— Deus me livre, que seu pai não é homem disso!

— Ele só bate nos filhos, não é mesmo?

— Você está sendo injusta, Judite. Seu pai nunca bateu em vocês.

— O que foi que ele fez com Romero, então?

— Com Romero foi diferente.

— Por quê?

— Porque ele... bem... ele provocou...

— Como? O que foi que ele fez?

— Ele... ele...

— Ele o quê, mamãe? Pelo amor de Deus, fale logo de uma vez!

Noêmia não conseguiu mais segurar aquilo. Começou a chorar e contou tudinho a Judite, do mesmo jeito que Silas lhe havia contado. Judite sentiu imensa angústia. Não que se surpreendesse. No fundo, já esperava por aquilo. Surpreendia-se com o preconceito e a incompreensão do pai. Mais ainda, com a passividade da mãe.

— E agora, mãe, o que vamos fazer?

— Vou rezar para que seu pai o aceite de volta. Talvez possamos levá-lo a um psiquiatra ou algo parecido. Romero está doente.

— A única doença de Romero é a surra que levou.

— Mas, minha filha, nenhum homem, em sã consciência, faz o que ele fez com outro homem.

— A senhora não sabe de nada mesmo, não é, mamãe? Romero é homossexual...

— Não diga isso! É feio.

— Feio é o preconceito. Ele é homossexual mesmo, e daí? O que podemos fazer? Foi a escolha dele, não foi?

— Seu pai jamais vai aceitar uma coisa dessas.

— Mas a senhora devia aceitar. É mulher, é mãe. Devia ser mais sensível.

— Romero é meu filho, e eu seria capaz de aceitá-lo de volta, seja ele como for. Mas seu pai já disse que não quer.

— E a senhora vai aceitar isso?

— O que posso fazer, Judite? Brigar com ele?

— Imponha sua vontade.

— Silas é o homem. É o chefe desta família. É ele quem paga as contas, quem põe comida dentro de casa.

— E a senhora, é o quê? Sua empregada? Que eu saiba, a senhora trabalha tanto quanto ou mais que ele, cuidando de nós e da casa. Isso, sem falar em suas costuras, que contribuem em muito com o sustento da família.

— Mas não é direito, Judite. Não posso contrariar meu marido.

— Pois, então, convença-o. Convença-o a reconsiderar e aceitar Romero de volta.

— Ainda que eu conseguisse isso, de que adiantaria? Seu pai nunca mais seria o mesmo com ele. Viveríamos num inferno.

— Mamãe, acho que a senhora ainda não entendeu a situação. Romero só tem catorze anos, não trabalha, não tem para onde ir. O que espera que ele faça da vida?

— Não sei, Judite, não sei! Por isso, peço a Deus que o ajude.

— Deus, só, não vai bastar! Precisamos dar uma forcinha.

— Não blasfeme, minha filha. Deus pode mais que tudo.

— Não digo o contrário. Mas acho que Deus não quer, ele mesmo, resolver nossos problemas. Se fosse assim, tudo seria muito fácil. O que ele quer é que façamos nossas escolhas e tomemos as atitudes certas.

— Como saber o que é certo ou errado?

— Seguindo o coração.

— Não, Judite, sinto muito. Meu coração de mãe está apertado com o futuro que vislumbro para Romero. Ele é meu filho, e ninguém mais do que eu sofre por ele. Mas ele também há de assumir seus erros.

— Mas que erros?

— Você não disse que ele é homossexual? Tem de assumir essa escolha também.

— Que é uma escolha, concordo com a senhora. Mas não vejo onde está o erro em seguir seus instintos. Romero não está fazendo mal a ninguém.

— Só a ele mesmo.

— Não concordo. Se ele está feliz, onde está o mal?

— Ele não pode estar feliz na situação em que se encontra.

— Tem razão. Ninguém pode ficar feliz numa cama de hospital, todo arrebentado.

— Foi ele quem causou essa situação.

— Ah! quer dizer que a culpa é dele, por ter apanhado?

— Se não fosse homossexual, seu pai não teria lhe dado essa surra.

— Isso não é justificativa. Ser homossexual não é crime nem pecado.

— Mas é feio, é imoral.

— Em sua concepção, porque na minha não é nada demais. É apenas uma opção, um caminho como outro qualquer.

— Você tem idéias muito estranhas para uma mocinha de sua idade. É bom que seu pai não a ouça falar assim.

— Noêmia! — era a voz de Silas, chamando do outro quarto. — Venha dormir. Já é tarde!

Judite encarou a mãe com desapontamento. Não adiantava nada discutir com ela. Noêmia não se atrevia a contrariar o marido, ainda que isso significasse a perda dos filhos.

— Vá, mamãe, vá dormir. Não deixe papai esperando. Ele pode se aborrecer e colocá-la de castigo.

Apesar de perceber a ironia nas palavras da filha, Noêmia não respondeu e voltou para seu quarto. Deitou-se ao lado de Silas, que não disse nada. Ele sabia que ela estivera conversando com Judite, vira quando se levantara. Deixara que ela fosse apenas para que ficasse mais calma. Podia compreender sua angústia de mãe, embora não permitisse que ela o contrariasse. Permitira que Judite lhe desse notícias de Romero e esperava que ela parasse de se preocupar com ele. Daquele dia em diante, não tinham mais filho. Apenas uma filha.

No dia seguinte, logo cedo, Judite telefonou para Alex.

— Alô? Alex? Tudo bem? Será que você pode me levar ao hospital agora de manhã? Quero ver como Romero está passando.

— Certo — respondeu Alex, sem muito ânimo. — Passo aí dentro de meia hora.

Alex também já sabia o que havia acontecido. Seus pais lhe contaram tudo. Embora não achasse certo bater em Romero, concordava que ele e Mozart haviam agido errado. Alex era totalmente contra qualquer espécie de homossexualismo, ainda mais em sua família.

No carro, ele e Judite iam conversando.

— Creio que você já sabe o que houve, não sabe? — perguntou ela.

— Sei, sim. Meu pai me contou.

— E Mozart? Como está?

— Está bem, aparentemente. Seus pais chegam hoje de Brasília para levá-lo.

— Vocês o mandaram embora?

— Não exatamente. Mas você há de convir que não foi nada agradável para papai saber que o sobrinho estava metido nessa sem-vergonhice.

— Por que fala desse jeito? Eles não estavam fazendo nada de mau.

— Como não? Enfiados num cineminha poeira, só para ficarem de esfregação... Como não é sem-vergonhice?

— O que você queria que eles fizessem? Que namorassem em praça pública? Ou na praia?

— Não acredito que você os esteja defendendo!

— Estou, sim. Tudo bem que o lugar em que foram vistos não era lá muito bem freqüentado. Pode ser sujo, nojento, de baixo nível, mas foi a isso que eles tiveram de se sujeitar para fugir do preconceito. Eles queriam estar juntos, e o único lugar em que podiam fazer isso com liberdade, infelizmente, era num cinema suspeito, como aquele. Mas não vejo nada demais no que eles fizeram. Eles são garotos saudáveis, bonitos, inteligentes...

— E deveriam estar atrás das meninas. Onde já se viu, dois homens se beijando na boca? E muito me admira você, Judite, concordar com uma esquisitice dessas.

— Lamento se não penso como você, Alex. Mas não vou mudar de opinião só porque você quer.

Chegaram ao hospital e calaram-se. Ali, naquele momento, Judite teve a certeza de que ela e Alex não iriam muito longe com aquele namoro. Ele deixara bem claro seu pensamento, e ela não concordava com nada do que ele dissera. Tampouco iria se sujeitar à sua vontade só para não o perder. Não era como sua mãe e não queria se tornar submissa a nenhum homem, por mais que o amasse.

No hospital, foram informados de que Romero melhorara. Era um rapaz forte e estava se recuperando bem.

— Podemos vê-lo? — perguntou Judite.

— Podem. Estão no horário de visitas.

Romero, de olhos fechados, não percebeu quando eles se aproximaram. Sentiu que o tocavam de leve no ombro e abriu os olhos, encontrando o olhar doce e compreensivo da irmã.

— Judite... — balbuciou, já começando a chorar.

— Não precisa falar, Romero — tornou ela, afagando-lhe os cabelos. — Só quero saber como você está.

— Bem... Foi o que me disseram.

Só então percebeu Alex parado mais atrás.

— Olá, Alex — cumprimentou. — Tudo bem?

— Tudo bem, e você?

Romero fez um gesto com as mãos, indicando que ia mais ou menos. Sentiu-se envergonhado com a presença do namorado da irmã. Imaginava se, àquela altura, todos já não estariam sabendo por que o pai agira daquela forma.

— Papai lhe contou o que aconteceu?

— Mamãe contou.

— Sinto muito, Judite. Não queria magoar você.

— Magoar-me? Você não me magoou, Romero. Não tenho nada com sua vida. Amo-o e respeito-o pelo que você é, não pelas escolhas que faz.

Nesse ponto, Alex pediu licença e saiu. Não queria tomar parte naquela conversa infame.

— Alex não pensa como você, não é? — afirmou Romero.

— Não ligue para ele.

— Não quero causar-lhe problemas, Judite. Se for para brigar com Alex, não precisa mais vir me visitar. Não precisa nem falar comigo, se não quiser. Vou entender.

— Nem pensar! Você é meu irmão, e por nada neste mundo eu o abandonaria. Ou Alex me aceita desse jeito, ou pode procurar outra namorada.

— Você não gosta dele?

— Gosto. Mas não posso conviver com um homem que não sabe respeitar seus semelhantes.

— Você é muito especial, Judite — falou ele, emocionado. — Deveria ter lhe contado há mais tempo.

— Não pense mais nisso agora. Não tem importância.

— Júnior conseguiu sua vingança, afinal.

— Acha que foi ele que contou?

— E quem mais haveria de ser? Foi depois que ele começou a ligar que papai descobriu.

— Tem razão. Mas que sujeitinho à-toa!

— Sabe se ele ligou de novo?

— Não sei. Nem perguntei.

— Espero que agora ele nos deixe em paz.

— Não pense mais nisso. Ele agora não poderá mais lhe fazer mal.

A hora da visita terminou, e Judite teve de ir embora. Ficou de voltar mais tarde, na hora em que o médico estivesse, para saber quando Romero teria alta. E, quando tivesse, o que iria fazer? Para onde iria?

Do lado de fora, Alex aguardava-a impaciente. Ao vê-la, franziu o cenho e foi saindo apressado. Já dentro do carro, perguntou de má vontade:

— Por que demorou tanto?

— Estava conversando com ele. Romero está muito abalado. E estou preocupada com seu futuro.

— Isso não é problema seu.

— É claro que é. Romero é meu irmão.

— Mas não há nada que você possa fazer por ele. Seu pai expulsou-o de casa, e você não tem como ajudá-lo.

— É isso que me angustia. O que vai ser de meu irmão?

— Pare de se preocupar. Aposto como ele vai saber se virar direitinho.

— Como assim? O que quer dizer?

— Ora, Judite, ele já se iniciou nessa vida. Na rua, está cheio de pederastas velhos e cheios da grana atrás de um garotinho. Não vai ser difícil para ele.

Judite sentiu o sangue ferver e rebateu indignada:

— O que está dizendo, Alex? Meu irmão não é nenhum marginal.

— Desculpe-me, Judite — tornou acabrunhado, já arrependido do que dissera. — Não foi isso que quis dizer.

— Mas foi o que insinuou. Você é igualzinho a todo mundo. Só porque existem pessoas que agem de forma diferente, critica e vai logo julgando. Por acaso se acha melhor do que os outros?

— Não. Mas, pelo menos, não saio por aí transando com homens.

— Quanto preconceito! Você devia se envergonhar de ser tão preconceituoso.

— Não é preconceito, não. Se alguém quer ser pederasta, não tenho nada com isso. Desde que não seja da minha família.

— Ah! Então o problema é com seu primo.

— Com meu primo e com meu futuro cunhado. Mozart não é problema, porque os pais estão vindo buscá-lo, e ele vai partir logo para a Áustria. Mas Romero vai ser meu cunhado. Não quero que meus amigos digam que o tio de meus filhos é pederasta.

— Isso é um disparate! E o que você espera que eu faça?

— O que qualquer pessoa decente faria numa situação dessas. Afastar-se dele.

— Você ficou maluco? Romero é meu irmão. É um menino! Meu pai o colocou para fora de casa. Como posso abandoná-lo?

— Não digo abandonar. Mas também não precisa ficar amiguinha dele.

— Eu não vou ficar amiguinha dele. Já sou. Sempre fui!

Chegaram à porta da casa de Judite. Alex estacionou, puxou o freio de mão e, encarando-a bem fundo nos olhos, confessou:

— Então, Judite, creio que vai ficar muito difícil para nós...

— Difícil, não — cortou ela, rubra de raiva. — Impossível.

Saiu batendo a porta e entrou correndo para dentro de casa, sem nem olhar para trás. Estava com raiva de Alex, decepcionada por causa de seu preconceito. Mas foi melhor descobrir como ele era agora. Se descobrisse que ele era tão preconceituoso depois do casamento, o desgosto seria maior. E ela não estava disposta a subjugar seus princípios, aquilo em que acreditava, em nome de ninguém.

Para ela, aquele namoro havia terminado ali.

capítulo 10

O telefone tocou e Judite atendou com agressividade, certa de que ouviria a voz debochada de Júnior do outro lado. Para sua surpresa, porém, não foi Júnior quem ligou, mas Mozart, que sussurrou bem baixinho:

— Quem fala? É Judite?

— Mozart! Que bom que ligou!

— Queria mesmo falar com você. Preciso ver Romero.

— Onde está?

— Na casa de meus tios. Meus pais chegaram hoje cedo, e partiremos amanhã. Mas não posso ir sem falar com Romero.

— Não sei se será possível. Ele está no hospital.

— Por favor, leve-me até lá. Não posso ir embora e deixá-lo como se nada tivesse acontecido.

Judite considerou por alguns segundos. Podia imaginar o que ele estava sentindo, quanto deveria estar sofrendo. Partir para longe, sem se despedir de quem amava, deveria ser muito duro. Mas o pai ficaria furioso se soubesse que ela levara Mozart até o hospital. Ou talvez não. O pai renegara Romero, dizia que, dali em diante, não queria mais saber dele, que não tinha mais filho. Se era assim, não se incomodaria se Mozart fosse visitá-lo. Nem tomaria conhecimento. E, se tomasse, pouco importava. Ele já não tinha mais ascendência sobre Romero, mesmo.

— Está certo — concordou ela, finalmente. — Mas a hora da visita já passou.

— Não há nenhum jeito?

— Bom, eu fiquei de voltar mais tarde para falar com o médico. Quer ir comigo?

— Quero.

— Está certo, então. Mas não estou prometendo que você possa vê-lo. Vai depender do médico, se ele autorizar ou não.

— Vou arriscar.

— Bom. Vamos nos encontrar mais tarde na porta do hospital. — Deu-lhe o endereço. — Sabe onde fica?

— Eu descubro.

— Muito bem. Espero-o às oito horas. Não se atrase. Se você se atrasar, entrarei sozinha.

— Não se preocupe, não me atrasarei.

Desligaram. Judite ficou pensativa, imaginando o que os pais de Mozart teriam dito daquilo tudo. Pelo que ela sabia, eles eram pessoas avançadas e liberais, mas ela não imaginava até onde ia a liberalidade deles.

Jantou mais cedo naquela noite e saiu sem falar com ninguém. Não queria ouvir as lamúrias da mãe nem as censuras do pai. O hospital era perto, e ela tomou um ônibus. Poucos minutos depois, descia em sua porta. Ainda faltavam vinte minutos para as oito, mas Mozart já estava lá, consultando o relógio a todo instante. Logo que ele a viu, correu ao seu encontro e abraçou-a com efusão, deixando que as lágrimas escorressem de seus olhos.

— Judite... — balbuciou. — Eu sinto tanto!

— Eu sei. Também sinto.

— A culpa foi minha...

— Não diga isso.

— Foi, sim. Romero era um garoto normal até me conhecer. Fui eu que o iniciei nessa vida.

— Muito me admira ouvir você falar desse jeito. Logo você, que sempre teve a mente tão aberta.

— Jamais poderia imaginar que as coisas chegariam a esse ponto. Ah! se eu não o tivesse seduzido...

— Não diga besteiras, Mozart! Romero sempre foi desse jeito, apenas não sabia ou não se aceitava. O que você fez foi tirar-lhe o véu do medo e do preconceito com ele mesmo.

— Acha mesmo?

— Não tenho dúvidas. E, se quer saber mesmo, acho que quem o despertou para isso não foi nem você. Foi o tal de Júnior. Foi depois que ele violentou Romero que ele começou realmente a questionar sua sexualidade.

— Mas ele ainda resistia. Fui eu quem o desvirtuou.

— Você apenas o ensinou a ser verdadeiro com seus sentimentos. Isso não é nada demais.

— Acha isso mesmo?

— É claro. Não acredito que alguém se torne homossexual ou qualquer outra coisa pela só influência de outro. Não acredito nem que alguém possa se tornar homossexual. Quem é homossexual já nasce assim. As pessoas relutam, não querem se aceitar, algumas até se casam para não ter de se enfrentar. Até que, um dia, acontece alguma coisa que as coloca diante de si mesmas, e elas são impelidas a reconhecer suas tendências, a se aceitar do jeito que são. Muitas não conseguem e vivem cheias de conflitos.

— Acho que é a maioria. Todo mundo tem medo do preconceito.

— É verdade. O preconceito é uma chaga na humanidade.

— O preconceito destrói uma pessoa, Judite. Veja só o que fez a Romero.

— Acho que quem se destruiu mais foi meu pai. A incompreensão traz o desassossego, a raiva que consome, o medo que o transformou numa pessoa superficial e amarga.

— Você é tão diferente de todo mundo! Romero tem muita sorte de ter uma irmã como você.

— Sei que sou um pouco diferente. Mas é que não consigo ver os erros que as pessoas costumam apontar nos outros. Observo as diferenças de comportamento, de gostos, de ideais. E isso, para mim, é natural, faz parte da vida. Mas não consigo ver essas diferenças como aberração, apenas como diversificações no jeito de viver, sentir e pensar. E daí? Somos todos seres humanos, não somos? As coisas estão aí, não estão? Se estão, é para serem experienciadas. Se não, Deus, que é muito inteligente, jamais as colocaria no mundo.

— É uma maneira, no mínimo, inusitada de ver as coisas.

— É porque todo mundo complica tudo. Sabe, Mozart, eu acredito muito em Deus. Não nesse Deus vingativo e punitivo que todo mundo prega por aí. Mas num Deus de amor e compreensão. Numa força inteligente que criou o mundo e tudo que está nele. E Deus não erra nunca, não é mesmo? Se não erra, por que então pensar que ser homossexual é um erro? Pois não foi Deus quem fez o homem e permitiu que ele conhecesse a homossexualidade?

— Não sei. Talvez as pessoas achem que o homossexual se desvirtuou dos ensinamentos de Deus.

— Só se desvirtua dos ensinamentos de Deus quem não consegue amar. Para mim, a única lei que é eterna e verdadeira é a lei do amor. A partir daí, tudo o mais é conseqüência. Quem ama compreende, ajuda, não critica, não rouba, não inveja, não mata, não fala mal. E isso, para mim, é o que conta no ser humano. Não importa se homem ou mulher, hétero ou homossexual, branco ou negro, rico ou pobre. Cada um vive o que tem de viver, e ninguém vive de forma errada. Vive o que precisa. E o que precisamos é sempre o melhor para nós. E o melhor, seja o que for, é o que vem para nossas vidas.

— Nossa, Judite, de onde tirou essas idéias?

— Das reflexões que faço sobre a vida. Bom, mas deixemos essas considerações para outro dia. Viemos ver Romero. Vamos entrar?

Entraram juntos, e Judite dirigiu-se à mocinha da recepção:

— Gostaria de falar com o Dr. Plínio Portela, por favor.

A recepcionista consultou uma prancheta e respondeu com voz mecânica:

— O Dr. Plínio está na emergência. Vocês podem ir por esse corredor e virar à direita no final. Perguntem por ele à recepcionista de lá.

— Obrigada.

Afastaram-se e foram para o local indicado. Por sorte, quando eles chegaram, Plínio estava no corredor, dando orientações a um casal. Os dois se puseram um pouco mais atrás. Logo que ele terminou, reconheceu Judite e cumprimentou-a:

— Como vai, Judite?

— O senhor se lembra de mim?

— Como não? É a irmã daquele rapazinho, Romero, não é mesmo?

— Sou eu mesma. Puxa, doutor, que bom que se lembrou de mim. Gostaria muito de falar com o senhor.

— Você deu sorte. O movimento hoje está fraco. Vamos por aqui, para meu consultório.

Mozart olhou para Judite com olhar de súplica, e ela indagou:

— Doutor, será que meu amigo aqui não poderia dar uma palavrinha com Romero?

— O horário de visitas já acabou.

— Eu sei — interveio Mozart, já agoniado. — Mas é que eu vou viajar para Brasília amanhã. De lá, parto para a Áustria e não sei quando poderei ver Romero novamente.

Plínio compreendeu. Era um homem vivido e de uma sensibilidade extrema. Piscou o olho para Mozart e respondeu em tom amistoso:

— Bom, creio que não fará mal se você der apenas uma palavrinha com ele.

Chamou a enfermeira de plantão e deu autorização para que Mozart entrasse, seguindo com Judite para seu consultório particular. Mozart entrou na enfermaria com todo o cuidado. Não queria perturbar os doentes. A enfermeira conduziu-o até o leito que Romero ocupava, e ele se aproximou. O rapaz dormia e ressonava, e Mozart sentiu a garganta estrangular. Já o amava sinceramente e sentiria muito sua falta. Contudo, não tinham como permanecer juntos naquele momento.

Os dois eram menores de idade, não trabalhavam, não tinham onde viver. Mozart sabia que muitos homossexuais caíam na marginalidade por causa do preconceito. Não tendo um começo de vida sólido, seria difícil arranjar um emprego que os sustentasse. E, mesmo que achassem, teriam de viver de forma obscura, escondendo-se, ocultando seus sentimentos, policiando gestos e palavras, tudo para que ninguém descobrisse a verdade sobre eles e os discriminasse. Era uma vida muito ingrata e injusta, mas era a vida que a sociedade lhes oferecia.

Por isso, Mozart sabia que era preciso vencer. Concluiria seus estudos de piano e retornaria ao Brasil triunfante, como grande pianista. Enquanto isso, esperava que Romero fizesse uma faculdade, mas agora não sabia se ele conseguiria. Seu futuro era incerto, o que quase fez Mozart desistir de seus planos. Os pais, porém, não permitiriam. Não porque era homossexual, porque já desconfiavam e aceitaram bem, mas porque não queriam que o filho sofresse com o preconceito. Queriam prepará-lo para a vida e para seus dissabores, a fim de que Mozart tivesse condições de se sustentar e viver sem precisar se humilhar diante de ninguém.

Mozart ficou parado, observando Romero. Este, como que sentindo sua presença, abriu os olhos lentamente e sorriu. Ergueu o corpo na cama e abraçou o amigo.

— Mozart — gemeu. — Pensei que nunca mais fosse vê-lo.

— Não poderia partir sem ver você.

— Já vai embora?

— Tenho de ir. Meus tios ligaram para meus pais, e eles vieram me buscar. Tio Clóvis não me quer mais aqui.

— Entendo... Vai logo para a Europa?

— Assim que as férias terminarem. Papai está providenciando minha ida antes do programado, para me tirar desta situação.

— Seus pais ficaram zangados com você?

— Não. Ficaram chateados por causa de meus tios. Eles não compreendem, e meus pais não querem desrespeitá-los.

— Como o invejo! Ah, se meus pais fossem assim...

— Você tem Judite. Ela é uma moça maravilhosa.

— É verdade. Não há ninguém igual a Judite. Pena que Alex não pense assim. Só espero que eles não se desentendam por causa disso.

Embora Judite não tivesse dito nada, Mozart sabia que ela e Alex haviam brigado porque o primo os acusara de serem os responsáveis pelo rompimento do namoro. Não contou nada a Romero. Ele já estava muito abalado, e saber que a irmã havia terminado com Alex só serviria para transtorná-lo ainda mais, impondo-lhe uma culpa que, absolutamente, ele não tinha.

— Ela não veio? — indagou Romero, passando os olhos pela enfermaria.

— Está lá fora, conversando com o médico.

Nesse ponto, Romero não agüentou mais. Estava tentando ser forte, mas a notícia da breve partida de Mozart causou-lhe imensa tristeza. Só havia duas pessoas no mundo que ele amava e em quem podia confiar: Judite e Mozart. Mozart ia embora, e Judite precisava viver sua vida. O que seria dele dali para a frente?

— Vou me sentir tão só... — desabafou. — O que será de mim, Mozart?

— Nada mudou em nossos planos. Apenas temos de antecipar algumas coisas. Eu vou mais cedo para a Áustria, e você também vai ter de se virar.

— Mas como? O que poderei fazer? Meu pai não me quer mais em casa. Como viverei?

Mozart engoliu em seco. Sabia que Silas não voltaria atrás em sua palavra, o que talvez até fosse melhor. Se aceitasse Romero de volta, na certa exigiria que ele se enquadrasse em seus padrões, impondo-lhe verdadeira tortura mental.

— Você tem de ser forte e corajoso. Arrume um emprego e continue estudando. Tente se formar. Disso vai depender todo o nosso futuro.

— Você fala sério, Mozart? Vai mesmo voltar para me buscar?

— Só não volto se você não quiser — abaixou-se rapidamente e deu-lhe um beijo discreto nos lábios, acrescentando bem baixinho: — Vou lhe mandar algum dinheiro da Europa. Para ajudar nas despesas. Ninguém precisa saber.

— Como?

— Deixe comigo, que darei um jeito. Judite pode nos ajudar.

A vontade de Romero era atirar-se nos braços de Mozart, mas conseguiu controlar-se. Apesar do horror da situação, nem tudo estava perdido. Mozart parecia sincero ao dizer que voltaria para buscá-lo. E por que não voltaria? Então os dois não se amavam?

Discretamente, Romero apanhou a mão de Mozart e beijou-a, molhando-a com suas lágrimas sentidas.

— Eu amo você — balbuciou. — Sempre.

Mozart não respondeu. Estava por demais emocionado para conseguir falar. Sentiu que os olhos também se enchiam de lágrimas e apertou a mão de Romero, dizendo-lhe, com o olhar, quanto o amava também.

capítulo 11

No dia seguinte, ao meio-dia, Mozart partiu com seus pais de volta a Brasília. Os tios haviam ido levá-lo ao aeroporto e pareciam felizes com sua partida. Alex despediu-se em casa. Estava magoado com o primo, julgando-o culpado por seu rompimento com Judite.

No outro dia, Romero teria alta do hospital, e Judite estava deveras preocupada com seu destino. Não sabia o que fazer para ajudá-lo. Mozart dissera-lhe que mandaria dinheiro para colaborar com o sustento de Romero, mas onde ela iria colocá-lo para viver?

Faltavam apenas quinze dias para o começo das aulas, o que ela considerava até um alívio. Romero também deveria voltar para a escola, mas ela achava que o pai não permitiria. A história vazara, como era de se esperar, e alguns vizinhos cochichavam entre si, apontando Silas com deboche ou com piedade. Isso só servia para irritá-lo ainda mais. Passados apenas poucos dias do ocorrido, parecia que ele havia redobrado seu ódio.

Noêmia, por sua vez, só o que fazia era rezar. Diante do pequenino altar montado em seu quarto, rezava para que Nossa Senhora protegesse seu filho, lhe desse juízo e o fizesse arrepender-se de seus erros, retornando ao bom caminho. Quem sabe, assim, Silas não o aceitaria de volta? Judite assistia a essas rezas com mal disfarçado desdém. Não que desacreditasse do poder da oração ou dos santos. Só não conseguia acreditar que Romero houvesse cometido algum pecado que necessitasse de piedade ou reparação.

Ela havia ido ao hospital de manhã e agora estava sentada na sala, ajudando a mãe com as costuras, quando o telefone tocou. Silas veio correndo atender e quase explodiu de ódio ao ouvir a voz debochada de Júnior:

— E então, seu Silas? Já descobriu o casinho de Romero? — riu. — Eu tinha ou não tinha razão?

Júnior não sabia o que havia acontecido, e Silas não conseguiu se controlar. Estava com raiva, frustrado, deprimido. Eram tantos sentimentos ao mesmo tempo, que ele parecia um caldeirão em ebulição.

— Seu moleque! — gritou. — Destruiu nossa vida! Não está satisfeito?

— Destruí? Mas eu não fiz nada...

— Veado!

Silas bateu o telefone com fúria e sentou-se no sofá, chorando desconsolado. Um minuto depois, o telefone tocou novamente, e Judite correu para atender. O pai não estava mais em condições de fazê-lo.

— Alô? — disse ela, mas Júnior não respondeu. — Por que não nos deixa em paz, Júnior? Já conseguiu o que queria. Meu irmão está no hospital por sua causa. Não está satisfeito?

Júnior desligou. Não precisava ouvir mais nada. Conseguira mesmo o que queria. Vingara-se daquele cretino e da bichinha sua amante.

Mas não estava satisfeito. Precisava descobrir em que hospital Romero estava. Queria vê-lo pessoalmente, rir na cara dele, apontar-lhe o dedo e dizer-lhe: *Viu? Quem mandou mexer comigo?*

Estava irrequieto. Saíra do trabalho mais cedo, alegando dor de cabeça. Já faltara muito naquele mês, e o chefe estava de olho nele. Mais um pouco e levaria uma justa causa. Precisava se cuidar, mas não podia perder aquela oportunidade. Apanhou as Páginas Amarelas e começou a procurar os telefones dos hospitais mais próximos. Um a um, foi telefonando, dando o nome de Romero, até que encontrou o que procurava.

No dia seguinte, faria uma visitinha ao rapaz. No horário de visitas, o movimento deveria ser grande, e ninguém barraria sua entrada. Tampouco o conheciam, de forma que não teria problemas.

E, ainda que alguém o conhecesse, o que poderiam fazer contra ele? Não podiam acusá-lo de nada. A violência que cometera contra Romero fora realizada havia muito tempo, e nenhum processo tinha sido aberto. E ele não podia ser acusado de ser o responsável por Romero estar no hospital. De qualquer forma, trataria de se prevenir. Apanhou o canivete em cima da mesa e virou-o nas mãos, sorrindo. Ninguém o pegaria desprevenido.

As visitas começavam às oito horas, e às oito e meia Júnior entrou no hospital, seguindo direto para a enfermaria. Ao chegar, porém, uma surpresa: Romero não estava mais lá. Procurou em todos os leitos, mas nem sinal do rapaz. Sentiu a raiva crescer dentro dele e foi chamar uma enfermeira.

— Por favor — disse, esforçando-se para controlar a ira —, procuro um paciente, Romero Silveira Ramos. Sabe onde está?

— O doutor Plínio deu-lhe alta hoje cedo. Saiu agorinha mesmo, com a irmã. Se correr, ainda será capaz de pegá-los na rua.

Não era possível! Perdera-os por questão de segundos. Mas nem tudo estava perdido. Talvez eles ainda estivessem por ali.

Júnior passou pela enfermeira feito um furacão, quase derrubando-a ao chão. Correu pelos corredores feito louco, até que alcançou a rua. Efetivamente, lá estavam eles. Parados na beira da calçada, eles conversavam e olhavam para a rua. Estavam esperando um táxi.

O carro logo apareceu, e Judite fez sinal. O táxi parou, e ela abriu a porta, para que Romero pudesse entrar primeiro. Apenas Dona Filomena concordara em recebê-lo, mas só naquele dia, para que ele não ficasse na rua. Entretanto, não podia ficar com ele: não queria se desentender com Silas. Judite o levaria para lá e depois veria o que fazer. Não podia contar com mais ninguém. Os tios também lhe voltaram as costas, e ela era grata a Filomena por sua bondade. Ainda acreditava que um milagre fosse acontecer.

Assim que ela abriu a porta do carro, Júnior apareceu por trás e fechou a porta com um empurrão, pondo-se entre Romero e o táxi. A surpresa do rapaz foi tão grande, que ele quase caiu para trás.

— Ora, ora, ora — zombou Júnior. — Aonde é que as mocinhas pensam que vão?

Apesar de só haver visto Júnior uma vez, e, assim mesmo, de

relance, Judite sabia que era ele. Só podia ser. Romero sentiu uma onda de pânico invadi-lo e recuou dois passos, esbarrando na irmã, parada logo atrás. Aquilo era um desaforo! Judite não iria permitir que aquele brutamontes covarde espezinhasse o irmão. Rapidamente, puxou Romero com a mão, colocando-o atrás dela, e encarou Júnior com ar de desafio.

— O que quer aqui? — indagou séria.

— Por quê? — revidou Júnior, olhando-a ameaçadoramente. — A rua é de todos.

— Saia de nosso caminho — ordenou ela, sustentando o olhar.

Júnior começou a rir e bateu na porta do táxi, que arrancou na mesma hora. O motorista não queria se envolver em nenhuma briga de namorados e foi apanhar outro passageiro, mais à frente.

— Mas que bonitinho — ironizou, fitando Romero. — Além de veado, é covarde. Precisa da irmãzinha para defendê-lo.

— Se você não sair da minha frente, vou chamar a polícia — ameaçou ela.

— Chame e vai se arrepender.

— Não tenho medo de suas ameaças. Cão que ladra não morde. E você é um cão bem vagabundo, que nem sabe onde pôr o próprio rabo.

Júnior sentiu vontade de esbofeteá-la. Aquela vadia era muito atrevida e arrogante. Merecia uma lição. Mas eles estavam na porta do hospital, havia uma porção de gente olhando e um guarda começou a aproximar-se. Romero suspirou aliviado, e Judite fixou Júnior com ar de vitória.

— Algum problema aqui? — indagou o policial, fitando Júnior de cima a baixo.

— É esse rapaz, seu guarda — retrucou Judite, com desdém. — Acho que perdeu o caminho da cadeia, que é onde deveria estar.

O guarda olhou-a espantado, mas Júnior interpôs:

— A mocinha é muito espirituosa. Pena que a TV não esteja atrás de comediantes.

— Mas a Justiça continua atrás de bandidos — rebateu Judite com firmeza.

— O que está acontecendo? — tornou o guarda. — Moça, esse sujeito lhe fez alguma coisa?

Júnior não esperou resposta. Empurrou o guarda para cima de Judite e Romero e saiu correndo. O policial logo se recompôs e correu atrás dele. Mas o rapaz havia sumido na multidão, e o guarda não pôde alcançá-lo. Júnior correu o mais rápido que pôde, só parando quando se certificou de que não havia ninguém atrás dele. Estava furioso, sentindo um ódio fremente de Judite. Já era a segunda vez que aquela cadelinha lhe dizia uns desaforos. Mas aquilo não ficaria assim. Ela ia ver só uma coisa. Ela não o conhecia e não sabia com quem estava lidando.

Rapidamente, fez sinal para um táxi e deu o endereço da casa de Romero. Não sabia que ele havia sido expulso de casa e pensava que Judite o estaria levando para lá. Deu um trocado a mais, para que o motorista corresse e avançasse alguns sinais, e chegou à frente de Judite. Saltou do táxi e foi se esconder do outro lado da calçada, atrás de uma árvore, bem defronte à casa de Filomena.

Poucos minutos depois, o táxi de Judite e Romero apareceu, parando exatamente na calçada em que Júnior estava escondido. Ele não entendeu nada, mas procurou ocultar-se da melhor forma possível. Judite saltou e ajudou Romero a descer. Assim que se viraram para a porta da frente da casa de Filomena, Júnior saltou de seu esconderijo, canivete em punho, apontando-o para a moça de forma ameaçadora.

Nessa hora, Filomena, ouvindo o ruído do carro, abriu a porta para recebê-los. Viu Júnior ameaçando Judite e soltou um grito de pavor. Júnior assustou-se e olhou para Filomena com cara de espanto, dando à moça a chance de empurrá-lo para longe. Com o susto, Júnior se descontrolou. Com um golpe rápido e mecânico, enterrou a lâmina do canivete bem fundo no abdômen de Judite, que tombou na calçada com um gemido de dor.

Dona Filomena, apavorada, redobrou a gritaria, enquanto Romero, abaixado ao lado do corpo da irmã, soluçava e chamava-a pelo nome:

— Judite! Judite! Fale comigo, Judite! Judite!

O espanto foi tamanho, que Júnior se aproveitou para fugir. Todos os vizinhos acorreram, atraídos pelos gritos de Filomena, assim como Silas e Noêmia. Ao verem o corpo da filha tombado no chão, envolto em uma poça de sangue, Noêmia desmaiou, e Silas começou a berrar também:

— Uma ambulância! Pelo amor de Deus, alguém chame uma ambulância! Minha filha está ferida! Minha filha...

Um vizinho apareceu de carro e ofereceu-se para levá-los ao hospital. Entraram todos. Noêmia e Romero atrás, com Judite atravessada em seu colo, e Silas no banco da frente. Em meio ao desespero, nem se importaram com a presença de Romero. Quinze minutos depois, chegaram ao hospital, e Judite foi logo levada para o Centro de Tratamento Intensivo. Seu estado era grave, e Plínio foi chamado às pressas. Havia muito já terminara seu plantão, mas voltou para seu último atendimento do dia.

Judite ainda respirava, embora sua pulsação estivesse se tornando fraca. Plínio examinou a ferida e mandou que a levassem com urgência para a sala de cirurgia. Mas não havia mais nada que pudesse ser feito. A facada lhe perfurara o fígado e, ao dar entrada na sala de cirurgia, ela já não respirava mais.

Dar a notícia à família era sempre algo doloroso. Por mais que visse situações como aquela, Plínio não conseguia se acostumar. Ainda mais quando a vítima era alguém tão jovem e cheia de vida como aquela moça. Ainda se lembrava de que estivera com ela naquela manhã mesmo, quando dera alta ao irmão. O que teria acontecido em tão curto espaço de tempo?

A notícia da morte de Judite foi um choque para todos. Noêmia desmaiou novamente e foi levada para a enfermaria, e Silas começou a andar de um lado para o outro, as mãos na cabeça, gritando feito louco. Apenas Romero parecia manter a calma. Chorava baixinho, angustiado, olhos pregados no chão.

— Isso não é possível! — berrava Silas. — Minha filha, não! Não pode ser verdade!

— Por favor, meu senhor, tenha calma — Plínio tentava consolar.

— Mas não pode ser! Não é verdade! Por favor, doutor, diga que não é verdade!

— Como gostaria que não fosse...

— Por quê, meu Deus? Por que isso tinha de acontecer logo comigo? Sou um homem direito, honesto, trabalhador... Nunca fiz mal a ninguém... Por que isso tinha de acontecer justo com minha filha?

— Deus tem mistérios que ninguém consegue desvendar — continuava Plínio.

— Não pode ser! Como Deus foi injusto comigo! Primeiro, meu filho... e, agora, isto...

Só então Silas se deu conta de que Romero estava ali entre eles. Empurrou Plínio para o lado e acercou-se dele, encarando-o com os olhos chispando de ódio.

— Você! — bradou.

— Pai... — gemeu Romero, tomado pela dor.

— Foi você! A culpa foi toda sua! Você matou minha filha!

— Não, não. Foi Júnior. Eu vi, Dona Filomena viu.

— Júnior! Mas como?

— Não sei, pai. Ele nos seguiu...

— Não me chame de pai! Nunca mais me chame de pai, seu pederasta nojento! — Romero encolheu-se todo, envergonhado, enquanto Silas continuava a gritar: — A culpa foi toda sua! Se você não tivesse se metido em más companhias, nada disso teria acontecido! Mas não! Meu filho resolveu achincalhar o nome da família com suas veadagens! Não satisfeito, matou minha filha! Minha única filha!

— Pai, por favor...

— Já disse para não me chamar de pai!

Descontrolado, Silas partiu para cima de Romero aos tapas, e o rapaz, ainda dolorido da surra anterior, ajoelhou-se no chão, tentando aparar os golpes com os braços. Vendo aquela cena insólita, Plínio agarrou as mãos de Silas e falou incisivo:

— Pelo amor de Deus, senhor, controle-se! Senão, serei obrigado a chamar a segurança!

— Foi esse cachorro, doutor! Esse pederasta! Por culpa dele, minha filha agora está morta!

— Sei que é doloroso, mas o senhor precisa tentar manter a calma. Sua mulher está lá dentro e inspira cuidados. E seu filho...

— Ele não é meu filho! Não tenho filho veado!

Foi um custo acalmá-lo. Plínio só conseguiu porque levou Romero para seu consultório. Sentia imensa pena do jovem. Judite fizera-o lembrar-se do que havia lhe acontecido algum tempo antes. Ele havia sido brutalmente violentado e o pai não lhe dera nenhum apoio. Depois, fora espancado pelo próprio pai, fato que a irmã também havia confessado na noite anterior, em troca de segredo absoluto. E, agora, o menino era humilhado pelo pai na frente de todo mundo. Sempre o pai.

capítulo 12

Foi muito dolorosa a morte de Judite. A polícia foi chamada e um inquérito foi instaurado. O corpo teve de ser levado à perícia, porque Judite morrera assassinada, e é esse o procedimento comum nesses casos.

Logo que o corpo foi removido para o Instituto Médico Legal, Silas quis ir junto, mas o delegado não permitiu. Entendia sua dor, mas não havia nada que ele pudesse fazer ali. Melhor seria ir para casa com a família e aguardar a liberação do corpo.

Silas estava transtornado. Noêmia, apática, tivera de ser sedada para não ter uma crise. Os dois foram para casa. Em sua dor, Noêmia esquecera-se por completo de Romero, e Silas recusou-se a vê-lo ou falar com ele. Julgava-o responsável pela morte da filha e dizia que jamais iria perdoá-lo.

Romero permaneceu no consultório de Plínio até que os pais se foram. Quando as coisas pareciam ter retomado a normalidade, o médico voltou a seu consultório e encontrou o rapaz chorando, arrasado.

— Como está se sentindo, meu filho? — perguntou bondoso.

— Ai, doutor, minha irmã... — Foi só o que conseguiu dizer, caindo num pranto convulso e atormentado.

Plínio aproximou-se dele e envolveu-o num abraço fraterno, passando a mão pelas suas costas com delicadeza. Aos poucos, Romero foi se acalmando, até que o pranto cessou, restando apenas alguns soluços mais persistentes.

— Faz bem chorar, meu filho — acrescentou Plínio, compreensivo. — Limpa a alma e alivia o coração.

— O senhor não me repeliu...

— Por que faria isso?

— Meu pai... meu pai falou coisas horríveis sobre mim.

— Seu pai está com o coração carregado pela dor. É compreensível.

— Ele não mentiu — sussurrou envergonhado.

— Não precisa me contar. Não tenho nada com sua vida.

À exceção de Judite e Mozart, Romero não havia sido tratado com gentileza por mais ninguém. Baixou os olhos e chorou novamente, de emoção, grato pelas palavras amigas daquele médico quase desconhecido.

— Doutor... o que farei de minha vida? Perdi tudo. Minha família não me quer... Minha irmã se foi...

— E o amigo que veio visitá-lo ontem?

Rosto coberto de rubor, Romero respondeu:

— Partiu com os pais.

— Não tem nenhum lugar para onde ir? Nenhum parente, nada?

Romero meneou a cabeça e retrucou angustiado:

— Meus avós já morreram. Tenho dois tios e uma tia. Mas eles também não vão querer me aceitar.

— Já os consultou?

— Judite me disse. Ela ligou para eles, mas disseram que não queriam se envolver. E, depois, têm filhos... Não querem correr o risco de que eu os vicie, como eles mesmos disseram.

— Entendo.

Plínio levou a mão à cabeça, pensativo. Aquele era um bom rapaz, podia-se perceber. Era uma injustiça e uma crueldade abandonar assim uma criança, só porque gostava de coisas que ninguém conseguia compreender. Ele estava transtornado. Sabia que sua obrigação seria procurar o juizado de menores e informar o caso. Romero só tinha catorze anos e deveria ir para uma instituição. Mas o que seria dele em uma instituição para menores? Seria discriminado também, se não acabasse apanhando ou coisa pior. E, aí, tornar-se-ia um marginal. Por mais digno e honesto que fosse, seria difícil resistir aos maus tratos sem reagir. E a maior reação à agressão costumava ser a própria agressão. Não demoraria muito, e Romero acabaria fugindo e atirando-se na "prostituição" ou coisa pior. Poderia cair no vício das drogas ou na bandidagem, o que seria uma pena.

Mas o que ele, Plínio, poderia fazer? Não era responsável pelo rapaz. Cuidara dele como médico, não podia ser também seu pai. Ele tinha família... Família? Não podia chamar aquilo de família. O pai, preconceituoso ao extremo, dificilmente o aceitaria de volta. E a mãe não passava de uma criatura apagada e sem vontade própria.

Olhando para ele, Plínio sentiu o coração se confranger. Ele era tão jovem! Bem podia ser seu filho. Ficou imaginando qual seria sua reação se aquilo acontecesse a seu filho. Reagiria diferente. Jamais o teria expulsado. Ao contrário, ter-lhe-ia oferecido amor e compreensão. Teria de aprender com ele. Talvez fosse até doloroso, porque é difícil para um pai ver seu filho escolher caminhos diferentes dos programados para ele. Mas a vida dos filhos é dos filhos, e a função dos pais é amá-los, seja qual for o caminho que estiverem percorrendo.

Mas isso se fosse com seu filho. Só que Romero não era seu filho. Era um paciente como outro qualquer. A única diferença é que estava sozinho. Não tinha casa, não tinha dinheiro, não tinha ninguém. Apenas ele se preocupava com sua sorte. Temia por seu futuro, não desejava que ele fosse atirado no poço amargo da marginalidade. Ah! se pudesse fazer algo para impedir...

Só que não podia... Ou será que podia? Plínio era um homem de posses, morava numa bela mansão com a mulher, o filho e o cunhado. Rafael era um inútil, não gostava de estudar, não queria trabalhar. E Eric estava crescendo. Viviam rodeados de conforto e de empregados. Não precisavam de mais ninguém.

Contudo, ele podia ajudar. Podia assumir a criação do menino. Podia dar-lhe estudo, uma boa educação. E, quanto ao fato de ser homossexual, isso não seria problema. Orientaria Romero para que soubesse agir com dignidade e respeitasse sua casa. Tinha certeza de que o rapaz não adotaria nenhuma conduta que pudesse envergonhar ou desrespeitar sua família.

Pediu licença a Romero e foi para outra sala. Precisava antes consultar a mulher. Lavínia, a princípio, não gostou da idéia. Levar para dentro de sua casa um rapaz desconhecido, envolvido em tantos problemas, podia ser um problema para eles também. Mas a maternidade recém-conquistada acabou por enternecer seu coração. E se fosse seu filho? Não gostaria também que alguém o estivesse ajudando? Por fim, concordou, e Plínio desligou o telefone satisfeito. Voltou a seu consultório e anunciou:

— Vou ajudá-lo, Romero, se você desejar.

— Como?

— Vou levá-lo para morar comigo.

— O senhor vai o quê?

— Vou levá-lo para minha casa. Você quer ir?

Romero desatou a chorar. Agarrou a mão do médico e pôs-se a beijá-la, murmurando entre soluços:

— Obrigado, doutor... Nem sei o que fazer para lhe agradecer. Vou trabalhar, serei seu criado, farei o que o senhor mandar. Nem precisa me pagar...

— Não precisa fazer nada disso — objetou Plínio, puxando a mão. — Quero assumir sua educação, se seu pai não se opuser.

— Meu pai?

— Sim. Terei de consultá-lo também.

— Tenho certeza de que meu pai vai ficar muito feliz de se ver livre de mim.

— Se ele concordar, pretendo colocar você numa boa escola, para que você estude e faça uma faculdade mais tarde. Se depender de mim, vai ter um futuro decente.

Romero estava emocionado. E com medo. Será que o doutor havia se esquecido do que o pai falara? Enxugou as lágrimas e, olhos baixos, sussurrou:

— O senhor ouviu bem tudo que meu pai disse a meu respeito?

— Ouvi.

— Sabe que sou... diferente, não sabe?

— Para mim, você é igual a todo mundo. Tem olhos, nariz e boca. Respira, come, vai ao banheiro. Tem sentimentos e é inteligente. Não sei onde está a diferença.

— Não se importa por eu ser... homo... homo...

— Homossexual? Em absoluto. Já disse que não tenho nada

com sua vida. Desde que você saiba respeitar meu lar, para mim não há problema.

— Eu vou respeitar, doutor, o senhor vai ver. Posso ser homossexual, mas não sou nenhum tarado nem imoral. Nunca saí por aí cantando ninguém nem me exibindo.

— Isso não me preocupa, Romero. Sei que você é um bom rapaz e não costumo me enganar com as pessoas. Agora, vamos. Meu plantão já terminou há horas, e estou ficando com fome.

Saíram e foram para a casa do médico. Romero ficou impressionado com a beleza e a imponência da mansão em que ele vivia. A pedido de Plínio, Lavínia mandou preparar um quarto só para ele. Rafael não estava em casa, mas ela tinha certeza de que o irmão não concordaria em dividir seu quarto com alguém. Ainda mais com um homossexual.

— Fique à vontade — falou Lavínia, mostrando-lhe o quarto. — O banheiro é aqui e é todo seu. Pode tomar um banho, se quiser.

Romero estava agradecido, porém envergonhado. Quase não tivera coragem de dizer que estava sem roupas para mudar. Lavínia saiu em silêncio e foi ao quarto do irmão. Ele não ia gostar, mas não havia jeito. Abriu o armário e apanhou uma bermuda e uma camiseta. Ficariam um pouco largas em Romero, porque ele era um menino franzino, mas era o que podia arranjar no momento.

Quando Rafael chegou à casa, não gostou nada de saber que tinham hóspedes, e que o hóspede estava usando suas roupas.

— Isso é um absurdo, Lavínia! — queixou-se. — Dessa vez, Plínio passou dos limites. Trazer para dentro de casa um menor abandonado!

— Ele não é menor abandonado. A irmã foi assassinada, e o pai o colocou para fora de casa.

— Por quê? O que ele fez?

— Não sei e não me interessa.

— Não sabe? Duvido. Plínio não traria um menino para cá sem lhe contar toda a sua história.

— Ouça, Rafael, o menino é homossexual. Mas Plínio não queria que eu lhe contasse. Por isso, fique quieto. Não diga nada que lhe falei, está bem?

Rafael deu de ombros. Achava um absurdo o cunhado levar um

homossexual para morar com eles, mas não adiantaria nada falar. Plínio era o dono do dinheiro, era quem mandava, e ele não podia questionar nada.

— Mas ele tinha de usar minhas roupas? — reclamou, nitidamente demonstrando sua contrariedade.

— É só por enquanto. Depois que tudo se acalmar, Plínio vai buscar as coisas dele em sua casa.

— Enquanto isso, ele usa o que é meu? Ora, Lavínia, francamente! Já é um absurdo que Plínio queira trazer uma bicha para morar conosco, mas tudo bem: quem manda aqui é ele, e eu não posso dizer nada. Mas não acho que eu seja obrigado a concordar que ele use minhas roupas. E se tiver alguma doença?

— Você está exagerando. Romero é um rapazinho muito direito. Vai ver quando o conhecer.

— Não faço a menor questão de conhecê-lo.

— Mas vai. Ele agora mora conosco, vai fazer parte da família.

— Era só o que me faltava!

— Quanto às roupas, não se preocupe. Hoje à tarde sairei para comprar algumas para ele, até que Plínio busque suas coisas.

Na hora do almoço, Romero foi apresentado a Rafael. A antipatia foi recíproca, mais pelo fato de que Rafael franzira o cenho ao conhecer Romero do que pela repulsa.

Depois do almoço, Lavínia deixou Eric com a babá e foi comprar algumas peças de roupa para Romero. Plínio estava descansando do plantão noturno, e o menino ficou praticamente sozinho. Saiu andando pela casa, conhecendo salas e salões, a piscina, a quadra de vôlei, o jardim. Aquela casa mais parecia um clube, de tão grande e com tantas coisas. Romero estava maravilhado. Era realmente uma beleza!

Quando voltou para casa, encontrou a babá dando um suco a Eric. O menino era uma gracinha, e Romero ficou encantado com ele. Já estava começando a engatinhar, e Romero e a babá divertiam-se a valer com seus tombos e gorgolejos. De um canto, Rafael observava-os com ar de ironia, até que se aproximou e perguntou com sarcasmo:

— Gosta de crianças, Romero?

— Gosto muito.

— Prefere as meninas ou os meninos?

Romero sentiu o rosto arder, mas respondeu com aparente firmeza, fingindo que não havia percebido o tom de ironia em sua voz:

— Gosto dos dois.

— Pois eu prefiro as meninas.

Afastou-se, com risinhos de deboche. Romero não se sentia bem na presença de Rafael. O rapaz fazia-o lembrar de Júnior, o que era bastante desagradável. Olhando para ele, Romero ficou imaginando onde é que Júnior estaria àquelas horas. Na confusão, ele aproveitara para fugir. Será que já estava preso? O delegado dissera-lhe que ele seria intimado a depor, tanto na delegacia quanto em juízo. Júnior desgraçara de vez sua vida. E, agora, Rafael parecia querer infernizá-lo também.

Toda a família de Romero esteve presente ao enterro de Judite, menos Romero. A conselho de Plínio, ele não compareceu. O jovem ainda quis protestar, alegando que era sua irmã querida, mas o médico foi convincente:

— Por que se expor ainda mais? Quer ser humilhado novamente, diante de toda a família?

— Não.

— Pois, então, o melhor que tem a fazer é não ir.

— Mas, doutor, Judite era minha irmã. Eu a amava muito.

— Você não precisa chorar em sua sepultura para provar que a amava. Se existir algum lugar para onde as almas vão depois de mortas, Judite deve estar lá, sabendo o quanto você a amava e ainda ama.

A muito custo, Plínio conseguiu convencê-lo. Por mais que Romero estivesse sentindo a morte da irmã, ainda guardava bem vivas na memória as palavras ásperas e acusadoras do pai. E ele não sabia se teria forças para passar por aquilo novamente. Por isso, deixou-se convencer.

Somente após a missa de sétimo dia foi que Plínio resolveu procurar a família. Bateu à porta da casa e, assim que Noêmia veio abrir, sentiu o ar pesado de tristeza que vinha lá de dentro.

— Boa tarde, Dona Noêmia — cumprimentou ele. — Lembra-se de mim?

A fisionomia daquele homem não lhe era estranha, mas Noêmia não conseguia se lembrar de onde o conhecia.

— Do hospital — esclareceu o médico. — Sou o doutor Plínio. Fui eu que atendi sua filha no dia em que foi ferida.

Noêmia agarrou-se à porta e desatou a chorar. Ainda não conseguira se acostumar com a morte da filha, e aquele homem falava sobre o dia da tragédia como se fosse uma coisa corriqueira.

— Vá embora, por favor — gemeu ela.

— Gostaria de falar-lhe um instante, se possível.

— Meu marido não está...

— Não tem importância. Por favor, é só um minutinho.

— O que o senhor quer? Minha filha já se foi. De nada vão adiantar seus conselhos médicos.

— Não é sobre sua filha que vim lhe falar, mas sim sobre seu filho.

Noêmia largou a porta e fixou-lhe os olhos.

— O que disse? Sabe alguma coisa sobre Romero?

— Dona Noêmia, seu filho está comigo, em minha casa.

— Em sua casa?

— Sim. Naquele mesmo dia, levei-o para lá. Ele não tinha para onde ir, é apenas uma criança. Não podia deixá-lo ao abandono.

— Oh! Graças a Deus! — exclamou Noêmia, mãos postas em sinal de oração. — Deus ouviu minhas preces. Vamos, doutor, entre.

Puxou-o para dentro e fechou a porta. Queria aproveitar que Silas não estava para ter notícias do filho.

— Vim aqui para saber se vocês não voltaram atrás na decisão de expulsá-lo de casa.

Ela meneou a cabeça com ar sofrido e considerou:

— Silas se recusa até a ouvir falar no nome de Romero. Diz que ele é o culpado pela morte de Judite. Mas não é. Sei que não é. Meu filho andou metido com más companhias. Aquele tal de Mozart o viciou e o levou para o mau caminho. Mas ele é um bom menino. Tenho certeza de que, se estivesse aqui entre nós, abandonaria essa vida de pecados.

Embora não concordasse com a opinião de Noêmia, Plínio achou melhor não discutir. Ela era uma mulher muito conservadora e jamais entenderia a situação do filho. Ainda assim, seu coração de mãe falava mais alto, e ela parecia aliviada por saber que Romero não estava desamparado.

— Não vim aqui para discutir os motivos que levaram Romero a escolher o caminho que escolheu. Vim apenas para me certificar de que seu marido não o quer mais de volta.

— De jeito nenhum. Eu, por mim, jamais o teria mandado embora. Mas o senhor sabe como é, não, doutor? O marido manda... O que eu posso fazer? Só rezar.

— Entendo. Se é assim, creio que a senhora não se importará se ele permanecer em minha casa.

— Importar-me? Pelo contrário. Vou rezar todos os dias pelo senhor. Deus há de lhe pagar por essa caridade.

— Não é caridade, Dona Noêmia. É apenas uma questão de humanidade. Seu filho é um bom menino, e eu tenho condições de educá-lo.

— Educá-lo? Como assim?

— Vou colocá-lo na escola, dar-lhe um futuro.

— Oh! Isso é muito mais do que poderia esperar.

— Apenas gostaria de poder levar suas coisas. Minha mulher até já lhe comprou algumas roupas novas, mas estar em contato com suas próprias coisas vai ajudá-lo a se acostumar mais depressa. Ele ainda está pouco à vontade.

Noêmia sorriu e falou com orgulho:

— Esse é o meu Romero. Aprendeu bem tudo que lhe ensinei. Pode ficar sossegado, doutor, que Romero não é um menino atrevido nem confiado. Não mexe em nada que é dos outros, não responde mal. É um menino de ouro. Pode andar meio perdido, mas educação ele tem.

— Isso é o que importa, Dona Noêmia. E então? Posso levar suas coisas?

— Pode. Se o senhor me der licença, vou preparar umas sacolas com as coisas de que ele mais gosta, para o senhor levar.

— Ótimo.

— Posso colocar alguns discos também? Romero sempre gostou muito de música.

— À vontade. O que a senhora quiser.

Noêmia foi para o quarto, agradecendo a Deus por aquela bênção. Nem tudo estava perdido. A filha fora-se para sempre, e não haveria no mundo nada que apagasse a sua dor. O filho, contudo, embora também não estivesse mais com ela, ao menos fora acolhido por um médico humano e bondoso.

Enquanto ela arrumava as coisas de Romero em algumas sacolas de supermercado, Silas entrou em casa. Ao abrir a porta, deu de cara com Plínio sentado no sofá da sala. O médico levantou-se para cumprimentá-lo.

— Como vai, seu Silas? Tudo bem?

Ao contrário de Noêmia, Silas lembrava-se muito bem dele. Não de quando tentara salvar a vida da filha, mas da vez em que atendera Romero, logo após o jovem ter sido violentado.

— Doutor — cumprimentou, com um aceno de cabeça. — O que faz aqui? Mais alguma coisa que devêssemos saber sobre a morte de Judite?

— Não. A morte de Judite é agora responsabilidade das autoridades. A polícia deve estar investigando o caso.

— Estão atrás daquele cachorro. Júnior fugiu.

— Espero que seja encontrado logo.

Silas sentou-se defronte a ele e olhou-o com curiosidade.

— Se me permite perguntar, doutor, o que o traz aqui?

Plínio pigarreou e respondeu com cautela:

— Vim buscar algumas roupas para Romero. Ele está em minha casa.

Durante alguns segundos, pareceu a Plínio que Silas não havia entendido direito o que ele dissera. Mas, passado o primeiro susto, ele se levantou transtornado, deu uma volta na sala e retorquiu irado:

— É muito atrevimento seu vir à minha casa tocar no nome daquele ordinário!

— Perdão, seu Silas — desculpou-se Plínio, levantando-se também. — Não queria ofender. Só pensei que gostaria de saber o paradeiro de seu filho.

— Eu não tenho filho!

— Está bem, se é assim que prefere. Não vim aqui para discutir. Vou pegar as coisas de Romero, se não se importar, e irei embora.

— Por que está fazendo isso? — indagou, entre atônito e desconfiado. — Por acaso está amasiado com ele?

— Eu!? Mas que idéia! Romero é um garoto.

— É só por isso? Só porque ele é um garoto? E se ele já fosse um homem? Seria diferente? O senhor é homossexual também? É por isso que o está ajudando?

— Não. Estou ajudando-o porque ele é apenas uma criança, não tem para onde ir. Mas não sou homossexual, não. Tenho mulher e filho.

— Um menino?

— Sim.

— Pois, então, vou lhe dar um conselho, para que depois o senhor não venha me acusar de nada. Tome cuidado com seu filho. Romero não é confiável. É um veadinho sem-vergonha e sem moral. Não me espantaria nada se seduzisse seu garoto também.

— Mas que disparate! Seu filho é homossexual, não é um criminoso.

— Eu não tenho mais filho! Perdi tudo que tinha. Minha filha morreu, e prefiro pensar que meu filho está morto também.

— Como quiser.

Nesse instante, Noêmia voltou para a sala, olhos rasos dágua. Não suportava ver o marido falar do filho daquele jeito.

— Já está tudo pronto — avisou chorosa. — Se alguém vier me ajudar a pegar...

Vendo que Silas não se mexia, Plínio seguiu Noêmia até o quarto que fora de Romero. No caminho, viu um outro, com a porta aberta, uma colcha cor-de-rosa na cama, bichinhos de pelúcia numa prateleira mais alta. Devia ter sido o quarto de Judite. Plínio engoliu em seco e seguiu avante, parando na próxima porta.

Noêmia havia arrumado as roupas, os livros, os discos e alguns jogos de Romero em várias sacolas de supermercado.

— Coloquei coisas demais? — perguntou envergonhada.

— Não, está perfeito. Vamos levar isso para o carro.

Em duas viagens, já haviam transportado tudo. Plínio despediu-se apenas de Noêmia, porque Silas havia ido para o quarto e trancado a porta.

— Por favor, doutor — suplicou ela, com olhos úmidos. — Cuide do meu menino.

— Não se preocupe. Cuidarei dele como se fosse meu próprio filho.

— Deus há de lhe pagar em dobro por tanta bondade. Nada há de lhe faltar até o fim de seus dias.

— Obrigado.

— Estarei rezando pelo senhor e pela sua família.

— Reze por Romero. Ele vai precisar muito mais do que nós.

Plínio deu partida no motor e foi embora. Pelo retrovisor, viu Noêmia parada na porta, as mãos sobre a boca, chorando. De Silas, nem sinal.

Noêmia voltou para casa sentindo-se mais confortada. Foi para o quarto onde o marido estava e olhou para ele, em busca de um pouco de compreensão. Mas Silas abriu a porta novamente e, já do corredor, indagou com estudada frieza:

— O jantar está pronto?

Noêmia engoliu as lágrimas e passou por ele, desgostosa, balbuciando com amargura:

— Já vou terminar.

Afastou-se pelo corredor e foi para a cozinha chorar suas lágrimas. Sentia-se mais só do que jamais estivera em toda a sua vida, pensando em como faria para sobreviver sem a companhia dos filhos.

capítulo 13

Assim que desencarnou, Judite foi acolhida no plano espiritual e submetida a longo tratamento em um hospital do espaço. Ao despertar, sentiu como se algo queimasse em sua barriga. A princípio, não entendia direito o que havia acontecido. Embora bem assistida, acordara muito confusa, achando que estava doente ou que havia sofrido algum acidente. Levou algum tempo para compreender o que se passara com ela.

Fábio, guia espiritual encarregado de orientá-la e esclarecê-la, mostrara-se incansável durante toda a sua recuperação. No começo, fora difícil. Judite aceitara o fato de que havia desencarnado, mas sentia muitas dores no abdome.

— Seu fígado foi seriamente atingido — esclareceu o espírito, após ministrar-lhe revigorante passe. — Foi isso que a fez desprender-se do corpo.

— Não entendo o porquê dessa dor. Não morri? Então não deveria sentir mais nada.

— As coisas não são bem assim. Seu corpo fluídico ainda está muito preso às sensações da matéria porque os seus sentimentos continuam arraigados às emoções de sua vida corpórea. Liberte-se dessas emoções e a dor também desaparecerá. Ela é mera ilusão que seu corpo astral alimenta porque está preso a sentimentos inferiores.

— Sentimentos inferiores? — objetou Judite, entre perplexa e aborrecida. — Que eu saiba, não desejo mal a ninguém!

— Não foi isso o que eu disse. Mas, enquanto permanecer com essa raiva dentro de você, essa dor não vai passar.

— Raiva?! — indignou-se. — Não tenho raiva.

— Tem, sim. Tem raiva de Júnior e de seu pai.

— Eles agora pertencem a outro mundo. Não foi o que disse?

— Foi.

— Então, como posso ter raiva de pessoas que não podem mais conviver comigo? Sou apenas espírito; eles, matéria.

— Da mesma maneira pela qual ainda sente dor. Somos todos espíritos e temos sentimentos. E sentimentos não se apagam com a morte. Se transitamos entre vários mundos, nossos sentimentos nos acompanham aonde quer que vamos. Cabe a nós modificá-los em favor de nossa melhora.

— Mas eu não tenho raiva. Como posso tirar de mim algo que não tenho?

— Tem tanta raiva, que não consegue sequer enxergá-la. Que tal começar reconhecendo-a, para depois se livrar dela?

— Isso não é justo. Você quer justificar minha dor com um sentimento que não existe em mim.

— Tem certeza?

— Tenho.

— Então, venha comigo. Vamos juntos rezar por seu pai e por Júnior.

Na mesma hora, todo o corpo fluídico de Judite retesou-se, e ela revidou com veemência:

— Também não precisa exagerar. Não tenho raiva, mas você não acha que é querer muito que eu ainda vá rezar pelo homem que causou minha morte?

— Isso não é raiva?

— Não.

— Então, o que é?

— É... é... não sei, não interessa!

— Pois, então, reflita sobre si mesma. Se o que sente por Júnior não é raiva, gostaria que me dissesse o que é.

— Está bem! — explodiu ela. — É raiva, sim. E daí? O que quer que eu faça? Que finja que não estou sentindo nada? Afinal, o desgraçado me matou!

— Não quero que você finja nada. Ao contrário, fui o primeiro a lhe pedir que reconhecesse que tem raiva.

— Está bem, reconheço. E agora? A dor ainda continua lá.

— Por que sente raiva de Júnior?

— Por quê? Já lhe disse: porque ele me matou. Eu era jovem, bonita, tinha a vida toda pela frente. Mas ele veio e me tomou tudo isso.

— Reflita mais um pouco, Judite. Você desencarnou jovem e cheia de vida, é verdade. Mas faça uma análise verdadeira de seus sentimentos. Será que você lamenta mesmo o fato de ter deixado para trás todas essas coisas? Ou será que existe algo bem mais profundo escondido aí dentro de você, algo que você teme rever?

— Como assim? Não entendo.

— Pense, Judite, pense. Tente pensar em Júnior como um pobre-coitado. Será que você consegue?

— Não. Se é para ver as coisas desse jeito, pobre-coitada sou eu, que morri, ao passo que ele está lá, no bem-bom.

— Quem disse que ele está no bem-bom?

— Ele está vivo, não está?

— E quem disse que isso é bom? Às vezes, pode ser melhor estar desencarnado.

Judite parou para pensar. Lembrou-se de tantas pessoas que viviam no mundo sofrendo, aleijadas, enfermas, miseráveis. Nessas circunstâncias, era melhor mesmo estar morta.

— Mas esse não é o caso de Júnior — insistiu.

— Quem disse que não?

Ela não respondeu. Ele continuou:

— Quer saber o que aconteceu a ele?

Judite titubeou, mas acabou aquiescendo:

— Quero.

— Então, venha comigo.

Imediatamente, Judite viu-se transportada, ao lado de Fábio, a um barraco numa favela. O lugar era sujo e escuro, e Judite pôde perceber vários espíritos circulando por ali. Recuou assustada quando um vulto alto e forte passou rente a eles, olhos vermelhos, e entrou no barraco.

— Não se preocupe — tranqüilizou Fábio —, eles não podem nos ver.

A um sinal, Judite seguiu Fábio para dentro do barraco. Largado sobre uma cama de ferro, Júnior parecia adormecido. A seu lado, uma seringa vazia e uma tira de borracha davam sinais de que ele consumira drogas. Colado a ele, o vulto parecia adormecido também.

— Mas o que é isso? — indagou Judite, aterrada.

— Júnior anda se drogando. Desde o dia em que matou você, vem tomando fortes doses de heroína. A vibração de sentimentos difíceis, como a culpa e o ódio, encontrando na droga um facilitador de sintonia, atraiu vários espíritos viciados, que se aproveitam da droga que ele injeta no sangue para se drogarem também. Fora os que já o acompanhavam antes.

— Meu Deus, que horror!

— Sim, Judite, é um horror. Esse que aí está, colado a ele, é um velho conhecido seu. Há muito vem assediando Júnior, inspirando-lhe todos os atos que ele praticou até então.

— Quer dizer que ele me matou e violentou Romero por causa desse espírito?

— Eu não disse isso. Disse apenas que o espírito o inspirou. Ele só aceitou as sugestões porque quis. Ninguém está obrigado a proceder de um jeito que não quer. O que acontece é que Júnior é um espírito por demais fraco, inexperiente, despreparado para a vida. Ainda guarda muito do ódio de antigamente e, com isso, chamou para junto de si outros espíritos que também se alimentam de ódio. Principalmente por Romero.

— Por quê? O que Romero lhes fez?

— Em breve, você vai descobrir.

— Descobrir o quê?

— Sua ligação, e a de Romero, com Júnior.

— Você está me dizendo que Júnior, Romero e eu já nos conhecíamos de outras vidas?

— Isso mesmo. Vocês se conheciam e se ligaram reciprocamente.

— Mas como? Por quê?

— Você mesma vai descobrir. Mas não agora. Neste momento, quero que olhe bem para Júnior e me diga: quem é que está em situação melhor?

— Isso não vem ao caso. Ele está assim por culpa dele mesmo. Ninguém mandou virar assassino.

— Tem razão. A culpa, ou melhor, a responsabilidade não é de mais ninguém, a não ser dele mesmo. Mas será que isso nos impede de nos compadecermos de sua sorte e de nos utilizarmos de todos os meios disponíveis para ajudá-lo? Será que somos iguais a ele, tão iguais que nos tornamos indiferentes ao sofrimento e à dor, achando bem-feito, porque ele teve o que mereceu? Será certo deixar que se queime a criança que teima em brincar com fogo ou não cuidar de seu ferimento só porque foi teimosa e não nos obedeceu?

Judite engoliu em seco e olhava de Júnior para Fábio, sem saber bem o que dizer ou pensar.

— Olhe, Fábio — tornou em dúvida —, o estado dele é lamentável. Mas, se você quer saber se sinto pena dele, não sinto, não. Cada um tem aquilo que merece.

— Sem dúvida. Será que não foi por isso mesmo que ele a assassinou?

Ela recuou aterrada, sufocando um grito de indignação e espanto:

— Você está insinuando que eu mereci ser assassinada?

— Foi você quem falou. Disse: *cada um tem aquilo que merece*.

— Não foi isso o que eu quis dizer. Foi apenas uma maneira de falar.

— Uma maneira de dizer *cada um tem aquilo que merece, a menos que seja comigo, porque só mereço coisas boas, e as ruins acontecem por injustiça?*

Judite silenciou, pensativa. No fundo, ele tinha razão. Utilizando aquele raciocínio, ela fizera por onde ser assassinada. E Romero também merecera ser violentado.

— Não acha que esse *merecimento* é muito cruel e vingativo?

— Se você olhar pelo lado da punição, é mesmo. Mas, se encarar as coisas de forma construtiva, verá que a vida é como um quebra-cabeça, no qual cada peça se encaixa em seu lugar e só nele. Às vezes, nos enganamos e achamos que determinada peça pertence a outro lugar, mas basta tentarmos encaixá-la para percebermos nosso engano. Se, naquele momento, ainda não sabemos que lugar lhe foi destinado, deixaremos a peça à espera, até que finalmente surja o espaço vazio que só por ela poderá ser preenchido.

— A vida é um jogo, Fábio? É isso que está tentando me dizer?

— Digamos, de uma forma bem-humorada, que é um jogo educativo, movido por peças denominadas experiência. Participa quem quer e quem sabe, e quem não sabe tenta aprender. Cada qual em seu momento, vai encaixando as peças no lugar que já consegue reconhecer como sendo o local que a elas é destinado. Encaixadas todas as peças, pode-se dizer que o espírito já não tem mais nada a experienciar nesse plano e alça a outros, onde novos jogos lhe serão propostos, com objetivos mais inteligentes e sublimes. Nada acontece fora de hora ou de lugar, e cada um aprende o que precisa para avançar em seu estágio de evolução. É a experiência construindo e desenvolvendo o jogo, tornando-o dinâmico, atrativo, pedagógico e extremamente compensador.

— E Júnior? Também participa desse jogo?

— Tem dúvida?

— Ele está encaixando as peças no lugar errado.

— Exatamente. Enquanto não perceber seu erro, o jogo não se completa e poderá ter de se repetir.

— Ele está é se matando.

— E não vai durar muito.

— Como assim? Quer dizer que ele também vai morrer?

— Veja bem: ele não tem saída. Não a que ele deseja. O melhor para ele seria permitir que a polícia o prendesse, porque seria útil para ele viver essa experiência. Mas, por medo e covardia, enveredou por um caminho paralelo, cuja possibilidade já conhecia e cujo risco assumiu. E Júnior, ao contrário de você e de Romero, é um fraco. Não vai conseguir suportar suas próprias escolhas.

— Vai se matar?

— A droga vai matá-lo, o que dá no mesmo.

— E daí? Talvez seja melhor para ele. Vai se livrar da cadeia e ainda vai ter assistência.

— Engana-se, minha querida. Quem é suicida dificilmente tem um bom amparo. As culpas são tão grandes que o espírito, mesmo sem saber, recusa qualquer tipo de ajuda. Nem enxerga o auxílio do alto e cai num vale de sombras.

— Cruzes!

— Júnior não vai fugir à regra. O futuro que o aguarda é por demais triste e doloroso.

— Por que você não faz algo para ajudá-lo, já que está com tanta peninha dele?

— Eu não estou com peninha dele. Ele tem seu livre-arbítrio. E, depois, as companhias que atraiu não me permitem alcançar sua mente. Sem saber, ele está cada vez mais sendo tomado por esses espíritos menos esclarecidos.

— Como você mesmo disse, ele tem seu livre-arbítrio. E está usando-o da pior forma possível.

— Ele ainda não está maduro o suficiente para usá-lo de outra maneira. Está fazendo o melhor que pode. Eu apenas lamento o fato de Júnior estar desperdiçando um tempo precioso.

— Uma encarnação jogada no lixo, você quer dizer.

— Nada disso. Toda encarnação é aproveitada. De tudo na vida, há de se tirar uma lição, ainda que essa vida seja abreviada por medo ou covardia. Ele apenas desperdiça um tempo que poderia estar aproveitando em outras experiências, postergando, assim, de maneira inevitável e mais dolorosa, o seu crescimento.

— Ouça, Fábio, tudo isso é muito bonito, mas não estou entendendo aonde você quer chegar.

— Quero que você se recorde do passado.

— Para quê? Para descobrir o que foi que fiz a Júnior que justificasse o que ele me fez? A mim e a Romero?

— Para entender, Judite. A si mesma, a Romero e a Júnior. E a seu pai.

— Meu pai?

— Voce não achou que seu pai, justo ele, fosse um estranho em sua vida, achou?

— Não sei. Nunca pensei nisso.

— Pois já é hora de pensar.

— Meu pai é um homem cruel.

— Crueldade é uma falsa interpretação da ignorância. Seu pai está ferido e magoado. E você, com raiva.

— Raiva dele também?

— Vai negar?

— Acho que não dá, não é mesmo? A vida toda, meu pai foi um homem autoritário. Nunca nos tratou com carinho.

— *Cada um tem aquilo que merece*. São as suas palavras. Eu diria mais: cada um tem aquilo de que precisa. — Judite calou-se, e Fábio chamou-a com um gesto de mãos: — Vamos. Nossa presença aqui já não é mais necessária.

Voltaram à colônia, e Fábio deixou Judite em seu alojamento, sozinha com seus pensamentos. A visita a Júnior fora proveitosa. Judite estava com raiva, mas era uma moça inteligente e sensível. Aos poucos, começou a questionar seus próprios sentimentos, e as palavras de Fábio foram se tornando vivas dentro dela. Voltou os olhos para a janela, onde um sol alaranjado espalhava seu colorido de ouro sobre o planeta. Aquilo lhe trouxe à memória fragmentos há muito esquecidos. E ela começou a recordar.

capítulo 14

À medida que o sol ia se pondo, Judite ia estreitando mais e mais a vista, tentando enxergar o bordado que tinha sobre o colo. Estranhou o fato de estar bordando, coisa que jamais fizera, mas sentiu que aquela atividade fazia parte de sua vida. Em dado momento, ergueu os olhos e olhou-se no espelho, parando assombrada. A imagem que o espelho lhe devolvia era de uma Judite diferente, muito loura e de profundos olhos azuis. Espantou-se consigo mesma... Seria mesmo ela? Algo dentro de si lhe dizia que estava diante de alguém que ela fora um dia e que ficara para trás, mas alguém cujas atitudes passadas ainda se faziam sentir no presente.

Voltou a atenção para o bordado e começou a desligar-se de sua mente. Sentiu que a Judite que fora um dia ia sumindo e dando lugar àquela mulher loura que bordava incessantemente. De repente, percebeu que já não pensava mais como a Judite de hoje. Ainda era ela mesma, embora com outro corpo, outra mente, outros pensamentos. Viu seus companheiros de jornada terrena com outros corpos, outros rostos, trajando roupas diferentes e utilizando uma linguagem estranha. Mas eram os mesmos, ela sabia. Estavam todos ali. Inclusive ela mesma. Identificando um a um, começou a se lembrar...

Naquele tempo, Judite provinha de uma família de nobres e vivia no campo, numa mansão rica e luxuosa, juntamente com o marido e o filho. A mãe, Noêmia, logo após a morte do pai, gastara toda a fortuna para pagar as dívidas que o marido deixara, e Noêmia fora obrigada a aceitar a caridade de Silas, então seu genro, para não ter de viver na rua. Silas acolhera-a a contragosto, só para satisfazer a chorosa esposa, mas não simpatizava com a sogra nem admitia que se intrometesse em seus assuntos domésticos. Por isso, Noêmia vivia calada, quase como uma estranha, evitando ao máximo dar opinião sobre a vida da filha, do genro e do neto, a quem adorava, mas de quem não podia muito se aproximar.

Quando Romero, filho de Judite e Silas, completou sete anos, Silas sentiu a necessidade de lhe providenciar esmerada educação. Não tinha tempo nem paciência para dar aulas ao filho, portanto, o melhor era encontrar alguém que pudesse lhe ensinar a boa educação e as letras.

Partiu para a cidade em busca de um preceptor e foi apresentado a um rapazinho de gestos afetados, muito hábil na arte de ensinar, embora não fosse propriamente o que se pudesse chamar de *homem*. Mas aquilo agradou Silas. Admirado com a educação e a finura do rapaz, decidiu contratá-lo, achando que estaria resolvendo dois problemas de uma só vez. Sendo o rapaz um sujeito efeminado, Silas não precisaria se preocupar com os perigos que a proximidade de um homem atraente e viril pudesse representar para sua jovem e fogosa mulher. Satisfeito consigo mesmo, partiu com Fábio para sua mansão no interior.

No princípio, ninguém percebeu nada. Fábio era um jovenzinho muito atraente, de gestos cuidadosamente afetados para enganar o marido de Judite. Silas nunca fora um homem másculo e, por isso mesmo, tinha muito ciúme da mulher. Fora por medo de perdê-la que aceitara aquele preceptor efeminado, sem desconfiar que aquilo não passava de uma manobra para enganá-lo e conseguir o emprego.

Fábio enganara todo mundo, até mesmo a própria Judite, que, julgando-o um efeminado irremediável, não lhe prestava muita atenção. Aos poucos, porém, o rapaz foi se interessando por ela, até que não pôde mais esconder. Um dia, aproveitando-se de que ninguém estava olhando, tomou-a nos braços e declarou seu amor. Apesar do espanto, Judite correspondeu. Era uma mulher jovem e insaciável, insatisfeita com o desempenho sexual do marido, que, além de já se aproximar da casa dos sessenta anos, nunca fora um amante ardoroso. Não eram raras as ocasiões em que não conseguiam manter relações, o que a deixava frustrada e infeliz.

O filho, Romero, desde cedo demonstrara um temperamento difícil. Era arrogante, atrevido e mal-educado. Gostava muito da mãe e de Fábio, a quem considerava seu único amigo, mas jamais poderia imaginar que ele e sua mãe estivessem tendo um caso. Quando descobriu, pensou que o mundo fosse desabar sobre ele. Fábio dormia num quarto ligado ao de Romero. Este, uma noite, escutou ruídos vindos lá de dentro. Sem saber do que se tratava, escancarou a porta e parou estarrecido. Deitados na cama, nus, a mãe e Fábio se amavam.

Foi um choque. O menino ficou espantado e começou a chorar, ameaçando fazer um escândalo, mas Judite conseguiu contê-lo. Pegou-o no colo e disse-lhe o quanto o amava. Explicou-lhe que ela era mulher e tinha certas necessidades que ele ainda não podia compreender, e o pai, que era quem deveria provê-las, já não tinha mais condições de fazê-lo. Mas Silas era seu marido, e ela lhe devia respeito. O que faria se descobrisse? E se a matasse? Será que Romero estava preparado para ficar sem a mãe? Judite explicou ao filho que a melhor maneira de evitarem uma desgraça seria mantendo silêncio. E ainda havia Fábio. Silas mataria ou mandaria embora o único amigo de verdade que Romero tivera em toda a vida. Era isso o que ele queria?

Com medo de perder o amigo e, principalmente, a mãe, Romero aceitou. Não entendia bem por que aquilo estava acontecendo, mas acabou se acostumando. Todas as noites, quando Judite chegava para se deitar com Fábio, Romero corria a espreitá-los. Aos poucos, foi achando aquilo tudo muito natural. Já rapazinho, tentava repetir com as criadas o que aprendia com a mãe e seu amante.

Romero cresceu e tornou-se um rapaz muito bonito, cabelos e olhos castanhos, corpo esbelto e bem torneado. Nas costas, uma cicatriz em forma de meia-lua, um pouco acima das nádegas, emprestava-lhe um charme especial que levava as mulheres à loucura. Mas tinha problemas sérios, com os quais não sabia lidar. Não conseguia se apaixonar por moça nenhuma. Só o que lhe interessava era o sexo. Quanto mais dormia com as mulheres, menos se apegava a elas. Seus gestos lhe pareciam maquinais, muito diferentes dos de Judite, e Romero buscava em seus corpos, inconscientemente, o corpo ardente da mãe. A mãe era o fruto de sua paixão, o objeto do desejo proibido que jamais sonharia ter. Nenhuma mulher se igualava a ela, e Romero vivia insatisfeito, sempre à procura de algo que preenchesse o vazio e a carência que Judite deixara em seu corpo e em sua alma.

Com o tempo, esse vazio foi crescendo, pois Romero jamais conseguia se sentir realizado com mulher alguma. Até que, um dia, foi apresentado a uma moça, filha de um parente distante de seu pai, por quem começou a se interessar. A moça fora mandada ao campo pelos pais para tentar amenizar um grave defeito de seu caráter: era ninfomaníaca. Aos dezesseis anos, já havia se deitado com praticamente todos os homens que integravam a alta sociedade que freqüentavam, inclusive alguns maridos de mulheres importantes. Pretendiam seus pais que ela passasse algum tempo longe das atribulações da sociedade, em meio à natureza, onde não pudesse ter muito contato com rapazes.

A moça, de rara beleza, possuía uma sensualidade exacerbada e não se importava com o juízo que faziam a seu respeito. Era voluntariosa e sedutora como ninguém. Poucos eram os homens que conseguiam resistir a seu assédio. Muitos se apaixonavam, mas a moça, de nome Teresa, era fria e insensível, pouco se importando com o sentimento que os homens nutriam por ela. Dizia-se que um rapaz havia enlouquecido por sua causa, enquanto muitos outros se entregavam ao desespero e viviam acabrunhados e tristes.

Os pais, desesperados, tentavam prendê-la dentro de casa, ameaçando enviá-la para um convento ou uma terra longínqua, mas Teresa não se importava. No fundo, possuía certo domínio sobre os pais, que já começavam a temer pela sanidade da filha, vendo perdida sua reputação.

Quando o marido de uma influente dama da sociedade se suicidou, deixando aos pés da cama em que ingerira forte dose de veneno um bilhete apaixonado, os pais de Teresa não viram outra saída: ou afastavam a filha dali, ou corriam o risco de algum apaixonado acabar assassinando-a. Feito o contato com Silas, Teresa foi enviada para sua casa de campo, onde o inevitável logo aconteceu.

Teresa e Romero apaixonaram-se e, após intenso e tumultuado romance, acabaram por ficar noivos.

Os pais da moça adoraram a idéia, achando que Romero seria a salvação de sua filha. Mas Silas não gostou. Ver o nome de sua família associado ao daquela devassa era demais. Concordara em recebê-la em sua casa por consideração a seus pais, e também porque eles lhe ofereceram rendosa propriedade como paga por aquele favor. Mas um casamento entre aquela ninfomaníaca e seu filho estava fora de cogitação.

Só que Romero não era o tipo de homem que se deixasse dominar, nem Teresa o tipo de mulher que se intimidasse com facilidade. O temperamento sensual de ambos os unira feito dois ímãs, e tudo que queriam era ficar juntos. Marcaram a data do casamento, para desgosto de uns e alegria de outros. Às vésperas das bodas, uma desgraça sucedeu. Quando os noivos cavalgavam juntos, o cavalo de Teresa assustou-se com uma cobra e deu imenso pinote, jogando a moça ao chão com violência. Na queda, Teresa bateu com a cabeça numa pedra e morreu.

Romero pensou que fosse enlouquecer. Buscou apoio na mãe, mas ela estava ocupada demais com Fábio para lhe dar muita atenção. Afagou seu rosto, beijou-lhe as faces e tranqüilizou-o, dizendo que moças solteiras, havia muitas pela região. A avó, que não costumava dizer nada, permaneceu silente, temendo uma reação violenta do genro. Sentia pena do neto, mas não ousava apoiá-lo, com medo de que Silas cumprisse a ameaça de expulsá-la de sua casa. O pai, por sua vez, agradeceu imensamente aquele infortúnio. Estavam resolvidos seus problemas.

Depois da morte de Teresa, Romero jurou que jamais tornaria a se apaixonar. A falta da noiva despertou novamente em seu íntimo o desejo oculto, e não reconhecido, pela mãe. Sem perceber, jogara de volta seus sentimentos para Judite. Toda aquela sensualidade que sentira com relação a Teresa retornava agora para a mãe, só que mais intensa, marcada pela frustração. Romero passou a sentir ciúme da mãe, não gostava de vê-la com Fábio e vivia seguindo-a com o olhar, acompanhando os movimentos leves de seu corpo feminino.

Seu desespero foi aumentando cada vez mais. Perdera sua cúmplice de prazeres, a única mulher com quem conseguira se identificar. E a mãe, objeto secreto de todos os seus desejos, cada vez lhe prestava menos atenção. Romero voltou a dormir com todo tipo de mulher, sem jamais conseguir satisfazer-se. Justificava sua insatisfação com a diferença que via entre elas e Teresa, mas a verdade era que nenhuma daquelas mulheres supria a carência da mãe que Romero sentia, não só em seu corpo, mas em seu coração.

Aos poucos, seu caráter foi se distorcendo cada vez mais, naquela incessante e desenfreada busca de prazer. Era preciso experimentar outras coisas. As mulheres não conseguiam satisfazê-lo por completo, deixando sempre a impressão de que lhe faltava algo mais. Desesperado, procurou um efeminado, mas não conseguiu o prazer que buscava. Ainda não era aquilo que queria.

No auge de sua insatisfação, começou a reparar nas garotinhas, entre dez e treze anos, que trabalhavam nos campos de plantação. Percebeu que elas o excitavam, e talvez estivesse ali a solução que procurava. Rico e poderoso, pagava pelo sexo infantil. Oferecia aos pais das meninas somas vultosas em troca de algumas noites de prazer com suas filhas, muitas das quais ainda nem haviam se tornado mocinhas. Alguns homens ainda relutavam, mas o poder do dinheiro falava mais alto, e muitas crianças eram levadas ao leito de Romero pelas mãos gananciosas dos próprios pais.

Tudo para ver se Romero conseguia reencontrar o prazer que um dia conhecera e perdera. Mas as meninas não eram Judite e não conseguiam repetir com ele os mesmos movimentos, os mesmos sussurros, o mesmo tremor que ele, por tantas e tantas vezes, presenciara no corpo da mãe. A desculpa que dava a si mesmo era que jamais conseguiria encontrar alguém que se igualasse a Teresa. Porque Teresa, sem que ele soubesse, fora a única que conseguira chegar perto do que Judite sempre representara para ele.

Embora as meninas o excitassem e lhe dessem prazer, não bastavam para suprir sua lubricidade, e ele resolveu experimentar também os meninos. Assim como as meninas, Romero pagava para que os pais levassem seus filhos até ele. Talvez pudesse vivenciar com os garotos o que gostaria de ter sentido, ele mesmo, com as carícias e beijos da mãe. Mas os meninos não eram Romero, assim como Romero jamais seria igual a Judite.

Com o tempo, isso passou a ser um costume, e a única forma que Romero encontrou de chegar perto de saciar sua sede de sexo era dormindo com crianças. E ele não se dava conta de que a única pessoa capaz de realmente satisfazê-lo plenamente seria a única que jamais poderia ter. Mesmo em seus desvios, Romero jamais poderia conceber que o que sentia era uma paixão platônica pela mãe. Por isso, entregou-se de corpo e alma àquelas práticas e, sempre que queria, mandava buscar um menino ou uma menina para satisfazer seu vício. As crianças choravam e imploravam, mas ele lhes prometia doces e brinquedos, e elas acabavam cedendo.

Quando o pai descobriu, foi um tremendo choque. Silas já desconfiava de que Romero levasse moças para seu quarto, mas jamais poderia imaginar que se deitasse com crianças. Ao surpreendê-lo com um garotinho de onze anos nos braços, Silas quase perdeu a razão. Agarrou o filho pelos cabelos e tirou-o do quarto a tapas, jurando que ia matá-lo. Foi um desastre.

Revoltado com o pai, Romero acabou por delatar a mãe, só para se satisfazer com sua humilhação. Contou-lhe sobre seu antigo caso com Fábio, e Silas sentiu imenso desgosto. Atormentado, soltou o filho e parou estupefato, sem saber o que o revoltava mais: se a traição da mulher ou a indignidade do filho. Empurrou-o para longe e afastou-se acabrunhado. Só agora compreendia tudo. Por isso Judite insistira em não despedir o preceptor quando Romero completou seus estudos. Pediu-lhe que mantivesse o rapaz ali, para ajudá-la com a literatura, e Silas concordou. Como fora estúpido! E, agora, corroía-se de ciúme, o coração dilapidado pela dor da traição. Quanto mais pensava nas palavras de Romero, mais se indignava. Por que Judite traiu-o logo com o preceptor, um efeminado?

Esse pensamento foi dominando sua mente, fazendo com que refletisse sobre a mentira de Fábio, e a verdade desabou sobre ele feito uma avalanche. Analisando aquela situação, sentiu profundo ódio de Judite. Aquele sentimento horrorizou-o, porque o ódio que sentia, voltara-o todo para Judite, jamais para Fábio. Frustrara-se com o preceptor, não com a mulher. Sentia-se traído por ele, não pela mulher, porque, no fundo, era a Fábio que Silas desejava, não a Judite.

Chocou-se profundamente com essa descoberta. Se ele era homem, como podia estar sentindo tudo aquilo por outro homem? Deveria lamentar era pela mulher. Mas Judite, estranhamente, não era a causa verdadeira de seu ciúme. A causa de sua dor não era ela. Era Fábio. Era a ele que temia perder, não a ela. Tentou imaginar Judite nos braços de Fábio e quedou estarrecido. O que sentia, na verdade, era inveja. Inveja porque gostaria de estar no lugar da mulher, gostaria que fosse ele, não Judite, o amante de Fábio. Foi só então que percebeu que teria dado tudo para sentir em sua boca os lábios quentes e macios do preceptor.

Por isso seu casamento sempre fora tão difícil. Jamais conseguira satisfazer a mulher. O sexo cansava-o e causava-lhe até certa repulsa, e ele precisava se esforçar ao máximo para conseguir manter relações com Judite. Silas obrigava-se a algo que não era de sua natureza. Era um homem que, inconscientemente, admirava outros homens, não se interessando pelas formas nem pelos encantos femininos.

Ao constatar essa verdade, sentiu-se imensamente angustiado. Só então se dava conta de que passara a vida toda se enganando. Pensou em se matar. Assumir-se como efeminado representaria o fracasso de toda uma vida. Seria a vergonha, o escárnio, a humilhação. Como aceitar perder o respeito da mulher, do filho e de toda a sociedade? Jamais!

Faltou-lhe coragem para tirar a própria vida. Ao encostar o cano da pistola na têmpora, seu dedo hesitou no gatilho, e ele recuou. Além de tudo, era um covarde! Guardou a pistola de volta no armário e pôs-se a chorar. Foi quando Romero o surpreendeu aos prantos. Inteligente e perspicaz, logo percebeu o dilema do pai. Seguindo seus olhares, notou a dor que os nublava todas as vezes em que fitava Fábio. Sim. O pai sofria pelo rapaz, não pela mulher. Era um efeminado, sem coragem de se assumir, sofrendo calado a dor de seu desvio.

Movido por sentimentos menos dignos, Romero aproveitou-se para escarnecer do pai. Prometeu silêncio, em troca de que ele continuasse permitindo que levasse crianças para seu leito. Silas, com medo, aquiesceu, e entre pai e filho estabeleceu-se um pacto de silêncio, embora Romero não perdesse a oportunidade de humilhá-lo, sempre que se viam sozinhos. Chamava-o de efeminado e sodomita, perguntando-lhe quantas vezes já havia sonhado com Fábio fazendo amor com ele. Apesar da raiva, Silas não dizia nada. O medo de ser descoberto acabava paralisando-o, e ele ia guardando dentro de si a raiva que sentia de si mesmo e daquela vergonhosa doença que o transformara em um homem pela metade.

Aos poucos, um ódio surdo começou a crescer dentro dele. Ódio de si mesmo, do filho, da mulher, de Fábio. Como não se atrevia a fazer nada contra ninguém, descontava na sogra. Humilhava Noêmia publicamente, gritava com ela, dava-lhe ordens como se fosse uma criada, sujeitando-a às tarefas mais degradantes. E Noêmia sofria calada, temendo ser posta na rua, aceitando passivamente tudo que ele lhe dizia e ordenava.

Pior do que tudo era o ódio que sentia de si mesmo. Silas queria ser homem. Nascera homem, precisava da virilidade. Jamais aceitaria aquela aberração que descobrira ser. Por quê? Por que tivera de se transformar naquilo? Não era nenhuma mulherzinha. Era homem, homem! Dia e noite, ficava repetindo para si mesmo que não era um efeminado. Era homem! Todas as vezes em que via Fábio, porém, suas palavras caíam no vazio, e ele se desesperava, porque, por mais que quisesse negar, desejava ardentemente o corpo do preceptor.

Não entendia por que Deus permitia que aquilo acontecesse. Para ele, era antinatural, e ele estava embrenhado naquela deformidade da natureza. Mas ninguém poderia saber. Jamais! Precisava continuar fingindo que era um homem de verdade. Resolveu ocultar-se do mundo. Tornou-se um homem sombrio e apático, desinteressado da vida e dos problemas domésticos. Começou a emagrecer e passou a se isolar de tudo e de todos. Quase não saía do quarto e não se importava mais com o correr dos dias e dos meses. Para ele, sua vida já havia terminado.

Assim foram passando os anos. Romero continuava a seduzir crianças para preencher o vazio deixado pela mãe. Judite, por sua vez, cada vez mais apaixonada por Fábio, percebendo a passividade de Silas, já nem se dava mais ao trabalho de esconder seu caso amoroso. Tanto desgosto acabou por destruir o frágil coração de Silas. Em uma manhã fria de inverno, cerrou os olhos para a vida. Para

Judite, foi a libertação. Agora, sim, via-se livre para assumir seu amor de tantos anos. Embora Romero fosse contra, ela se casou com Fábio logo após o término do período próprio de luto e mudaram-se para a cidade.

Quanto mais velho Romero ficava, mais se interessava por crianças. Aos trinta e oito anos, era ainda solteiro e sem perspectivas de nenhum noivado. Não que faltassem moças interessadas nele. Era Romero quem não conseguia se interessar por mais ninguém. Embora Judite aceitasse a justificativa da perda da noiva querida, algo no comportamento do filho chamou-lhe a atenção. Estava agora mais velha, casada com o homem que realmente amava, e o fogo da paixão começava a arrefecer. Um pouco liberta do apego que sentia por Fábio, pôde reparar melhor nas atitudes de Romero, que lhe pareceram bem estranhas. Passou a espreitá-lo e, em pouco tempo, descobriu o que ele fazia.

Assim como Silas, Judite também ficou chocada, mas, não sabendo como proceder, foi procurar Fábio. Só que Fábio já não estava mais interessado no comportamento de Romero. Ele agora era um homem, e Fábio não era mais seu preceptor. Achava que não deviam se envolver e aconselhou Judite a fingir que de nada sabia. Se os pais das crianças não reclamavam, por que ela deveria se preocupar?

Certa tarde, foi procurada por um velho conhecido, que vivia numa casa próxima à sua. O homem estava abismado. O filho de onze anos e a filha de dez lhe disseram que haviam sido molestados por Romero.

— Como assim, molestados? — quis saber Judite, perplexa.

— Molestados, a senhora entende. Meu Ivã e a pequena Brigite disseram que Romero os acariciou.

— Ora, senhor, faça-me o favor. Acariciar crianças, que eu saiba, não é nenhum crime.

— Não quando as carícias atingem partes impróprias — rebateu o homem, vermelho de raiva e de vergonha. — Vou lhe dar um conselho, senhora. Mantenha seu filho longe dos meus.

Judite não respondeu. Não tinha o que dizer. Aquele homem era Júnior, um homem severo, que enriquecera subitamente, envolvido em negócios escusos. Júnior terminou suas ameaças, levantou-se irado e foi embora, e Judite ficou deveras preocupada. Queria ajudar o filho, mas não sabia como. Resolveu procurá-lo. Romero olhou para ela com um misto de ternura e mágoa, e anunciou:

— Quer me ajudar? Compre as crianças para mim.

Judite ficou chocada. Sentiu vontade de dar-lhe um tapa no rosto e chamá-lo à razão, mas não fez nada disso. No fundo, sentia-se culpada por ele ser do jeito que era. Não fosse sua louca paixão por Fábio, que a cegara até diante do próprio filho, e talvez Romero não tivesse aquela tara. Sempre soubera que o filho os espionava enquanto se amavam, mas a loucura do prazer com o amante era maior do que suas responsabilidades de mãe.

Só agora compreendia o mal que fizera ao filho. Jamais deveria tê-lo deixado sem os cuidados maternos em função de homem algum. Deixara-o à vontade para que ela pudesse fazer o que queria. Não se interessava por suas brincadeiras nem pelo que andava fazendo, porque andava sempre ocupada em deleitar-se no leito do amante. Mesmo em seu maior momento de dor, quando Teresa morrera, não soubera confortá-lo. Limitara-se a dirigir-lhe frases feitas e palavras despidas de qualquer sentimento, aliviada por achar que cumpria com seu dever de mãe. Agora, porém, sentia-se horrorizada, enojada. Romero não ouvia ninguém, só fazia o que queria. E tudo por culpa dela. Sem saber, criara um monstro.

Júnior era um homem influente na cidade, e Romero não conseguiu o que queria. Via seus filhos brincando no jardim e enchia-se de desejo. Quanto mais pensava neles, mais os desejava. Fosse o menino, fosse a menina, ao menos um dos dois precisava ter. Mas era difícil. Até então, só seduzira filhos de criados ou de gente humilde. Em troca de uma boa soma, os pais sempre acabavam por concordar. Mas ele não podia comprar Júnior. Era um homem rico e jamais venderia os filhos por dinheiro algum.

Precisava dar um jeito. Mandou chamar Lélio, seu criado de confiança, e deu-lhe ordens para espreitar a casa de Júnior e descobrir os horários em que as crianças saíam para a escola ou para o parque. Informado de tudo, pôs-se a segui-las, sempre que saíam sozinhas com a babá. Queria uma das duas, não importava qual fosse. Se Ivã ou Brigite, tanto fazia. Desde que tivesse nas mãos o corpo macio, fresco e intocado de uma criança, era quanto lhe bastava.

No parque, esperou o momento oportuno. As crianças jogavam bola com alguns amiguinhos, enquanto a babá lia, sentada em um banco. Em dado momento, a bola caiu um pouco mais distante e rolou para o meio de um bosque que havia ali, bem perto de onde Romero estava. O rapaz sorriu e sentiu a boca seca, ávido que estava por colocar as mãos numa das crianças. Para sua felicidade, Ivã foi atrás da bola. A babá ainda o chamou, mas o menino apontou para o lugar aonde a bola havia rolado, e ela consentiu que ele fosse buscá-la. Assim ele fez. Desavisado, deu dois passos e entrou no pequeno bosque.

Depois de quinze minutos, vendo que Ivã não voltava, a babá largou o livro que estava lendo e correu na direção do lugar por onde ele havia entrado. Tudo estava quieto; nem o vento soprava nas árvores. Assustada, a moça chamou uma, duas, três vezes. Mas Ivã não respondia. Sentindo-se dominada pelo pânico, virou-se para correr. Precisava chamar a polícia. Foi quando escutou um choro abafado, vindo de mais além. Desesperada, correu aos tropeções, arranhando a perna nos espinhos dos arbustos.

Em poucos instantes, alcançou o local de onde provinha o choro e estacou estarrecida. Recostado a uma árvore, o corpo todo encolhido, Ivã soluçava. A roupa rasgada, o rosto arranhado, os cabelos em desalinho davam mostras de que ele havia sofrido algum tipo de violência. Ela se aproximou e tentou segurá-lo, mas ele começou a gritar e a chorar desesperado.

— O que houve? — indagou a babá.

— O homem... o homem... o homem... — o menino ficava repetindo.

Ajudada por outras babás e algumas mães, a moça conseguiu levá-lo para casa. O pai ainda não havia chegado do trabalho, e a mãe quase desmaiou ao ver o estado em que o filho se encontrava. O médico foi chamado às pressas. Examinou o menino e constatou a agressão. Ele havia sido violentado e estava traumatizado. Perguntaram-lhe o que havia acontecido, mas ele não conseguia falar. O choque fora muito traumático, e Ivã parecia alheio ao mundo.

Quando Júnior chegou, não teve dúvidas. Somente uma pessoa podia ter feito aquilo a seu filho. Pistola em punho, partiu para a casa de Romero. Iria vingar o mal que ele havia feito a seu filho.

Chegou na hora do jantar. Enfiou a pistola no cinto, tocou a sineta e esperou que abrissem a porta. Não se anunciou. Empurrou o criado para o lado e entrou apressado. Na sala de jantar, a família estava reunida em volta da mesa, e Júnior esbravejou:

— Ainda consegue comer, canalha? Deleita-se à mesa, enquanto meu filho jaz como um morto-vivo sobre a cama?

Romero, tomado de surpresa, não respondeu. Foi Fábio quem assumiu a palavra:

— Senhor, a que devemos tão inesperada visita?

— Aquele canalha! — apontou para Romero o dedo trêmulo. — Aquele canalha abusou de meu filho!

— Não! — objetou Judite, veemente. — Está enganado. Meu filho jamais faria uma coisa dessas.

— Nós todos sabemos o que esse monstro é capaz de fazer!

— Tenha calma, senhor — interpôs Fábio. — Vamos conversar.

O corpo todo de Júnior sacudiu de soluço, e ele largou os braços ao longo do corpo, apertando com a mão a pistola presa na cintura.

— Ele violentou meu filho — choramingou angustiado. — E agora Ivã não consegue nem mais falar.

— Lamento pelo que aconteceu a seu filho — falou Romero, tentando emprestar à voz um tom compungido.

— Lamenta?! Como lamenta, canalha, se foi você o autor do atentado?

— Não tenho nada com isso.

— Ainda tem a coragem de negar?

— Senhor — interveio Judite —, posso imaginar o quanto está sofrendo, mas meu filho nada teve a ver com esse infeliz episódio.

— Foi ele! — esbravejou Júnior, fora de si.

Romero levantou-se calmamente, sorveu um gole de vinho e, fitando o outro com olhar cínico, disse mansamente:

— O senhor não tem provas.

— Cachorro!

— Vamos para a outra sala — sugeriu Fábio, olhando significativamente para Judite. Queria que ela tirasse Romero dali.

— Não! — berrou Júnior, fincando os pés no chão. — Esse monstro não pode mais viver. Preciso livrar o mundo dessa praga, antes que ele faça mal a mais alguém.

Rapidamente, sacou da cinta a pistola e apontou para Romero, e um brilho de terror passou pelos olhos do rapaz. Júnior não teve tempo de atirar. Judite foi mais rápida e interpôs-se entre eles, enterrando-lhe no peito uma faca de cortar carne. Ele soltou a arma e levou as mãos à faca, tentando puxá-la de dentro de si. Já não tinha mais forças. De sua boca, um gemido gutural se fez ouvir, e ele fitou Judite com espanto. Ela recuou assustada, e ele se arrastou em sua direção. Mas seus olhos já não podiam ver mais nada. Júnior estendeu a mão para a frente e tocou o vazio, desabando em seguida no chão, rosto colado no soalho.

Embora muitos desconfiassem dos motivos que haviam levado Júnior à casa de Romero armado de uma pistola, nada pôde ser provado contra o rapaz. Ivã, aterrado e traumatizado com o que havia lhe acontecido, jamais recuperou a fala. Vivia meio abobado, sempre com medo de que Romero aparecesse para machucá-lo novamente. Devido à invasão, e sem provas de que fora Romero quem violentara o menino, Júnior foi acusado de tentar fazer justiça com as próprias mãos, o que ratificou a legítima defesa de Judite. Ninguém foi acusado de nada.

Voltando dessa visão, Judite piscou os olhos diversas vezes. O sol ainda continuava a se pôr, e ela ficou abismada. Em poucos segundos, recordara diversos episódios de sua última vida. Chorou baixinho, sentindo imensa tristeza pelo que havia acontecido. Agora sabia. Mesmo sem que lhe dissessem, sabia perfeitamente quem era quem naquela tragédia.

Ouviu uma batida de leve na porta, e Fábio entrou com seu sorriso meigo. Acercou-se de Judite e confortou sua angústia. Sentindo o abraço fraterno do espírito amigo, Judite soltou o pranto e chorou por quase meia hora. Pacientemente, Fábio acariciava-lhe os cabelos, transmitindo-lhe vibrações de amor e compreensão. Não disse nada. Esperou até que Judite sossegasse o pranto e tivesse vontade de falar. Assim que se sentiu mais fortalecida, ela enxugou as lágrimas e desabafou:

— Estou arrasada, Fábio. Vi tudo.

— Se fosse para você ficar arrasada, não teria recordado esses acontecimentos.

— Como não ficar, depois de tudo que aconteceu? Fomos todos uns monstros.

— Monstros só existem na imaginação de quem não consegue compreender o lado oposto do bem. Se você encarar esses fatos com outros olhos, verá que eles são apenas experiências do dia-a-dia. Todos nós precisamos viver para aprender. Faz parte da vida e do crescimento, e não precisamos nos culpar quando ainda não conseguimos realizar a atitude desejada. Quando compreendermos isso, perceberemos que não há monstros no mundo, nem vítimas, nem malfeitores. O que há são espíritos em crescimento.

— Você fala como se tudo fosse simples.

— A vida é muito simples, Judite. Nós a complicamos porque ainda não estamos acostumados com a simplicidade. Para que algo seja valoroso, para que pareça realmente importante, é preciso ser complexo. O que é simples parece despido de importância.

Judite ficou pensativa. Havia uma grande verdade no que Fábio dizia mas, ainda assim, não justificava o que acabara de recordar.

— Matar aquele homem não foi tão simples assim — objetou ela.

— Foi simples, na medida em que seu assassinato foi apenas a resposta que a vida lhe deu a uma causa anterior. Nada acontece por acaso, e ninguém recebe aquilo que não merece. Não é o que você mesma diz?

— É... Suas palavras fazem sentido. Mesmo assim, não me sinto nada à vontade em saber que fui eu o instrumento da resposta da vida, nem que foi por minhas mãos que aquele homem experimentou a simplicidade das coisas.

— Use o mesmo raciocínio para você e verá que tudo continua sendo muito simples. O fato de você ter servido de instrumento naquele instante apenas atendeu à sintonia que sua alma estabeleceu com sua vítima.

— Ele não era vítima!

— Está vendo só? Não há vítimas nem algozes. A vítima de agora foi o carrasco de antes, e por aí vai. Todo mundo dá e tudo mundo recebe.

— Todo mundo faz maldade e todo mundo recebe castigo.

— Todo mundo vive e todo mundo aprende. Quem faz o mal sempre tem a oportunidade de repensar o que fez e de refazer sua atitude. Mais cedo ou mais tarde, todos acabam acertando. Mas ninguém, jamais, é castigado. Deus é bom demais para pensar em castigos. O que ele nos apresenta são as oportunidades que a vida põe a nosso dispor. Cada um aproveita o que quer, na medida do que pode.

— Foi isso, então, Fábio? Foi por isso que as coisas aconteceram daquela forma?

— Tudo está em seu lugar. Não existe pedra ou folha que esteja acima ou abaixo de onde deveria estar. Cada coisa no mundo tem um lugar próprio, que nunca é ocupado ou tomado por outra. Não existem erros. Ninguém passa pelo que não deveria passar, ninguém sofre o mal direcionado a outro, ninguém vive ou morre sem precisar viver ou morrer. É a vida, Judite, e a vida é por demais sábia para nos enganar. E sabe por quê? Porque é criação de Deus.

— Suas palavras fazem-me sentir mais aliviada. Obrigada.

— Não precisa me agradecer. Agradeça a si mesma por se permitir recordar em tão pouco tempo. Muitos estão aqui há anos e ainda não conseguiram.

— Por que não?

— Por medo, culpa, orgulho, ódio e tantos outros sentimentos difíceis.

— Fiquei triste com o que vi.

— Pois não devia. Veja só a maravilhosa oportunidade que você teve de refazer seus atos. Foi você quem pediu essa oportunidade. E aqui é assim: pediu, é atendido.

— Sempre?

— Desde que seja para o crescimento, sim.

— E quanto a Romero? Ele também pediu a vida que está levando?

— É claro. Romero é um espírito muito querido aqui entre nós. Depois que desencarnou, passou muito tempo nas trevas. Primeiro sentiu raiva porque ficou perdido, depois vieram a solidão e o medo. Em seguida, o cansaço e a compreensão. Por fim, veio o desejo de mudar. E você nem pode imaginar quanto ele já se havia modificado quando desencarnou. Ademais, os anos nas trevas, e depois aqui, serviram para expandir bem seus pensamentos, e ele hoje é um espírito muito mais lúcido e esclarecido que há cem anos.

— Se é assim, por que teve de passar por tudo que passou?

— A culpa ainda é um tormento. Por conta dela, assumimos as mais dolorosas experiências.

— Foi ele quem quis assim?

— Foi. Essa foi a maneira que ele encontrou de livrar-se da culpa e considerar-se quite com a vida.

— E era necessária? Quero dizer, ele não poderia ter feito isso de outro modo?

— Foi a opção dele, e não nos cabe julgar. Você ou eu poderíamos ter nos aliviado da culpa de outra maneira, seja de uma forma mais leve, seja mais sofrida. Mas cada um tem seu livre-arbítrio e age conforme suas escolhas.

— Sempre escolhemos?

— Às vezes, não. Muitas vezes, o espírito pode estar em tal estado de confusão que não consegue nem raciocinar direito, que dirá escolher alguma coisa. Aí, então, os espíritos encarregados de ajudá-lo traçam planos para sua nova reencarnação e apresentam-no a ele. Se ele concordar, vive aquela experiência. Se não, pensa-se em outra coisa.

— Em suma: ou escolhemos ou aceitamos o que vamos viver.

— Exatamente.

— Então, ou eu escolhi ser assassinada ou aceitei o assassinato.

— Você aceitou essa possibilidade. Ninguém se compromete a assassinar ninguém. Se o faz, é porque não conseguiu ainda compreender o valor da vida e do perdão. Por isso, na primeira oportunidade esquece os compromissos assumidos e deixa-se levar pelos instintos.

— E eu aceitei isso.

— Aceitou. Você já sabia que Júnior poderia matá-la nessa vida. Aceitou correr o risco, assim como ele aceitou o fato de que poderia vir a matá-la, embora, aqui, acreditasse que não.

— Júnior não conseguiu me perdoar...

— O ódio e o desejo de vingança ainda são sentimentos muito arraigados no homem. Por mais que tentemos nos desfazer deles, eles sempre vêm à tona quando não estamos muito firmes em nosso desenvolvimento moral.

— O mesmo aconteceu com meu pai, não é mesmo?

— Seu pai, ainda hoje, ao ver um homossexual, sente medo do

que foi um dia e revolta-se consigo mesmo. Por isso odeia-os tanto: porque eles acionam a lembrança daquilo que mais gostaria de ter sido e que o medo, o orgulho e o preconceito não o deixaram assumir.

— E você, Fábio? Por que não reencarnou comigo?

— Preferi esperá-la aqui.

— Você já está muito evoluído. Virou guia espiritual?

Fábio riu gostosamente e retrucou em tom jovial:

— Sou apenas mais um trabalhador do espaço.

— Mas você me parece tão sábio, tão... evoluído.

— Andei estudando desde que cheguei aqui. Reconheço que aprendi muito e hoje penso de uma maneira muito diferente da que pensava antes. Estou mais amadurecido, mais consciente da vida e de seus processos. Mas não sou evoluído. Ainda tenho muito o que aprender.

— Posso aprender com você? Isto é, você me ensina?

— Você vai ter suas oportunidades. E eu estarei sempre por perto para ajudá-la. Ainda a amo, sabia? Não é só porque estou aqui que deixei de amá-la.

Abraçaram-se com ternura. Judite estava feliz. Sentia-se mais reconfortada, menos sozinha, mais confiante em si mesma.

— Preciso ajudar Romero — falou ela, após passada a emoção.

— Eu sei. Ainda se sente culpada, não é mesmo?

— Falhei como mãe. Foi minha loucura, nossa loucura, que contribuiu para que Romero se tornasse a criatura que se tornou.

— Tem razão, Judite. Nós fomos inconseqüentes, irresponsáveis e imaturos. Jamais deveríamos ter nos relacionado daquela forma na frente de uma criança.

— Foi por isso que ele assumiu aquele comportamento distorcido, não foi?

— Foi por isso que deu continuidade a ele. Romero já vinha de outras vidas com um sentimento mal resolvido por você e com sérios desvios sexuais, resquícios do tempo em que viveu no império romano. A maternidade serviria para acertar as coisas. E até que melhorou. Mas você não se deu conta de que ele precisava se desvencilhar da sexualidade e, ao invés de orientá-lo, acabou estimulando-o a manter vivo o desejo que tinha por você.

— Mas ele não sabia disso. Quero dizer, nem percebia que me desejava.

— Claro que não. Romero tinha a noção perfeita dos papéis de mãe e filho. Por isso, não conseguia entender o que sentia. Jamais lhe passou pela cabeça que a desejasse.

— Tanto que se apaixonou por Teresa.

— Teresa era uma alma que possuía sérias enfermidades na área sexual. Sempre foi mulher erótica e gostava de usar os homens. Em várias encarnações, foi-lhe dada a chance de se modificar. Mas ela não conseguia. Não conseguia ver nos homens nada além de uma fonte de prazer.

— Até que conheceu Romero...

— Justamente. Ligaram-se por afinidade e desenvolveram um sentimento que poderia se transformar em amor. Mas Teresa havia feito outros planos para sua vida e optou por desencarnar no auge da juventude. Foi a primeira forma que encontrou de conter sua sensualidade desmedida.

— Por que diz a primeira?

— Porque a segunda foi escolhendo trocar de sexo na encarnação seguinte.

— O quê? Quer dizer que Teresa vai nascer homem?

— Já nasceu. E conviveu com vocês durante algum tempo.

— Não vá me dizer que é Mozart!

— Ele mesmo.

— Meu Deus! É por isso que ele é homossexual?

— No caso dele, sim. O apego à feminilidade é ainda muito forte, embora Mozart possua muito da natureza masculina em seu ser. É um homem decidido, senhor de si mesmo, dono de sua vontade.

— Nesse caso, devo agradecer por eles terem se encontrado. Mozart hoje me parece uma pessoa bastante equilibrada.

— E é. Seu desejo de se modificar é muito forte. E ele está conseguindo. Hoje é uma pessoa com perfeita noção de moralidade, incapaz de se envolver em relações menos dignas ou promíscuas.

— Isso nada tem a ver com a homossexualidade?

— Não. Ser homossexual é uma coisa e, no caso de Mozart, especificamente, está ligado ao apego. Ser promíscuo é outra coisa bem diferente. A promiscuidade está ligada a problemas na área sexual como forma irresponsável e imatura da busca do prazer sem limites. O que gera isso é a imaturidade do espírito, ainda muito preso a seus instintos mais primários. Isso se aplica a homens, mulheres e homossexuais. Qualquer um que não saiba orientar sua sexualidade de uma forma sadia, aproveitando a plenitude que o prazer pode proporcionar com respeito e iluminação, estará em desequilíbrio com a natureza e, conseqüentemente, consigo mesmo.

— Romero hoje é apaixonado por Mozart, como um dia já o foi por Teresa. Será que conseguiu se desvencilhar do desejo que sentia por mim?

— Conscientemente, ele não sentia desejo. Lá no íntimo, sua alma tinha o conhecimento do desejo, mas ele jamais fez contato com isso. E respondeu a esse sentimento da única forma que encontrou. Dormia com crianças para satisfazer a carência da criança dentro de si, porque a única pessoa que não podia ter era a própria mãe.

— Que horror!

— Não é um horror, Judite. É um estado de desequilíbrio momentâneo, mas nada que seja irreversível. Tanto que vocês optaram por nascer irmãos com o intuito de libertar Romero do apego à sexualidade que o ligava a você, ensinando-o a desenvolver o amor fraterno. Pretendiam, dessa forma, atingir um amor mais sublime e sem posse.

— Mas aquelas crianças...

— Todas aquelas crianças vibravam na mesma sintonia que ele. Se não, não teriam sido atraídas. O caso de Ivã, por exemplo... Romero estava de olho nele e em sua irmã. Por que ele, e não a irmãzinha, correu atrás daquela bola? Porque, para a pequena Brigite, aquela experiência não seria necessária.

— E por que o foi para Ivã?

— A história de Ivã é outra história, e não devemos ser curiosos. Seria um desrespeito para com aquele espírito.

— Desculpe-me, Fábio. Tem razão.

— Não precisa se desculpar. A curiosidade é um estado normal nos seres humanos. Devemos apenas controlá-la, para que ela não se torne inconveniência ou invasão.

Judite silenciou por alguns minutos, impressionada com a sabedoria de Fábio. Agora que se recordava de tudo, lembrava-se dos momentos que haviam passado juntos. Ambos haviam se amado de verdade, e Fábio, como preceptor, era um homem sensível e inteligente. Não era de espantar que estivesse tão bem na vida espiritual.

— Você vai me ajudar com Romero? — tornou ela, após breve reflexão.

— Vou. Também me sinto responsável. O que tínhamos de viver jamais deveria ter interferido em seus deveres de mãe. Era minha obrigação ajudá-la a orientar Romero, pois não foi à toa que fui escolhido para seu preceptor. Era meu dever ensinar a ele não apenas as letras e os números, mas a retidão de caráter e de conduta. Esse era meu propósito quando aceitei, na vida espiritual, ser seu mestre. Infelizmente, porém, deixei-me levar pela paixão e abandonei meu compromisso.

— Fico feliz de poder contar com você.

— Assumi essa responsabilidade novamente, mas aqui, no astral. Venho acompanhando-os, a você e a Romero, desde que encarnaram. Espero poder fazer por ele aquilo que não fui capaz de realizar naquela vida passada.

Judite abraçou-o novamente, molhando o peito dele com suas lágrimas de amor e de gratidão. Não sentia mais ódio de Júnior nem do pai. Começava a compreender. Já nem sentia mais dor.

capítulo

15

Os anos passados na casa de Plínio foram os melhores da vida de Romero. O médico era um homem muito bom e atencioso, e a amizade entre eles fluiu genuína. Durante um tempo, as coisas pareciam se acertar.

O inquérito que apurou a morte de Judite apontou Júnior como o culpado, mas, enquanto a polícia estava em seu encalço, ele destruía a vida com o veneno da heroína. Alguns meses depois, foi encontrado morto no barraco em que Judite o visitara, vítima de *overdose*.

Enquanto ia crescendo, Romero fez de tudo para ter notícias de Mozart. Mas o rapaz ficara de se corresponder com Judite, e Judite agora estava morta. Em Salzburgo, recebera a notícia em uma carta que Alex lhe enviara, quase acusando-o de ser culpado por aquela desgraça. Mozart lamentou muito o ocorrido e chegou a pedir aos pais que entrassem em contato com a família de Romero. Mas Silas destratou-os e bateu o telefone, e eles nunca mais ligaram.

Alex ouvira falar que Romero fora levado para a casa do médico, mas não contou ao primo nem aos tios. Silas não queria nem ouvir falar no nome do filho, e Noêmia era por demais omissa para tentar mandar notícias a Mozart ou à sua família. Romero telefonou a Alex, pedindo o endereço de Mozart na Áustria, mas tampouco Alex quis falar com ele. Como não sabia o telefone ou o endereço dos pais de Mozart em Brasília, Romero não conseguiu falar com eles também. Assim, o contato entre os dois rapazes acabou se perdendo, e os anos transcorreram sem que soubessem do paradeiro um do outro.

Em sua nova vida, Romero continuou a estudar. Plínio pagou-lhe um bom colégio, e ele acabou entrando para a faculdade de medicina e já estava para se formar. Queria ser pediatra. Fora essa a forma que seu espírito encontrara de remediar o mal que havia feito a tantas crianças no passado. Cuidando de suas doenças e de suas feridas, estaria, de alguma forma, compensando-as pelas tantas dores que lhes causara.

Sem que ele soubesse, os espíritos de Judite e de Fábio estimulavam-lhe os estudos, davam-lhe força e coragem, incentivavam-no quando ele pensava em desistir. A vida de um homossexual era bastante dura e, por mais que ele tentasse esconder, algum colega sempre acabava descobrindo, e Romero virava motivo de chacota entre alguns.

Plínio tivera uma séria conversa com Romero sobre a sua homossexualidade. Dissera-lhe que jamais o julgaria ou que o impediria de seguir seu caminho. Só o que pedia era que respeitasse seu lar, e teria pedido o mesmo se o rapaz fosse heterossexual, como o fizera com Rafael. Nem um, nem outro estava autorizado a levar rapazes ou moças para dormir em sua casa. Podiam namorar quem quisessem, levar namorados e namoradas para festas e reuniões, até para banhos de piscina. Mas sempre com o cuidado de não desrespeitar a família.

Embora Rafael não seguisse muito as regras, Romero era bastante respeitador. Nunca levara um amigo ou namorado para dentro de casa. Sentia-se pouco à vontade e, por mais que Plínio lhe dissesse que não tinha do que se envergonhar, achava-se diferente, e as diferenças sempre deságuam no medo e na vergonha, frutos do preconceito.

Era comum Rafael reunir amigos à beira da piscina aos domingos. Finalmente concluíra a faculdade e tinha sua própria firma de arquitetura, que Plínio montara para ele. Só que o rapaz era desinteressado e deixava os projetos a cargo dos arquitetos que contratara, ocupando seu tempo com diversão e mulheres.

Rafael odiava Romero em silêncio. Sabia que ele era protegido de Plínio e, por isso, não o confrontava diretamente. Certa ocasião, porém, chegara a insinuar que o cunhado e o rapaz deveriam ter um caso, o que justificaria a afeição que os unia. Mas Lavínia não se deixou sugestionar e brigou com o irmão, o que o deixou ainda mais furioso.

Naquela tarde, Rafael mandara preparar um churrasco à beira da piscina e convidou os amigos e a namorada. Plínio e Lavínia apenas passaram para cumprimentar as pessoas, mas não se detiveram muito tempo ali. Plínio não gostava das amizades do cunhado, embora as tolerasse por causa da mulher. Depois de quinze minutos, pediram licença e retiraram-se.

Na varanda do andar de cima, Romero brincava com Eric. O menino estava agora com onze anos e tornara-se quase um irmão para Romero. Eric gostava do rapaz como se fosse mesmo seu irmão mais velho. Contava-lhe segredos, pedia-lhe ajuda com os deveres, saíam juntos para irem ao cinema. Eram mesmo como irmãos, e Romero nutria sincera afeição pelo menino. Só não tivera ainda coragem de lhe contar que era homossexual.

Tamanha afeição incomodava Rafael aos extremos. Por mais que ele fizesse, Eric parecia não gostar dele. Sempre que o via, arranjava uma desculpa para se afastar, o que o irritava bastante, ainda mais quando saía de perto dele para ir à procura de Romero. Era um disparate! Seu próprio sobrinho, rejeitando-o por causa de uma bicha, que nem da família era! Será que Eric demonstrava também certas tendências?

Rafael pensou em dividir suas suspeitas com Plínio, mas mudou de idéia. O cunhado, na certa, ficaria furioso e brigaria com ele, protegendo e defendendo Romero. E, depois, Eric não valia tamanho desgaste. Era um menino tolinho, apesar de sua beleza. O fato, porém, era que a amizade de Eric e Romero o incomodava muito, e Rafael não conseguia fazer com que o menino gostasse dele. Pior: o garoto parecia temê-lo. Eric demonstrava no semblante certo temor de Rafael, o que o irritava e excitava ao mesmo tempo. Era boa a sensação de saber que era temido, isso o fazia sentir-se superior e poderoso.

— Eric! — chamou Rafael lá de baixo. — Por que não vem até aqui um instante? Minha namorada quer conhecê-lo.

— Agora não, titio — protestou o menino. — Romero está me ensinando a jogar xadrez.

— Xadrez? Mas é um absurdo vocês dois ficarem trancados aí com um dia tão bonito! Ou será que estão fazendo outra coisa que não querem me contar?

— Não estamos fazendo nada demais — objetou Romero. — Ao contrário de você, que fica o tempo todo se agarrando com aquela moça.

Apontou para uma moça que tomava sol à beira da piscina, tendo ao lado um copo de cerveja.

— E daí, Romero? — retrucou com ironia. — Por acaso está com ciúme? Mas ela não é o seu tipo, e eu não como do seu fruto.

Romero olhou-o com desdém e não respondeu. Queria evitar discussões na frente de Eric. Ele era ainda muito criança e não entendia daquelas coisas. Romero virou as costas para Rafael e fez sinal para que Eric se afastasse da balaustrada.

— Venha, Eric — chamou. — Vamos continuar nosso jogo.

Eric afastou-se e tornou a se sentar em frente a Romero, e Rafael voltou resmungando para a piscina. O menino parecia concentrado no jogo, até que perguntou:

— O que ele quis dizer com aquilo?

— Com o quê? — tornou Romero, pensando no que ia lhe dizer.

— Aquilo, você sabe, de que ela não é o seu tipo e ele não come do seu fruto. Não entendi.

Romero soltou a peça que segurava e olhou para ele. Não sabia o que lhe dizer. Ele e Plínio nunca haviam conversado sobre como deveriam proceder quando Eric começasse a fazer perguntas, e agora se sentia confuso. Não queria contar a verdade ao menino, porque não sabia se Plínio iria gostar. Por isso, deu de ombros e respondeu com aparente naturalidade:

— Não sei. Rafael fala coisas sem pensar, só para nos chatear.

Eric voltou os olhos para o tabuleiro e colocou as mãos sobre seu peão.

— Não será porque você é homossexual? — indagou, sem tirar os olhos da peça que começava a mexer.

Romero olhou-o abismado, todo vermelho, o rosto pegando fogo. Como é que ele sabia disso?

— O que quer dizer, Eric? Agora quem não está entendendo nada sou eu.

— É que outro dia ouvi uma conversa entre tio Rafael e mamãe, e ele se queixava de que não era nada agradável ter um homossexual dentro de nossa casa, mexendo em nossas coisas, comendo de nossa comida. Disse que papai deveria mandá-lo embora assim que se formasse.

Ele sentiu o rosto arder ainda mais e começou a balbuciar:

— Não... não dê atenção ao que seu tio diz... Isto é, pergunte a seu pai... Eu não sei...

Levantou-se aturdido, os olhos já marejando. A última coisa que gostaria era que Rafael envenenasse Eric contra ele. Eric era ainda muito criança para entender certas coisas e, provavelmente, a idéia que fazia dos homossexuais, se é que já sabia o que era isso, era de marginais sem escrúpulos e sem vergonha.

Virou as costas para o menino e foi caminhando para dentro. Não queria que Eric o visse chorando.

— Não vai mais jogar? — indagou o menino.

Romero limitou-se a balançar a cabeça e saiu. Estava confuso, envergonhado. Por que Rafael não o deixava em paz? Desde que chegara ali, o rapaz vivia implicando com ele. Sempre que não havia ninguém olhando, chamava-o de bichinha e de maricas. Romero não se importava, já estava meio acostumado. Na escola e, depois, na faculdade, não eram poucos os que o chamavam assim, e os olhares de troça e de reprovação também eram muitos. Embora ele nada fizesse, as pessoas pareciam adivinhar que ele era homossexual, talvez pelos seus trejeitos levemente afetados.

Ele não ligava. Plínio ajudara-o a enfrentar e superar aquelas coisas. Por isso, quando debochavam dele, fingia que não escutava ou saía de perto. Tinha poucos amigos, porque era uma pessoa tímida e retraída. Alguns colegas ainda o tratavam bem, embora com certa distância. Nunca o chamavam para festas ou passeios, e ele acabou se acostumando à solidão. Não tinha amigos, à exceção de Plínio e, agora, de Eric. Mesmo os parceiros que tivera nada representaram em sua vida. Ainda doía em seu coração a saudade que sentia de Mozart.

Para tudo isso, ele não ligava. Mas agora, na iminência de que

Eric se aborrecesse com ele, começou a sentir-se angustiado. Ele era seu amigo, seu irmãozinho, e seria por demais doloroso se o rapaz passasse a desprezá-lo por influência, não só do tio, mas de toda a sociedade. Plínio era um homem ímpar em seu tempo, Romero sabia. Ninguém pensava feito ele. As pessoas, principalmente os homens, eram muito preconceituosas e incompreensivas. Iam logo julgando e inventando coisas que em nada refletiam a realidade.

Ao cair da tarde, Plínio chegou do trabalho e veio falar com ele. Romero estava estudando quando o médico chegou, mas foi com alegria que o recebeu.

— Doutor Plínio! Chegou agora?

— Sim, acabei de chegar. E já soube o que aconteceu.

Romero enrubesceu e retrucou:

— O que aconteceu?

— A pergunta de Eric... — Romero corou mais ainda, e Plínio prosseguiu: — Por que ficou tão sentido? Eric não o destratou, destratou?

— Não, claro que não. Ele apenas me fez uma pergunta, e eu não soube o que responder. Fiquei surpreso pelo fato de ele já saber que sou homossexual.

— Por quê? Por acaso, não é isso o que você é?

— Sou, mas... não queria que ele soubesse.

— Por quê?

— Ele pode não compreender. É apenas uma criança.

— As crianças compreendem as coisas muito melhor do que nós, Romero. E sabe por quê? Porque são puras e não têm imagens preconcebidas. Somos nós que lhes incutimos o preconceito.

— Mas tive medo de que o senhor não aprovasse que ele soubesse.

— Você acha que vou criar meu filho numa mentira? Pensa que poderemos esconder dele a realidade? Então ele não tem olhos, não tem ouvidos?

— Tem. Foi por isso que descobriu.

— Pois é. E lhe fez uma pergunta, não uma acusação ou um julgamento, muito menos uma condenação. Apenas uma pergunta. E você não soube responder. Não soube ser sincero e simples o bastante para lhe responder com a verdade.

— Não é tão simples assim.

— É bastante simples. Dizer a verdade é muito fácil. O que complica é a mentira. Para mentir, precisamos inventar uma história e memorizá-la, para que sempre a contemos do mesmo jeito, ao passo que a verdade já vem pronta e sempre será do mesmo jeito. Você não precisa tomar cuidado para não cair em contradição, o que sempre acontece com a mentira. Porque mentir até que é fácil. Difícil é sustentar a mentira.

— Tem razão — desabafou Romero, envergonhado. — Mas é que fiquei confuso... Nunca havíamos falado sobre Eric, sobre como proceder quando ele descobrisse.

— Compreendo, Romero, e não o estou recriminando. Apenas quero que você entenda que não é preciso mentir em minha casa. Sei que muitos de meus colegas não aprovam o que faço, mas é assim que eu sou. Procuro ser verdadeiro, principalmente comigo mesmo, e não me importo com o juízo que fazem de mim.

— O senhor é uma pessoa muito especial, doutor.

— Todos somos especiais, meu filho. Mas o fato é que você ainda não consegue se aceitar. Tem vergonha de ser o que é. Por isso vive por aí pelos cantos, escondido até de si mesmo.

— As pessoas não me compreendem. Por que deveria expor ao mundo o que sou? Para provocar seu preconceito?

— É claro que não. Você deve se preservar, porque as pessoas são mesmo muito preconceituosas, o que acaba tornando-as um pouco cruéis também. Não precisa dizer nada a ninguém, porque ninguém tem nada a ver com sua vida. Mas também não precisa ficar se escondendo, com vergonha de si próprio. Seja você mesmo, aja naturalmente, ame e viva sem medo, fale com as pessoas como um igual, porque você não é diferente de ninguém.

— É difícil...

— Mas você tem de tentar, senão vai viver a vida toda se escondendo e jamais conseguirá ser feliz.

— Não sei se consigo...

— Comece por Eric. Ele é seu amigo, e você não precisa ocultar nada dele. Conte-lhe, você mesmo, que é homossexual.

— O senhor acha que devo?

— Acho, sim. Ele veio me perguntar, e foi o que eu disse a ele:

que perguntasse a você, porque se tratava de sua vida e eu não tinha o direito de me meter.

Romero sorriu agradecido, cheio de admiração por aquele homem. Jamais havia conhecido alguém como ele. Plínio era uma pessoa muito segura de si e de suas convicções, não tinha medo de nada nem de ninguém, assumia o que pensava sem se preocupar com o que diriam dele. Aquilo era fantástico! Havia apenas uma diferença. Plínio era heterossexual, não era homossexual, e não tinha por que temer o preconceito.

Esse era o maior medo de Romero: o preconceito. Fora por causa dele que sua vida se desgraçara. O pai expulsara-o de casa, Mozart partira para a Europa e a irmã fora assassinada. E, agora, corria o risco de perder Eric também...

O maior exemplo de simplicidade que podemos seguir são as crianças. Para elas, tudo é muito fácil e simples, e ninguém precisa ser excluído só porque é diferente. Basta que elas compreendam. As crianças encontram lugar no mundo e em seus corações para tudo: para os animais, as plantas, os brinquedos, as pessoas. Para uma criança, uma pessoa é uma pessoa, e não importa que seja rica, preta, bonita ou homossexual. Importa apenas que goste dela. Somos nós, com os preconceitos que vamos assumindo ao longo de nossas vidas, que tornamos as crianças preconceituosas também. Elas seguem nosso exemplo e serão exatamente do jeito que as ensinarmos. Se apenas lhes mostrarmos as diferenças, sem nenhum peso ou julgamento, elas entenderão e aceitarão tudo normalmente, sem motivos de medo ou discriminação. Ao contrário, se fizermos parecer que alguém é pior ou inferior só porque não é como nós, elas acharão que ser diferente é feio e crescerão críticas e preconceituosas, a tudo julgando e condenando conforme os valores que aprenderam.

Criado num ambiente sem preconceitos, Eric ouviu o relato de Romero com calma e tranqüilidade. Romero foi quem chegou cheio de preocupações. Como dizer a verdade sem o chocar, decepcionar, magoar? Sentou-o no sofá da sala, pigarreou várias vezes e começou devagarzinho:

— Bem, Eric, outro dia você me perguntou por que seu tio havia falado aquelas coisas, você se lembra? — O menino lembrava-se e balançou a cabeça. — Pois é. Perguntou-me também se eu era homossexual. Você sabe o que é isso, um homossexual?

— Sei. É um homem que gosta de outros homens.

— Pois é... — pigarreou novamente. — Isso é uma coisa que acontece a certos homens... e a mulheres também... Não sei lhe dizer por quê. Não têm culpa. Nascem assim, não têm como evitar... É um impulso, um instinto... ou talvez seja um desvio, sei lá... Mas é algo muito forte... é mais forte do que eles, sabe?

O olhar de espanto de Eric o fez pensar. Ele estava fazendo justamente o contrário do que Plínio lhe dissera. Estava complicando as coisas, tentando explicar demais. Falava como se fosse culpado por ser homossexual, quase como se estivesse se desculpando por ser do jeito que era. E não precisava de nada disso. Nem Eric estava questionando nada. Plínio vivia lhe dizendo que não tinha do que se envergonhar, mas ele falava de um jeito como se fosse revelar algum tipo de aberração.

— Você está querendo me dizer que é mesmo homossexual?

Ele corou violentamente. Por mais que pensasse estar preparado, ainda lhe era difícil assumir. Difícil até para si mesmo. Contudo, não podia mentir para o menino. Nem tinha mais como. Pigarreou novamente, roxo de vergonha, e respondeu baixinho:

— É... é isso... sou...

Durante alguns instantes, Eric ficou olhando seu rosto, até que respondeu sério:

— Papai me disse que algumas pessoas não gostam dos homossexuais, o que não é o caso de nossa família. Aqui em casa, gostamos de todo mundo.

Romero não resistiu. Começou a chorar baixinho, e Eric alisou sua cabeça. Havia tanto carinho nas mãos do menino, que Romero começou a soluçar.

— Não chore, Romero — prosseguiu ele. — Não sou como as outras pessoas. Gosto de você assim mesmo. Você é como meu irmão mais velho. Gosto de você muito mais do que gosto de meu tio.

Romero abraçou Eric e foi se acalmando. Sentia-se reconfortado pelo seu amor, um amor que nada tinha de sexual. O que Romero sentia por Eric era um afeto profundo e sincero, que se acentuava à medida que os anos iam se passando.

Os dois permaneceram abraçados por muito tempo, até que a entrada inesperada de Rafael os tirou daquele momento único de carinho. O rapaz vinha chegando do trabalho quando viu os dois abraçados na sala, e em sua cabeça começaram a despontar sentimentos os mais mesquinhos possíveis. Via naquela cena intenções que não existiam e parou diante deles abismado.

— Mas o que está acontecendo aqui? — indagou atônito. — O que pensa que está fazendo com meu sobrinho, sua bicha desaforada?

Romero e Eric separaram-se, e foi o menino quem respondeu:

— Romero e eu só estávamos conversando.

— Estou vendo. Que tipo de conversa é essa? É algum segredo?

— Rafael, não é nada disso que você está pensando — justificou Romero. — Eric é como um irmão para mim.

— Bem se vê, seu sem-vergonha. Mas isso não vai ficar assim. Vou agora mesmo chamar Plínio!

Largou a pasta sobre o sofá e correu para dentro. Plínio estava em seu quarto, analisando uns exames, e levou um susto com a entrada intempestiva do cunhado.

— Rafael! — espantou-se. — O que houve?

— Aquele aproveitador! — berrou Rafael, irado. — Molestador de criancinhas!

— Quem? De quem está falando?

— De Romero! E de quem mais haveria de ser? Quem é a única bicha que mora nesta casa?

— O que quer dizer, Rafael? Fale logo, ande!

— Cheguei do trabalho agora mesmo e flagrei-o aos abraços com Eric, no sofá da sala! E sabe-se lá o que não teria feito se eu não tivesse chegado a tempo!

— Será que não está exagerando? — questionou Plínio. — Os dois precisavam conversar.

— Que bela conversa eles estavam tendo! Espere só até minha irmã saber disso. Vai exigir que você expulse aquele veado de nossa casa!

— Sua irmã não vai fazer nada disso. Lavínia conhece Romero tão bem quanto eu e sabe que ele seria incapaz de fazer qualquer coisa com Eric.

— Vocês são dois cegos mesmo. Ou dois idiotas!

Voltou correndo para a sala, onde Eric e Romero haviam permanecido, agora mais afastados um do outro. Quando Rafael entrou, seguido por Plínio, Romero levantou-se e foi logo se explicando:

— Dr. Plínio, não é nada disso que Rafael está pensando. Ele entendeu tudo errado.

— Sei disso, Romero, não precisa se justificar — tranqüilizou Plínio.

— Não acredita em mim, não é mesmo? — explodiu Rafael. — Pois vou contar tudo a Lavínia. Lavínia!

Saiu correndo em direção à cozinha, certo de que a irmã estaria ali, mas ela havia ido ao cabeleireiro e ainda não voltara, o que só servira para irritá-lo ainda mais.

— Deixe de bobagens, Rafael — censurou Plínio, logo que ele voltou da cozinha. — Sua irmã e eu sabíamos e incentivamos essa conversa entre Romero e Eric. Não há nada demais.

— Só quero ver o dia em que ele lhes aprontar uma traição — disse entre dentes, os olhos chispando de ódio. — Aí, vão me dar razão.

— Jamais irei traí-lo, doutor! — opôs Romero. — Não precisa se preocupar.

— Sei disso.

Rafael saiu aos tropeções e foi para seu quarto. Naquela noite, nem desceu para jantar. Estava com tanto ódio que não conseguiria engolir nada. Por que ninguém acreditava nele? Por que Plínio preferia dar crédito a um estranho, ao invés de acreditar na palavra do cunhado? Aquilo não estava direito.

Ligou o aparelho de televisão e escolheu um filme de horror. Mais tarde, quando o filme já havia quase terminado, Plínio veio bater à sua porta. Rafael espantou-se sobremaneira com a presença do cunhado ali e, pensando que ele quisesse recriminá-lo, começou a atacar:

— Por que está aqui? Veio me censurar por ter olhos e ver o que ninguém mais vê?

— Não é nada disso, Rafael. Vim aqui em paz.

— Paz? Você nunca me deu paz.

— Ao contrário, você é que nunca quis viver em paz conosco. Sempre foi rebelde, agressivo, mal-humorado. Por quê?

— Está preocupado comigo agora, é?

— Estou. Sua irmã e eu sempre nos esforçamos para que você tivesse tudo. Você estudou, tem uma profissão, sempre foi bem tratado em nossa casa. Se não fiz mais por você, foi porque você não permitiu.

— Você jamais gostou de mim!

— Não é verdade. Quando você veio morar conosco, tentei me aproximar de você. Mas você sempre me rejeitou. Nunca quis minha amizade.

— E você achou ótimo, não foi? Só assim podia recriminar tudo que eu fazia.

— Isso também não é verdade. Deus sabe o quanto me esforcei para me aproximar de você.

— E daí? O que isso tem a ver com o descaramento de Romero?

— Você odeia o rapaz. Por quê?

— Eu não o odeio. Apenas não me agrada ter de conviver com um veadinho.

— Romero nunca lhe fez nada. Ao contrário, desde que chegou aqui, tem se comportado muito bem. E Eric o adora.

— É esse o problema. Ele está seduzindo o menino. Será que vocês não conseguem ver?

— Você está pondo maldade onde não existe. Romero é um rapaz direito.

— É um veado! Não é confiável.

— Engano seu. Só porque é homossexual, não quer dizer que seja tarado. Ele gosta de Eric e o respeita. Romero não transa com crianças.

— Como você sabe? Já saiu com ele? Sabe aonde ele vai? Viu com quem ele transa?

— Nem é preciso.

— Ou será que você pensa que ele é algum santinho? Que não tem parceiro e que vive dedicado à família?

— Isso não me interessa. Romero é livre para fazer o que quiser e sempre foi muito respeitador, ao contrário de você.

— Ele é sempre melhor do que eu, não é?

— Não disse isso. Mas ele obedece às regras da casa e nunca trouxe ninguém para cá. Ao contrário de você, que vive se agarrando com as moças na piscina. E cada dia com uma!

— E daí? Devia ficar satisfeito. Pelo menos eu faço o que é natural.

— O que você faz é imoral, isso sim. E dá mau exemplo a Eric.

— Ah! Quer dizer agora que quem dá mau exemplo sou eu? Eu, que sou normal, sou o mau exemplo, e Romero, que é um transviado, é que é o bonzinho? Essa é boa!

— Você interpreta as coisas a seu favor.

— Foi o que você disse!

— Mais ou menos. Não quis me referir à sexualidade de cada um, porque isso é o menos importante para mim. O mau exemplo vem da conduta, não do sexo.

— Fale o que quiser, Plínio, mas o fato é que você dá sempre um jeito de defender Romero e me acusar.

— Não estou acusando nem defendendo ninguém. Estou apenas tentando ser justo.

— Quero só ver o dia em que ele aprontar alguma...

— Isso não vai acontecer. Conheço Romero e seu caráter. Ele é um homem de bem.

— Ele não é nem homem. Que dirá de bem!

— Lamento muito que seus valores sejam esses. Um dia verá o quanto está errado.

— Quem verá que está errado é você. Aposto como ele, mais cedo ou mais tarde, vai mostrar o falso que realmente é.

Plínio suspirou e revidou entristecido:

— Infelizmente, Rafael, já sabemos quem é o mais falso aqui.

— Quer dizer que sou eu, não é? — Plínio não respondeu. — Posso perguntar uma coisa, cunhadinho?

Apesar do ar de deboche, Plínio assentiu:

— Pode.

— O que você faria se descobrisse que seu protegido não é nada disso que você pensa? Que é um veado cretino e mau-caráter?

— Ele não é nada disso.

— Mas e se fosse? O que você faria?

— Sei que não é.

— Tudo bem, você sabe. Mas e se fosse? O que você faria? Continuaria deixando-o viver aqui conosco? — Silêncio. — Continuaria?

— Não — foi a resposta seca.

— Era o que eu queria saber.

Com ar de cansado, Plínio levantou-se para sair. Fora ao quarto do cunhado para tentar acalmá-lo e fazê-lo ver que Romero era uma pessoa decente. Queria viver em paz com ele também; já estava cansado de tantas brigas. Mas Rafael era uma pessoa difícil e sentia muito ciúme de Romero. Tanto, que não conseguia esconder.

capítulo

16

Estava lançada a semente do ódio. Rafael não conseguia entender o sentimento de Plínio por Romero. Ou melhor, não conseguia entender o que ele mesmo sentia pelo rapaz. Desde que Romero ali chegara, Rafael não simpatizara com ele, mas fora obrigado a tolerá-lo porque o cunhado, por um motivo desconhecido, enchera-se de amores por ele. Aquilo não era justo. Ele era da família, mas Plínio reservara suas atenções para um estranho homossexual.

Pior de tudo era Eric. Rafael fazia o que podia para que o sobrinho gostasse dele, mas não adiantava. Eric parecia ter verdadeiro horror a ele. Por que seria? Rafael nunca lhe fizera nada. Ao contrário, sempre o tratara bem. Por que, então, Eric não gostava dele? Por mais que se esforçasse, não conseguia entender. Só o que compreendia era que o menino adorava Romero, o que cada vez mais o enchia de despeito.

Alheio aos sentimentos do tio, Eric estudava em seu quarto. A mãe dissera-lhe que quando terminasse os deveres poderia ligar a televisão. Romero ainda não havia chegado da faculdade. Fazia estágio num hospital de clínicas e sempre voltava mais tarde. Eric estava tão absorto na lição de história que não viu Rafael entrar. O tio chegou sorrateiro e apoiou os cotovelos na escrivaninha, fitando o menino com olhar malicioso. Na mesma hora, Eric encolheu-se e indagou assustado:

— O que você quer, tio Rafael? Estou estudando.

— Não quero nada, Eric. Vim apenas ver se precisa de alguma ajuda.

— Não preciso, obrigado. Gosto de história e, além do mais, sempre que tenho alguma dúvida, Romero a tira para mim.

Romero, Romero! Sempre Romero. Rafael sentiu vontade de dar uns tapas no sobrinho, mas conseguiu se conter.

— Romero não está — retorquiu, com mal disfarçada raiva. — Por isso, se precisar de alguma coisa, é só me chamar.

— Obrigado, titio, mas já disse que não precisa.

— Hum... Então, que tal um sorvete?

— Não vai dar. E agora, se você não se importar, gostaria que saísse. Ainda não terminei a lição.

Rafael deu um sorriso carregado de sarcasmo, despenteou os cabelos de Eric e saiu. Depois que ouviu a porta do quarto fechar-se, Eric soltou um suspiro. Por mais que o tio fizesse, não conseguia gostar dele. Havia algo de falso em suas palavras, e seu jeito amistoso parecia pura enganação. Eric não se deixava convencer. Sabia que Rafael não gostava de Romero, e talvez aquele fosse o motivo para querer conquistar sua amizade: para competir com Romero.

No corredor, o coração de Rafael se enchia de ódio. Não apenas por Romero e Plínio, mas começava a antipatizar com Eric também. O garoto parecia não compreender o que ele estava tentando fazer. Queria apenas ser seu amigo. Era seu tio, alguém da família com quem poderia contar, não um veado estranho em quem não se podia confiar.

À medida que ia caminhando, Rafael ia refazendo em sua mente a imagem assustada de Eric. O menino estava ficando bem crescido e era muito bonito. Daria trabalho com as garotas, e o cunhado não deveria deixá-lo a sós com Romero. Nunca se sabia o que ele seria capaz de fazer. Nada. Romero não seria capaz de nada. E aquilo era o que mais irritava Rafael. Romero era homossexual e tinha tudo para ser um marginal. Mas não era. Era um homem bom e ajuizado, respeitador e amoroso, sincero e esforçado. Tudo que ele não era. Só que ele era heterossexual, e Romero, não. Essa era sua grande vantagem sobre o outro.

Quando Romero chegou mais tarde, Eric já estava dormindo.

Rafael também já se havia recolhido, e Plínio estava de plantão no hospital. Apenas Lavínia estava acordada, vendo televisão.

— Boa noite — cumprimentou ele. — Tudo bem?

— Tudo ótimo — respondeu ela. — E você? Está com fome?

— Estou, sim.

— Há comida no fogão. Quer que eu vá esquentar para você?

— Não precisa. Posso me arranjar sozinho.

Mesmo assim, Lavínia foi esquentar a comida para ele. Como já era tarde, não quis acordar nenhuma das empregadas, e ela não se importava de fazer alguns serviços domésticos.

— Onde estão todos? — indagou Romero, entre uma garfada e outra.

— Dormindo.

— Que pena. Trouxe um presente para Eric.

— É mesmo? O que é?

Romero tirou um embrulhinho do bolso da camisa e exibiu-o a Lavínia. Não era nada demais. Apenas a miniatura de uma motocicleta.

— Amanhã darei a ele — falou Romero, enquanto limpava os lábios com o guardanapo. — Bem, agora acho que vou tomar um banho e dormir. Estou cansado.

— Eu também. Amanhã levanto cedo para acordar Eric e Rafael. Ele disse que tem uma reunião logo pela manhã e me pediu para chamá-lo. E você sabe como Rafael é difícil de se tirar da cama.

Ambos riram, e cada qual seguiu para seu quarto. Romero foi direto tomar um banho, e Lavínia passou no quarto do filho para ver se ele não estava vendo televisão. O menino dormia profundamente, e ela se aproximou, pousou-lhe um beijo na testa e tornou a sair, fechando a porta lentamente. A caminho de seu quarto, parou para dar uma espiada no irmão, e Rafael também dormia profundamente. Sorriu satisfeita e foi para a cama.

No dia seguinte, bem cedinho, Lavínia foi acordar o irmão e o filho. Rafael resmungou um pouco, como sempre, mas acabou acordando.

— Levante-se, seu preguiçoso — chamou ela, com jovialidade —, ou vai se atrasar.

Certificando-se de que Rafael já estava de pé, a caminho do banheiro, dirigiu-se para o quarto do filho. Para sua surpresa, Eric já estava acordado. Parecia mesmo que nem havia dormido. Todo encolhido sob os lençóis, mostrava olheiras fundas e olhos lacrimejantes.

— O que há com você, meu filho? — indagou preocupada, experimentando-lhe a testa. — Está doente?

O menino não respondeu. Ao invés disso, agarrou-se à mãe e desatou a chorar. Nessa hora, Plínio vinha voltando de seu plantão e, escutando o choro do filho, foi direto para seu quarto.

— Eric! — chamou. — Lavínia! O que houve?

— Não sei. Quando entrei aqui para acordá-lo, encontrei-o assim.

— Deixe-me examiná-lo — falou incisivo, gentilmente puxando a mulher pelo braço.

— Não! — foi o grito angustiado de Eric. — Não quero! Não tenho nada!

— Eric, meu filho — indignou-se Plínio, que nunca havia visto o menino reagir daquele jeito —, não vou machucá-lo. Quero apenas ver se há alguma coisa...

— Já disse que não! Não tenho nada. Estou bem. Apenas gostaria que vocês saíssem e me deixassem sozinho.

A voz de Romero se fez ouvir preocupada:

— Está tudo bem aí?

Romero havia acabado de chegar, seguido por Rafael, que indagou solícito:

— Posso ajudar em alguma coisa?

— O que foi, Eric? — indagou Romero, aproximando-se do menino.

Na mesma hora, Eric redobrou o choro. Agarrou-se ao colo da mãe e chorou copiosa e desesperadamente.

— Mas o que deu nesse menino? — tornou Lavínia, cada vez mais aflita.

Subitamente, Plínio percebeu que algo de muito errado havia acontecido. Eric não conseguia sentar-se direito, o que ele achou muito estranho. A todo instante, virava-se de um lado para outro, evitando o contato direto com a cama. Plínio sobressaltou-se. Já vira muitas vezes aquela situação no hospital e sabia bem o que significava.

— Deixem-me a sós com meu filho — ordenou incisivo.

— Por quê, Plínio? — contestou Lavínia.

— Quero examiná-lo sozinho.

— Mas por quê? Eu sou a mãe dele.

— E eu sou o médico.

A muito custo Plínio conseguiu fazer com que o menino soltasse o pescoço da mãe. Saíram todos, e o médico sentou-se ao lado do filho na cama. Eric chorava sem parar, evitando o olhar penetrante do pai. Com cuidado, Plínio foi afagando a cabeça do menino, até que ele se acalmou. Quando percebeu que ele já estava mais calmo, pediu com carinho:

— Eric, por favor, deixe-me examiná-lo agora. É para o seu bem.

— Mas eu já disse que não tenho nada.

— Não adianta querer enganar seu pai. Sou médico e conheço muito bem certos sintomas.

— Que sintomas?

— Deixe-me examiná-lo primeiro. Depois falaremos sobre isso.

Plínio tentava deitar o menino na cama, mas ele relutava. Percebeu o rubor cobrindo suas faces, e novamente as lágrimas voltaram a cair.

— Por favor, pai — suplicou ele —, deixe-me ficar aqui sozinho. Estou bem. Só o que lhe peço é que me deixe faltar à escola hoje.

— Como quiser. Mas o fato de não querer ir à aula já não é um sinal de que algo não anda bem? — Eric não disse nada. — O que houve, meu filho? O que lhe fizeram?

— Nada.

— Está sentindo alguma dor?

— Não.

— Está machucado?

— Não.

— Então, por que está com essa dificuldade de se sentar?

Eric não agüentou mais. Agarrou-se ao pai e começou a chorar em desespero, falando aos borbotões:

— Eu não queria! Mas ele me forçou! Entrou em meu quarto no meio da noite e me obrigou a fazer coisas! Foi horrível, pai, horrível! Ele me fez deitar de bruços... tirou meu pijama... e me machucou... e riu. Quase me sufocou... e riu!

— Quem, meu filho, quem? — retrucou Plínio, entre revoltado e horrorizado. — Quem fez isso a você?

Eric desvencilhou-se de seu abraço, encarou-o por alguns segundos com um estranho brilho no olhar. Por uns momentos, pareceu hesitar. Mas em seguida baixou os olhos e, entre soluços, respondeu com voz sumida:

— Romero.

Plínio recuou aterrado. Aquilo não podia ser verdade. Não Romero! Não o Romero que ele conhecia, que havia ajudado e por quem seria capaz de colocar a mão no fogo. Desesperado, escancarou a porta do quarto e berrou o nome do rapaz. Rapidamente, todos acorreram. Não apenas Romero, mas também Lavínia e Rafael.

— Romero... — balbuciou o médico, sem saber bem o que dizer. — É verdade o que Eric me diz?

— O quê, doutor?

— Diga-me que não é verdade. Diga-me que ele sonhou. Que não foi você, foi outra pessoa.

— Que não fui eu o quê?

— Que o machucou.

— Eu, machucar Eric? De onde tirou essa idéia?

Já agora recobrando o domínio sobre si mesmo, Plínio conseguiu expor o problema com mais calma:

— Alguém atacou meu filho. Fez... você sabe bem o quê.

— Minha nossa senhora! — foi o desabafo angustiado de Lavínia, que correu a abraçar o filho, em prantos.

— Como!? — espantou-se Romero. — O senhor está tentando me dizer que alguém... que alguém... violentou Eric?

Plínio assentiu e respondeu agoniado:

— E ele diz que foi você.

— Eu!? Mas isso é um absurdo! Ele só pode estar brincando.

— Acha que meu filho brincaria com uma coisa dessas?

— Eric — apelou angustiado —, diga a verdade. Eu não fiz isso a você. Jamais lhe faria algo semelhante. A você ou a qualquer outra pessoa. Vamos, Eric, conte a verdade. Diga que não fui eu.

— Pare de aterrorizar o menino! — interveio Rafael, irado. — Já não basta o que lhe fez?

— Mas eu não fiz nada.

— Ah! Não? E por que Eric iria inventar uma coisa dessas, hein?

— Não sei... Não faço idéia...

— Por favor, Eric — tornou a rogar Romero —, diga-lhes a verdade. Não fui eu. Quem fez isso a você?

— Ele não quer falar — objetou Rafael. — Está com medo de você, o que é bem fácil de compreender, não é?

— Eric jamais sentiria medo de mim!

— Meu filho — interveio Plínio —, não precisa ter medo. Sou seu pai e estou aqui para protegê-lo. Por isso, não tenha medo de falar a verdade. Vamos, diga-me: quem lhe fez isso?

Rosto lavado em lágrimas, Eric olhou timidamente para Romero e depois para Rafael, que incentivou em tom amistoso:

— Vamos, Eric, pode falar. Não tenha medo.

— Pelo amor de Deus, Eric! — insistia Romero.

Apenas Lavínia parecia não se importar com quem havia feito aquilo. Estava tão angustiada que nem conseguia pensar direito. Naquele momento, só lhe importava o bem-estar do filho.

— Vamos levá-lo a um hospital — ponderou. — Ele precisa de cuidados médicos.

— Eu sou médico, Lavínia — argumentou Plínio. — Vou cuidar dele pessoalmente.

— Eric ainda não respondeu à sua pergunta, Plínio — lembrou Rafael, ansioso.

— Ele não quer — falou Lavínia. — E isso não é o mais importante agora. O mais importante é ver se ele está bem.

— Vamos, Eric, fale — insistia Rafael. — Quem fez isso a você? Foi Romero ou não foi?

— Não fui eu!

— Foi ou não foi? — continuava Rafael.

Eric abaixou os olhos novamente e apertou a mão da mãe. Quando falou, foi em tom quase inaudível, com profundo sofrimento:

— Foi... Foi Romero...

O olhar de triunfo de Rafael teria sido detestável, não fosse a dor que atravessou o coração de Plínio naquela hora. Ele não quis ouvir mais nada. Empurrou todo mundo para fora do quarto e, tentando conter as lágrimas, conseguiu convencer Eric a deixar-se examinar. Não era preciso nem um exame minucioso para que fosse constatada a violência. O menino estava bem machucado e chorava dolorosamente. Sentia-se envergonhado e humilhado, e nada do que Plínio fizesse poderia curar a dor daquele momento.

Depois que examinou bem o filho, Plínio chamou Lavínia para que o ajudasse a se lavar e trocar de roupa. Passou-lhe uma pomada e deu-lhe um remédio, além de um leve calmante. Em seguida, limpo e asseado, as roupas de cama trocadas, Eric adormeceu, com Lavínia montando guarda à sua cabeceira.

— O que faremos? — indagou Plínio, em busca de socorro.

— Faça como quiser — foi a resposta seca de Lavínia. — Só não quero esse rapaz nem mais um minuto em nossa casa.

— Acredita mesmo que foi ele?

— E quem mais haveria de ser?

— Não sei... Ainda me custa crer. Não temos provas.

— A palavra de Eric não é prova suficiente?

— Tenho minhas dúvidas. Eric é uma criança. Está confuso e assustado.

Antes que Lavínia pudesse responder, seus olhos foram atraídos para um pequenino objeto caído perto da cama do filho, que agora dormia tranqüilo. Mais que depressa, ela correu a apanhá-lo, e lágrimas de ódio afloraram em seus olhos.

— Isto! — falou com raiva, exibindo-lhe a miniatura de motocicleta. — Isto é prova mais do que suficiente para mim!

— O que é isso?

— Pergunte a Romero.

Lavínia colocou a miniatura na mão do marido e voltou para junto do filho, deixando Plínio sem entender bem o que aquilo significava. Ainda não queria acreditar que Romero fosse capaz de um crime como aquele, mas não podia fingir que Eric não o acusara. O menino sempre o adorara, e isso era motivo mais do que suficiente para não duvidar de sua palavra.

Com muito pesar, saiu em busca do rapaz.

— Onde está Romero? — perguntou a Rafael, que havia permanecido do lado de fora do quarto do sobrinho.

— Foi para seu quarto, eu acho — respondeu em tom falsamente doloroso. — Já posso entrar?

— Eric está descansando. É melhor deixá-lo em paz.

Saiu pelo corredor, em direção ao quarto de Romero, e Rafael foi seguindo-o.

— Eu bem que lhe avisei, não foi? — disse, em tom de vitória.

— Não me amole, Rafael. Não é hora para isso.

— O que pretende fazer agora?

— Ainda não pensei em nada.

— Creio que a única coisa sensata a fazer é chamar a polícia e entregar o criminoso.

— Não quero me precipitar.

— Precipitar-se? Você viu o que aconteceu!

— Vi. Mas ainda não resolvi o que vou fazer.

— Não me diga que vai deixá-lo ficar. O que ele fez foi imperdoável!

— Ainda não tenho certeza se foi ele.

— Como não? Acha que Eric está inventando isso?

— Ele está muito amedrontado.

— O que é natural, não acha?

— Ouça, Rafael — objetou Plínio, a mão pousada na maçaneta da porta do quarto de Romero —, não me surpreenderia nada se descobrisse que quem fez isso foi você.

— Eu!? Ora, essa é boa. Isso é um ultraje, uma calúnia! Entendo que você goste de Romero e esteja decepcionado. Mas daí a querer me culpar só para livrar a cara dele já é demais, não concorda?

Sem responder, Plínio entrou no quarto de Romero e bateu a porta na cara de Rafael, o que o deixou ainda mais furioso. Depois de tudo, o cunhado ainda defendia aquele safado.

Romero, semblante triste, colocava suas coisas numa mala e levantou os olhos quando Plínio entrou.

— Como está Eric? — perguntou interessado.

— Vai ficar bem.

— Fico feliz.

— Vai a algum lugar?

— Vou embora, doutor. Não posso mais ficar aqui depois de ter sido acusado de algo que não fiz. Se o senhor não confia em mim, não vejo por que ficar.

— Não se trata disso, Romero. Confiei em você minha vida inteira. Jamais poderia imaginar que fizesse uma coisa dessas.

— Não fiz nada, e o senhor sabe disso tão bem quanto eu.

— Por que Eric o acusaria?

— Não sei. Gostaria de perguntar a ele, mas, dado seu estado, não sei se seria conveniente.

— Gostaria de acreditar que não foi você.

— Pois pode acreditar. Não fui eu mesmo.

Ele retirou do bolso a miniatura que Lavínia havia colocado em sua mão e estendeu-a para Romero.

— Sabe o que é isso?

A um olhar rápido, Romero reconheceu o presente que havia comprado para Eric e respondeu:

— É um presente. Nada demais. Comprei para Eric ontem, mas nem tive tempo de entregar.

— Pois Lavínia achou isso no quarto de Eric.

— O quê? Impossível. Nem cheguei a lhe dar.

— Se não lhe deu, como isso foi parar no quarto de meu filho?

— Não sei. Explique o senhor.

— Não tenho explicação para isso.

— Nem eu.

— Pois devia, porque o objeto é seu. Ou não é?

— Já disse que é. Não tenho por que negar. Comprei-o ontem, mas, quando cheguei, Eric já estava dormindo. Por isso, não pude entregá-lo, o que faria hoje.

— Chegou a dar pela falta dele?

— Só agora que o senhor me mostrou. Havia até me esquecido de que o comprara.

— É curioso que um objeto que você comprou na noite em que tudo aconteceu tenha ido parar junto à cama de meu filho.

— Curioso, é.

— E você tem certeza de que não sabe como isso aconteceu.

— Já disse que não.

— Estranho...

— Ouça, doutor, sei o que está pensando. Que fui eu que, no meio da noite, entrei sorrateiramente no quarto de seu filho, a pretexto de levar-lhe o brinquedo e, não resistindo, abusei dele e o violentei. Em seguida, por descuido, deixei cair ou esqueci a miniatura no chão. Não é isso?

O médico revirou-se na cama de Romero, onde estava sentado, e respondeu com visível desconforto:

— Por mais que eu não queira, é a essa conclusão que chego.

— E, só porque sou homossexual, o senhor acha que eu seria capaz de uma barbaridade dessas.

— Não se trata disso. Não é apenas porque você é homossexual. Mas as provas...

— Que provas? Essa moto? Isso não prova nada. Qualquer um poderia tê-la apanhado em meu quarto e colocado lá.

— Está sugerindo que alguém incriminou você deliberadamente?

— Não estou sugerindo nada. Eric mesmo podia ter acordado no meio da noite, ido a meu quarto e apanhado a moto. Mas é um caso a se pensar.

— Quem faria isso, Romero, quem?

— O senhor não imagina?

— Rafael? — deixou escapar, com medo até de pronunciar aquele nome.

— O senhor o conhece melhor do que eu.

— É uma acusação grave, Romero. Não há prova nenhuma contra ele.

— Por isso, não quero acusá-lo. Já chega o que estou sentindo por ser acusado injustamente. Não quero fazer o mesmo com outra pessoa. Mesmo que seja com alguém detestável como Rafael.

— Vocês dois não se dão mesmo, não é? Por quê?

— Pergunte a ele. É ele quem vem implicando comigo desde que vim morar nesta casa.

Romero terminou de fechar a mala e fitou o rosto dorido de Plínio. O médico não sabia o que dizer. Queria muito acreditar nas palavras de Romero, mas estava difícil. Eric acusara-o formalmente, e não havia nenhum indício de que Rafael é que fosse o culpado. E ele era irmão de sua mulher, tio de Eric. Ninguém no mundo acreditaria que ele tivesse feito aquilo. E não era homossexual. Andava sempre bem acompanhado de mulheres bonitas, ao contrário de Romero, que, além de seu histórico de tragédias, era homossexual declarado. Todos iriam achar que ele estava reagindo ao meio social da mesma forma como fora tratado e que fazia agora com Eric o que antes lhe haviam feito e que o havia "viciado".

— Para onde você vai? — perguntou Plínio, preocupado.

— Para uma pensãozinha na cidade. É só o que posso pagar com o dinheiro que recebo da bolsa do estágio.

Plínio ainda pensou em lhe dar algum dinheiro, mas mudou de idéia. O rapaz ficaria ofendido, e Lavínia ficaria irritada. Romero apanhou a mala de cima da cama e estendeu a mão para Plínio, que não a tomou.

— Bem — falou com desgosto —, até logo, então.

— Até logo — respondeu Plínio, engolindo em seco.

Da porta, Romero ainda falou, sem se voltar:

— Se não se importar, gostaria de saber notícias de Eric.

— É melhor não. Lavínia pode não gostar.

— Entendo.

Romero rodou nos calcanhares e saiu, fechando a porta sem fazer barulho. Plínio ficou sozinho no quarto, lutando para conter as lágrimas. O que acontecera ao filho já doía bastante, e ainda tinha de suportar outra dor, que era a de ver Romero indo embora daquela maneira. Mas ele não podia impedi-lo. Lavínia ficaria furiosa e acabaria brigando com ele. No fundo, ela até que tinha razão. Todas as provas apontavam Romero como o criminoso, e nem ele teria motivos para duvidar. Só que, em seu íntimo, algo lhe dizia que alguma coisa não estava correta naquela história. Fosse pelo ódio que Rafael sentia por Romero, fosse pela amizade que unia Romero a Eric, o fato era que Plínio não conseguia acreditar que fosse ele o responsável por aquele crime abominável.

Com profundo suspiro, Plínio levantou-se e voltou para o quarto de Eric. O menino dormia a sono solto, e Lavínia não estava mais ali. Ouviu vozes vindas de seu quarto e foi para lá, onde a mulher e Rafael conversavam baixinho.

— Ah! Plínio — disse Rafael. — Que bom que chegou! Estávamos imaginando que providências você tomou contra Romero.

— Não tomei providência alguma.

— Como assim? — tornou Lavínia, abismada. — Pensei que fosse chamar a polícia.

— Polícia? Achei que você não estivesse interessada no que eu faria a ele. Disse que só o que queria era que ele fosse embora daqui. E isso ele já fez.

— Romero foi embora? — indignou-se Rafael. — Assim, sem dar conta de seus atos?

— O que queria que eu fizesse, Rafael? Que o prendesse aqui? Não podia. Foi ele mesmo quem quis ir.

— Quis fugir, você quer dizer. Ele deve estar apavorado, com medo de que você o entregue à polícia.

— Ele sabe que eu não faria nada disso.

— E por que não, Plínio? — objetou Lavínia, de uma forma transtornada e quase irreconhecível. — Não era você mesmo quem vivia dizendo que os crimes sexuais não podiam passar impunes?

— Lavínia tem razão — concordou Rafael. — É seu dever noticiar o fato à polícia. Romero tem de ir preso. É uma ameaça para a sociedade.

— Não estou bem certo se foi ele quem fez isso.

— Vai começar com isso de novo? — sibilou Lavínia. — Já não temos provas suficientes?

— Não tenho prova nenhuma, a não ser a palavra de Eric, que não pode ser tida como definitiva.

— E a moto? — tornou Lavínia.

— Qualquer um podia tê-la colocado lá.

Disse isso e olhou fixamente para Rafael, que tratou logo de se defender:

— O que está sugerindo? Que fui eu?

— É você quem está dizendo.

— Acusa-me injustificadamente, Plínio. Você está querendo me acusar só para salvar seu amiguinho. Por quê? Por que tanto interesse naquela bicha?

— É isso mesmo, Plínio — concordou Lavínia, desconfiada. — Por que defende tanto Romero, a ponto de não acreditar na palavra de seu próprio filho e de duvidar do caráter de seu cunhado?

— O que vocês dois estão querendo insinuar é uma infâmia! Você sabe muito bem, Lavínia, que sou um homem honesto em meus princípios e em meus sentimentos. Se fosse homossexual e tivesse algum caso com Romero, não estaria mais casado com você!

— Perdoe-nos, Plínio — desculpou-se ela, já arrependida. — Não foi isso que tencionamos dizer. É que estou tão nervosa...

— Também estou. Mas nem por isso devemos nos comportar como irresponsáveis. Temos de pesar bem as conseqüências de tudo que faremos, a fim de que não prejudiquemos um inocente.

— Você tem razão...

— Não se deixe levar por essa conversa mole, Lavínia — irritou-se Rafael. — O culpado é Romero, está mais que provado. E seu lugar é na cadeia!

— Não se meta mais nisso, Rafael! — censurou Plínio, bastante irritado. — Você não é o pai de Eric, não tem direito de dar opinião nem de perturbar a cabeça de sua irmã, muito menos de decidir como devemos proceder.

Rafael engoliu o ódio e saiu batendo a porta. Não iria permitir que Romero continuasse levando a melhor sobre ele. Não deixaria que aquilo ficasse assim. Daria um jeito de convencer Lavínia a acusar formalmente o rapaz. E rápido!

capítulo 17

Depois de vivenciar tantas experiências dolorosas como aquela, Plínio via-se agora na mesma situação de outros pais, que vacilavam ante a dúvida de se deviam ou não acusar os violentadores de seus filhos. Só agora conseguia entender a hesitação deles. Expor a criança àquela humilhação era algo por demais doloroso, e ele não sabia se devia fazer o mesmo a Eric. Tinha medo das conseqüências danosas que um processo criminal daquela natureza poderia causar ao filho e temia que o trauma daquela violência acabasse causando algum dano em sua mente. Não seria melhor deixar as coisas como estavam e tentar esquecer? Não seria melhor para o menino levá-lo a um psiquiatra e tentar resolver as coisas sem envolver a polícia e a Justiça?

Mas havia o culpado. Seria justo, por outro lado, permitir que continuasse livre para violentar outros meninos, para fazer a outros o mal que fizera a seu filho? Em situações semelhantes, ele sempre fora o primeiro a orientar os pais a procurar ajuda da polícia. Mas, agora, não sabia... Tinha dúvidas sobre o que seria o mais certo a fazer. O que seria melhor para o filho? Não para ele ou Lavínia, mas para Eric. Pensou em consultar o menino, perguntar-lhe o que preferia, mas Lavínia foi veemente em suas recriminações. O filho era ainda uma criança, dizia, e não estava apto a tomar uma decisão de tamanha responsabilidade sozinho.

— Você tem de denunciar esse rapaz, Plínio — dizia ela. — Ele é uma abominação! Onde já se viu fazer isso a uma criança?

— E se não foi ele? — rebateu Plínio, ainda incrédulo.

— Lá vem você de novo com essa história. Pois então não vê que foi ele mesmo?

— Não estou bem certo.

— Pare com isso. Não vou admitir que você acuse meu irmão. Rafael pode ser um doidivanas, mas é um homem decente. Não é nenhum pederasta.

— Agora você trata Romero assim, não é mesmo? Antes, não se referia a ele dessa forma.

Ela enrubesceu e retrucou embaraçada:

— Antes, eu não tinha medo. Mas agora tenho. É isso o que dá querer dar chance a essa gente.

— Não vê o quanto está sendo injusta, Lavínia? Romero sempre foi um rapaz direito.

— Ele veio de um meio que não é igual ao nosso. Onde morava antes de conhecer você? Lá no subúrbio, lugar de gentinha...

— Mas que disparate! Só porque morava no subúrbio, não quer dizer que a família de Romero era de gentinha. Eram gente direita. Gente como eu ou você.

— Isso é que não! Somos pessoas de estirpe. Não criamos homossexuais. E me reservo o direito de não querer que Eric seja um.

— Você me surpreende, Lavínia. Não sabia que era tão preconceituosa.

— Não sou. Estou apenas tentando ser mais seletiva, o que deveria ter feito quando você resolveu trazer esse rapaz para viver aqui conosco.

Plínio fixou-a desgostoso. Não reconhecia mais a mulher. Lavínia nunca agira daquela forma. Sempre fora uma mulher doce e generosa, mas agora estava mudada. Teria sido por causa da dor de ver o filho magoado? Ou aquele fora o motivo que encontrara para revelar quem realmente era?

Com uma sombra de tristeza no olhar, Plínio demonstrou sua indignação:

— Você ainda tem coragem de dizer que não é preconceituosa? Pois fique sabendo que há homossexuais em qualquer classe social. A diferença é que entre os ricos eles são tolerados porque o que manda nas pessoas é o poder do dinheiro. Ninguém tem coragem de abrir a boca para discriminar um homossexual se ele for rico e influente. Agora, se for gente comum, vira o bode expiatório do mundo, não é?

— Mesmo os mais abastados, Plínio, viram alvo das línguas ferinas dos fuxiqueiros. O que acontece é que ninguém tem coragem de falar nada pela frente. Agora, por trás, a história é outra. Já cansei de ouvir comentários maldosos sobre homossexuais endinheirados. Quando surgem em sociedade, são tratados com deferência e uma quase subserviência. Mas, quando viram as costas, tornam-se o alvo preferido dos mexeriqueiros.

— Isso tudo é hipocrisia!

— Concordo que seja hipocrisia, mas é assim que as coisas funcionam. Mesmo em sociedade, isso é feio. Você mesmo sabe que a tolerância é muito grande porque ninguém se atreve a criticar quem tem dinheiro. E é por isso que não quero o nome de meu Eric servindo de chacota e de divertimento nas rodas seletas dos machões da elite.

— Não a estou reconhecendo, Lavínia. Jamais poderia imaginar que você fosse assim. Sempre a julguei uma mulher sensata e de princípios. Surpreende-me com essas palavras mesquinhas e carregadas de preconceito.

— Julga-me assim porque não se importa com o que possa vir a acontecer a seu filho. Farei de tudo que estiver a meu alcance para evitar que ele vire homossexual. Esse infeliz episódio pode arruinar a vida de nosso filho. Por causa disso, ele pode se tornar *gay* também. E o que dirão nossos amigos?

— Engana-se. Se Eric tiver de ser *gay*, é porque já é, embora eu não acredite nisso. E é exatamente para defendê-lo que hesito em acusar Romero.

— Não é o que parece. Pelo visto, você quer é defender Romero. Não sei por que se tomou de amores pelo rapaz...

— Não vamos começar com isso de novo.

— Não estou começando nada. Eu só queria entender. Lembro-me das vezes em que você cuidava de casos semelhantes. Chegava à casa sempre arrasado, questionando a atitude dos pais que se recusavam a acusar os agressores. E agora faz a mesma coisa.

Ele sabia que ela tinha razão. Nem ele conseguia entender direito sua atitude. Estava apenas tentando proteger o filho. E Romero. Talvez sua indecisão residisse no fato de que não acreditasse que Romero fosse o culpado. Embora seu filho o tivesse acusado e todas as provas apontassem para o rapaz, Plínio não conseguia se convencer. Algo naquela história não caía bem, e ele sabia o que era. Mas não tinha como provar. Nem para si mesmo. À exceção daquela forte intuição, não havia nada que comprovasse que suas suspeitas estavam certas.

— E eu, por minha vez, não entendo você — retrucou ele. — Diz que está preocupada com a sociedade, porque não quer que Eric vire motivo de chacota entre suas amiguinhas fúteis e vazias. E o que acha que vão falar de nosso filho se esse caso vier à tona? Não teme a reação dos machões, nas rodas sociais, contando a todo mundo, em detalhes, o que lhe aconteceu? Acha que não haverá risinhos? Nem ironias? Ou sugestões maldosas?

— De qualquer forma, alguém vai acabar descobrindo. Você sabe como são as fofocas sociais. E o que vão dizer? Que não tomamos nenhuma atitude para esconder as tendências de nosso filho. E, depois, as situações são diferentes. Uma coisa é ser vítima inocente. Outra coisa é ser pederasta por opção. Se delatarmos o culpado, todos vão compreender e nos apoiar, certos de que estaremos tentando limpar a honra de nosso filho. Ninguém quer um joão-ninguém pederasta e molestador circulando entre pessoas de bem.

Por mais que Lavínia tentasse se justificar com o medo do preconceito social, Plínio sabia que aquele não era o único motivo pelo qual ela insistia em que ele acusasse Romero. O real motivo de tanta insistência era Rafael. Ele sempre tivera muita influência sobre a irmã. Mesmo quando ela o recriminava ou discordava dele, fazia-o com contrariedade e insegurança. Plínio tinha certeza de que Rafael enchera a cabeça de Lavínia com uma porção de bobagens sobre discriminação e pederastia, e ela se deixara convencer porque, no fundo, era tão preconceituosa quanto todo mundo. Apenas ocultara de Plínio essa faceta, inconscientemente tentando adaptar-se a seus princípios para agradá-lo. Mas não era essa sua natureza. Lavínia era uma mulher altamente preconceituosa, e agora havia motivos que a levavam a desvendar sua real personalidade.

— Está certo — concordou ele, por fim, contrariado e infeliz. — Se é o que quer, vou à polícia. Mas saiba que vai ser doloroso para Eric. Vai ter de passar por um exame de corpo de delito que não sei se será agradável.

— Ele pode suportar. Já suportou coisa pior. Você é o médico. Vai poder ajudá-lo.

Com profundo suspiro de dor, Plínio aprontou-se para ir à delegacia.

Antes, porém, passou pelo quarto do filho. Queria ter uma última conversa com o menino. Ao colocar a mão na maçaneta, levou um susto, porque alguém do lado de dentro, ao mesmo tempo, abria a porta com cuidado.

— Plínio! — surpreendeu-se Rafael, ao quase esbarrar com o cunhado.

— O que está fazendo aqui, Rafael?

— Vim ver como Eric está passando.

Com certa irritação, Plínio chegou Rafael para o lado e entrou. O menino estava recostado na cama, fingindo ler um gibi, atento à antipatia que fluía entre o pai e o tio.

— Deixe-me a sós com meu filho, por favor.

O rapaz saiu revoltado, quase batendo a porta, e Plínio aproximou-se do filho. Sentou-se a seu lado e afagou seus cabelos.

— Como se sente? — perguntou com voz amorosa.

— Bem...

— Ainda está com dor?

— Um pouco. Estou assado e dolorido.

— Vai passar. — Apanhou a mão do menino, que soltou o gibi, e prosseguiu constrangido: — Sua mãe insiste em que eu vá à polícia.

— Para quê!?

— Quer denunciar Romero.

— Oh!

Havia tanta angústia naquela interjeição, que Plínio se sentiu encorajado a perguntar:

— Tem certeza de que foi Romero quem fez isso a você?

Eric não respondeu e Plínio insistiu:

— Tem?

— Tenho — respondeu o menino, com voz hesitante.
— Certeza absoluta?
— Sim...
— Não pode estar enganado?
— Não — falou Eric após breve silêncio.
— E seu tio?
— O que tem ele?
— Esteve aqui conversando com você, não foi?
— Foi.
— O que ele queria?
— Nada. Veio ver como eu estava passando.
— Ouça com atenção, Eric, e responda-me sem medo: seu tio fez algum tipo de ameaça a você?
— Não — foi a resposta rápida.
— Ele o tocou?
— Não.
— Não foi ele quem fez isso, ao invés de Romero?
— Não.
— Tem certeza?
— Tenho.
— Não foi ele quem entrou em seu quarto na outra noite?
— Não, não! Já disse que não! Por que não acredita em mim? Não foi tio Rafael quem fez isso comigo. Foi Romero! Quisera eu que não fosse, mas foi ele! Foi Romero, Romero!

Eric soluçava desesperado, e Plínio abraçou-o:
— Psiu! Está bem, Eric, acredito em você. Não precisa se desesperar.

Aos pouquinhos, o menino foi se acalmando, sentindo-se seguro nos braços do pai. Plínio ficou pensativo. Eric parecia falar a verdade. Estava arrasado, triste, angustiado. Sua voz era carregada de dor e ressentimento, mas parecia sincera. Teria Plínio se enganado? Seria mesmo Romero capaz de uma atrocidade daquelas? Talvez estivesse se enganando, não querendo enxergar o que estava bem diante de seus olhos. Talvez Romero fosse o culpado, e ele se houvesse enganado com o rapaz durante aqueles anos todos. As pessoas realmente surpreendiam, e ninguém podia dizer o que ia no fundo da alma dos outros.

Plínio deu um beijo na testa do filho, alisou seus cabelos e levantou-se para sair.

— Descanse — falou com voz sentida.

— Aonde você vai?

— Fazer o que já devia ter feito antes. Ir à polícia.

Eric engoliu o soluço e apanhou de volta a revista, mal conseguindo enxergar as letras, com os olhos cheios de lágrimas. Esperou até que o pai saísse e deitou-se na cama, afundando o rosto entre os travesseiros.

Por que não tivera coragem de falar a verdade? Por que tinha de ser medroso, covarde? Por que não enfrentara o tio com a mesma audácia com que ele mentia e o ameaçava?

Entre soluços, relembrou a cena da noite passada.

Já devia ser muito tarde, porque a casa estava escura e em silêncio quando ele acordou, sentindo que a cama afundava a seu lado. Abriu os olhos sonolento e viu o tio ali sentado, sorrindo seu usual sorriso de sarcasmo.

— Tio Rafael! — dissera espantado. — Aconteceu alguma coisa?

— Não, meu querido — foi a resposta melosa, em tom de falsidade. — Ainda não.

Sorrindo, Rafael acariciou seu rosto e seus cabelos, causando imensa repulsa em Eric, que tentou recuar. Mas o tio não o permitiu. Rapidamente, sem dizer nada, pulou em cima dele e tapou sua boca com a mão. Em seguida, dominando-o, virou-o de bruços e machucou-o. Foi horrível! Eric ainda se lembrava da dor que sentira ao ser brutalmente violado. Ele chorava, os soluços abafados pela mão do tio, que parecia não se importar.

Eric sentiu-se sufocar, porque Rafael apertava sua boca com força, por vezes tapando-lhe também o nariz, o rosto de encontro ao travesseiro. Parecia que, quanto mais ele chorava, mais o tio sentia prazer com o que fazia, e, à medida que o ar ia lhe faltando, a respiração de Rafael tornava-se mais e mais ofegante. Até que parou. Rafael afrouxou a mão sobre a boca do sobrinho e virou-o de frente para ele.

— Nem uma palavra, ouviu? — ameaçou. — Se disser algo a alguém, mato-o de pancada.

Eric não conseguia falar. Apenas chorava e soluçava, enquanto o tio prosseguia ameaçando:

— Se alguém desconfiar, diga que foi Romero, aquela bicha nojenta. Está me ouvindo?

Eric não respondeu, e Rafael esbofeteou-o de leve.

— Acho bom você fazer como estou mandando, ou vai ser pior para você. Sabe do que sou capaz, não sabe?

O menino assentiu e ele continuou:

— Não estou de brincadeiras. Se você disser que fui eu, nego tudo. Será sua palavra contra a minha. E ninguém vai acreditar em você. Muito menos naquele veado. Todos vão pensar que vocês estão tendo um caso e que, ao ser descoberto, você quis me acusar. Porque é isso mesmo o que direi. Que Romero o violentou e o viciou, levando-o para o mau caminho. Um garotinho! Ha, ha, ha! E você sabe o que acontece com essas bichas que molestam crianças? Elas vão presas. Vão para a cadeia, que é para onde Romero vai acabar indo também. Você entendeu bem tudo que eu falei, não entendeu? Responda!

— Entendi... — respondeu Eric, ainda soluçando.

— Ótimo. É por isso que gosto de você. Sempre foi um menino obediente e comportado. Agora, repita comigo: quem foi que violentou você?

O garoto engoliu em seco e respondeu hesitante:

— Romero...

— Muito bem! Fico impressionado com a rapidez com que você aprende as coisas. Se fizer tudo direitinho, conforme mandei, ninguém vai se dar mal. Se não fizer, acabo com você e com Romero também. Você duvida, Eric, que eu possa acabar com Romero?

— Não.

— Ótimo! Porque posso. Dou um jeito de acabar com ele, e ninguém nunca vai ficar sabendo que fui eu. Um belo dia, ele vai ser encontrado na sarjeta, com a boca cheia de formiga.

Eric sentiu um arrepio e encolheu-se todo. Achava que o tio falava a verdade. Por isso jamais gostara dele. Sempre sentira, em seu íntimo, que Rafael não era uma boa pessoa, apesar de a mãe dizer que o era.

— Não faça nada com Romero, por favor — suplicou o menino.

— Só vai depender de você. Se fizer tudo direitinho, conforme mandei, Romero continua vivo. Se não fizer... — Correu o dedo pelo pescoço, como se o estivesse cortando com uma faca. — ...já era.

Eric levou a mão à boca, assombrado, sufocando uma exclamação de espanto, e apenas murmurou:

— Vou fazer como você mandou.

— Pense bem, queridinho do titio — debochou Rafael. — Mais vale uma bicha presa e viva do que largada no cemitério, você não acha?

Riu de sua piada sem graça e apertou a bochecha do sobrinho, levantando-se para ir embora. Quando ele já ia saindo, Eric ouviu um barulhinho, como se alguma coisa pequenina caísse ao chão, e só no dia seguinte veio a descobrir que era a miniatura de moto que Romero havia comprado para lhe dar de presente e que Rafael tirara de seu quarto enquanto dormia e deixara cair propositalmente ao lado de sua cama.

Na delegacia, o delegado tomou nota de tudo que Plínio lhe dissera, louco de vontade de pôr as mãos naquele safado, como chamara Romero. Pediu a Plínio que levasse o menino para fazer o exame de corpo de delito, assegurando-lhe que o médico perito era homem cuidadoso e procederia ao exame sem causar maiores danos à honra do menino. Como Plínio também era médico, embora não tivesse habilitação legal para aqueles casos, poderia acompanhar o exame pessoalmente, a fim de minorar o sofrimento da criança.

— Não se preocupe, doutor — disse o delegado, como se estivesse fazendo-lhe imenso bem em prender Romero —, acharemos o meliante. Não sabemos para onde foi, mas sabemos onde estuda e onde trabalha. Haveremos de encontrá-lo.

Plínio voltou para casa com o coração oprimido, com medo de estar cometendo uma grande injustiça. Quando chegou, Lavínia e Rafael estavam reunidos na sala, conjeturando sobre a pena que seria aplicada a Romero.

— O que está acontecendo aqui? — perguntou Plínio, mal ocultando a contrariedade que aquela cena lhe causava.

— Nada — disfarçou Lavínia. — Estávamos apenas conversando. E então? Como foi?

Ele a encarou com desgosto e respondeu com ar cansado.

— Precisamos levar Eric à perícia.

— Onde?

— No Instituto Médico Legal.

— Você quer dizer o IML, *aquele* IML? — rebateu Lavínia, horrorizada.

— Não conheço outro.

— Mas você não pode levá-lo àquele lugar. Será muito traumatizante para Eric.

— Foi você quem quis assim.

— Mas pensei que você mesmo fosse fazer o exame nele, acompanhado de um médico de nossa confiança, num consultório particular.

— Infelizmente, não é assim que a lei procede. O delegado mandou-me levá-lo ao IML o mais depressa possível, sob pena de sumirem os efeitos da violência. — Vendo o ar de desagrado de Lavínia, ele sugeriu: — Ainda está em tempo de desistirmos.

Um rápido olhar de Rafael foi suficiente para que Lavínia retomasse o controle sobre si mesma e rebatesse com uma quase fúria:

— Isso é que não! Aquele maldito tem de pagar! Venha, Plínio, vamos conversar com Eric. Você irá junto, não irá?

— Sim, o delegado deu-me essa autorização.

— Melhor assim. Não será tão difícil, se você o acompanhar. Se não, podemos pedir a Rafael que vá em seu lugar.

— De jeito nenhum! — rebateu Plínio, indignado. — Eric é meu filho, e sou eu quem vai estar ao lado dele nessa hora. E, depois, creio mesmo que ele não gostaria da companhia de Rafael.

Lavínia deu de ombros e foi ao quarto do filho ajudá-lo a se preparar, e Rafael também ia saindo quando sentiu a mão de Plínio sobre seu braço.

— Não pense que me engana, Rafael. Você pode enganar sua irmã, que é uma tola e confia cegamente no irmãozinho querido. Mas eu sei quem você é e estou de olho em você.

Com ar sarcástico, Rafael puxou o braço e falou ironicamente:

— Não sou eu que sou a bicha. Muito menos o pedófilo.

— Tenho minhas dúvidas.

Rafael não respondeu. Limitou-se a soltar um risinho debochado e foi para a beira da piscina. Não estava com vontade de trabalhar naquele dia e resolveu ficar para ver se Lavínia ia precisar dele para alguma coisa. Já havia mesmo perdido a reunião da manhã, e o cliente, na certa, arrumara outra firma.

O menino arrumou-se aos prantos. Estava assustado, com medo do que iria lhe acontecer. Plínio procurou tranqüilizá-lo da melhor forma que pôde, embora soubesse que ninguém saía sem marcas de uma ida ao Instituto Médico Legal.

Por sorte, ou talvez porque Plínio fosse médico também, o exame realizado em Eric foi rápido e o menos constrangedor possível. O médico que o examinou não o submeteu a interrogatórios desnecessários nem fez qualquer comentário que pudesse embaraçá-lo.

— Tudo bem, meu filho? — perguntou Plínio, já no carro, a caminho de volta.

— Tudo — respondeu Eric, choroso.

— Você não precisa sentir-se envergonhado. O que lhe aconteceu foi horrível, mas você vai superar.

— Vou virar veado também?

Plínio olhou-o penalizado e respondeu com compreensão:

— Só se você quiser.

— Tio Rafael diz que quem passa por isso fica viciado e vira veado. É o que vai acontecer comigo?

Plínio mordeu os lábios e procurou esclarecer:

— Seu tio Rafael não sabe de nada. Ninguém vira homossexual. Quem é já nasce assim.

— Mas tio Rafael disse que Romero ficou assim depois que foi violentado, como eu fui.

— Ele não ficou assim, meu filho. O atentado que Romero sofreu só serviu para despertar algo que estava adormecido dentro dele.

— Por quê?

— Não sei lhe dizer. Só sei que foi assim que Romero descobriu que era homossexual, não que se tornou um.

— Mas, se não fosse aquilo, ele jamais teria assumido o que é.

— Talvez. Cada pessoa reage à vida à sua maneira, e Romero

também encontraria a dele. Talvez vivesse a vida inteira infeliz sem se assumir, travando uma batalha impiedosa consigo mesmo. Talvez até viesse a se casar e ter filhos, só porque era isso que se esperava dele. Ou talvez ele tivesse descoberto sua homossexualidade de outra forma e a tivesse aceitado naturalmente. Não temos como saber como cada um descobre seu caminho.

— É errado, pai? Romero está cometendo algum pecado por ser homossexual?

— Não, Eric. Em minha opinião, nada que acontece na vida está errado. Apesar de não ser um homem religioso, acredito numa força maior que nós, que nos criou a todos e é muito mais sábia do que pensamos. E essa força não criaria nenhum tipo de armadilha para os homens só para vê-los em queda. Não acredito nisso. Quem criou o homem criou também a homossexualidade, e, se a criou, é porque achou necessário.

— Mamãe diz que não é natural.

— Sua mãe está ferida, com raiva.

— Ela também tem medo de que eu fique igual a Romero.

— Você não tem de se preocupar com isso. Seja o que for que vier a ser em sua vida, terá todo o meu apoio.

— Não quero ser como Romero, pai. Gosto das garotas.

— Então, não tem com que se preocupar.

— Mas... e se elas não gostarem de mim? E se meus amigos descobrirem o que me aconteceu e caçoarem de mim?

— Você não tem culpa do que lhe aconteceu. Ninguém tem. Mas não é isso que vai determinar as escolhas que vai fazer em sua vida. São as suas próprias tendências e necessidades.

— Mas tio Rafael diz...

— Não se impressione com o que seu tio diz. Ele é uma pessoa amarga e pouco confiável. Ainda não me convenci de que não foi ele quem fez isso a você.

— Já disse que não foi ele! — revidou Eric com raiva.

— Está bem, meu filho, não precisa se zangar. Se você diz, eu acredito. — Esperou alguns minutos e perguntou: — E Romero? O que você sente pelo homem que lhe fez mal? Está com raiva dele?

Como poderia? Romero não havia feito nada além de ser seu

amigo. Eric sentia imensa angústia pelo que estava prestes a lhe acontecer, mas lembrava-se bem das ameaças do tio. Temia não só por sua vida mas pela do próprio Romero. Achava que, se falasse a verdade, Rafael cumpriria a promessa e daria um jeito de matá-los, a ambos. Com o peito sufocado pela dor, começou a chorar e, olhos baixos, respondeu amargo:

— Não quero mais falar de Romero.

Plínio compreendeu sua dor e respeitou-a. Ainda não estava convencido, mas não tinha argumentos para refutar as afirmações de Eric. Talvez ele tivesse mesmo razão e Romero não fosse nada daquilo que ele pensasse ser. Ou talvez Romero apenas não conseguisse controlar seus instintos. De qualquer forma, se fora ele mesmo quem fizera aquilo ao menino, merecia punição.

capítulo

18

Assim que saiu da casa de Plínio, Romero foi para o centro da cidade e alugou um quarto numa pensãozinha barata. Não era nenhuma maravilha, mas era limpo e asseado. Ajeitou suas coisas no armário velho e recostou-se na cama, angustiado com os últimos acontecimentos. Ninguém mais do que ele lamentava a sorte do pequeno Eric. Como podiam pensar que fora ele o responsável por aquele ato abominável? Logo ele, que passara por situação semelhante?

Pensando nisso, não pôde deixar de sentir certa mágoa. Plínio jamais deveria ter acreditado naquela infâmia. Então não o conhecia? Não estava a par de tudo que sofrera na vida? A mentira de Eric, até que podia entender. O menino estava assustado, com medo de ser castigado pelo tio. Sim, porque Romero tinha certeza de que fora Rafael quem fizera aquilo. Lembrava-se de que, na noite anterior, estava dormindo quando pensou ter ouvido um barulho na porta. Olhou, mas não viu nada, embora tivesse ficado com a sensação de que alguém entrara em seu quarto, procurando alguma coisa, e saíra sorrateiramente. Só depois se dera conta de que Rafael devia ter entrado na surdina, procurando algo incriminador, e, achando o embrulhinho em cima da mesinha-de-cabeceira, tirara-o sem que percebesse. Só isso justificava o fato de a miniatura ter sido encontrada perto da cama de Eric.

Mas como faria para provar sua inocência? Além da palavra de Eric e da pequena moto, Romero era homossexual, o que, por si só, já parecia prova suficiente. Ninguém hesitaria em acreditar que fora ele o culpado, porque um homossexual, na cabeça dos ignorantes, era alguém sem moral e sem caráter. Ele sabia que isso não era verdade. Era homossexual, sim, mas não era um cafajeste. Era um homem decente. Estudava, trabalhava e só saía com rapazes adultos, responsáveis por seus próprios atos. Jamais se interessara por crianças. Não era tarado, e o corpo dos meninos não lhe despertava nenhum desejo. Como poderia? Eram crianças.

Eric, em especial, era seu amigo, o irmão mais novo que não tivera. Ao perder Judite, Romero sentira-se mais só do que nunca no mundo. Plínio fora muito bom para ele, cuidara de sua educação, fora compreensivo e carinhoso. Mas Eric era mesmo seu amigo. Romero sentia-se à vontade com o menino, nutria por ele uma afeição sincera e desinteressada, muito semelhante à que sentira por Judite. Como puderam pôr em dúvida seu afeto, conspurcar um sentimento que era puro e verdadeiro?

Apesar da decepção e do desgosto, precisava continuar vivendo. Faltavam poucos meses para se formar, e ele estava ansioso por começar a trabalhar. Já estava providenciando residência num hospital municipal, onde poderia ingressar na pediatria. Só então lhe ocorreu que, se alguém soubesse do ocorrido, jamais confiaria nele para levar-lhe os filhos. Diriam até que ele escolhera aquela profissão só para poder abusar dos meninos, o que seria uma infâmia. Mas era o que diriam, e ele não teria chances como pediatra. Começou a sentir-se inquieto, temendo por seu futuro. Embora não acreditasse que Plínio fosse procurar a polícia, sabia que corria grande risco de aquela história vazar, ainda mais com Rafael encarregando-se de espalhá-la para todo mundo.

Resolveu não pensar mais naquilo. De nada adiantaria sofrer antecipadamente. O jeito era esperar para ver o que iria acontecer e continuar tocando a vida. Desceu para comer alguma coisa por ali mesmo e voltou para o quarto. Tomou um banho e ligou o aparelho de televisão. Esperou um longo tempo até que a imagem aparecesse, em preto-e-branco e sem brilho. Passou o dia naquele quarto, sem coragem de sair para a vida, até que veio a noite e ele acabou adormecendo.

No dia seguinte, acordou bem cedo. Precisava estar no estágio às sete horas e correu para lá. Quando chegou, notou algo estranho na entrada do hospital. Havia um carro de polícia parado na porta, e um guarda conversava com o chefe dos estagiários. Ele hesitou e teve vontade de correr, mas ficou dizendo para si mesmo que aquilo nada tinha a ver com ele. Caminhou a passos vagarosos, tentando não olhar para a polícia, e foi se aproximando. Cumprimentou o chefe com um sorriso forçado e já ia entrando quando viu que o homem apontava para ele com o queixo. Imediatamente, dois policiais o cercaram, e ele foi colocado no carro, sem muitas explicações. Estava preso.

Na delegacia, o tratamento que recebeu foi o pior possível, chegando até a apanhar. Queriam que ele confessasse um crime que não havia cometido, mas ele resistia. Quando, finalmente, não agüentou mais levar pancadas, assinou a confissão. Ele sempre fora fraco e faria qualquer coisa para não sentir mais tamanha dor.

Trancafiaram-no numa cela, onde ele permaneceu por alguns dias, ao lado de prisioneiros da pior espécie. Ao saberem que ele estava sendo acusado de atentado violento ao pudor contra um menino de onze anos, os presos se revoltaram. Tinham um estranho código de ética e não admitiam estupradores ou violentadores entre eles.

— Olhem só — ironizou Carlão, um dos presos mais mal-encarados —, temos uma bichinha aqui.

Os outros presos riram e olharam para Carlão, ansiosos.

— Deixe-me em paz — rebateu Romero, timidamente.

— Ele pensa que é melhor do que nós — prosseguiu Carlão. — Só porque, além de veado, é filhinho de papai.

— Não penso nada. Não tenho nada contra vocês.

— Mas nós temos contra você, bichinha. Sabe o que é? É que nós não gostamos de molestadores.

Romero nem viu direito o que aconteceu. Rapidamente os homens se aproximaram dele e o seguraram, deitando-o no chão frio e áspero da cela. Rasgaram suas roupas e o violentaram. Ele ficou aterrado. Chorava e implorava que o largassem, mas os homens não ligavam para sua angústia. Para eles, estavam vingando a sorte do pobre menino, fazendo a Romero o que ele impiedosamente fizera ao pobre garotinho.

Esse fato se sucedeu por mais alguns dias. Os homens, revoltados, aproveitavam para saciar seus instintos em Romero, sob o pretexto de serem justiceiros. Na verdade, queriam apenas sentir prazer com o sexo violento e sádico. Nas primeiras vezes, Romero chorou muito. Mas depois acabou se acostumando e parecia não ligar mais. Suportava tudo com extrema passividade, quase que com apatia, o que acabou desinteressando Carlão e os outros presos. Finalmente, deixaram-no em paz.

O inquérito foi muito rápido, e logo o advogado de Plínio havia ingressado com a queixa-crime. Como Romero não tinha recursos, foi designado um defensor público para o caso. No dia seguinte ao ajuizamento da ação, ele foi visitado por uma moça de vinte e oito anos, dizendo-se sua defensora naquele caso.

— Muito prazer — cumprimentou ela secamente, colocando à sua frente os autos do processo de Romero. — Meu nome é Maria da Glória Soares Pimenta e fui designada para ser sua defensora.

Romero olhou-a incrédulo e contestou envergonhado:

— Olhe, doutora, não me leve a mal, mas não acha que, para meu caso, seria melhor um homem mais velho e experiente?

Maria da Glória fitou-o por cima dos óculos de aro de tartaruga e respondeu com firmeza:

— Para quem afirma aqui ser vítima do preconceito, até que o senhor está me saindo um belo de um preconceituoso, não acha?

O rosto de Romero corou violentamente, e ele começou a balbuciar:

— Sinto muito... Não queria ofendê-la. Perdoe-me mesmo. Mas é que uma mulher...

— Romero — cortou ela impaciente, sem lhe dar tempo de concluir sua frase —, não sei bem o que aconteceu neste caso. Só o que sei é que você está sendo acusado de violentar o filho de gente importante. Você é homossexual, já sofreu abuso antes, e as provas a seu favor não são das melhores. Não creio que você seja a pessoa mais indicada para julgar quem quer que seja.

Romero sentiu as orelhas arderem e teve vontade de pedir àquela mulher que saísse e o deixasse sozinho. Não precisava ser defendido por alguém tão arrogante. E, depois, estava na cara que ela também já o havia condenado, antes mesmo de o conhecer.

— Não quis ser grosseiro nem a estou julgando — desculpou-se ele, cada vez mais ruborizado. — É que pensei que cargos como esse fossem dados apenas a homens mais experientes.

— Pois pensou errado. Estou formada há sete anos e, há três, sou defensora pública. E ninguém me deu esse cargo. Fui aprovada em concurso público.

— Peço desculpas novamente por tê-la ofendido — repetiu ele com certa raiva, o que não era comum em seu comportamento. — Não quis ofendê-la, mas, se a senhora já vai começar a me defender com essa antipatia toda, achando que sou mesmo culpado, acredito que não dará muito certo.

— Quem foi que disse que eu o acho culpado?

— E não acha? Acabou de me acusar agora mesmo.

— Eu o acusei? Não me lembro de tê-lo acusado de nada.

— A senhora mesma disse que eu violentei o filho de um homem importante porque sou homossexual e porque já fui violentado também. Isso não é uma acusação? Ou melhor, um julgamento precipitado?

Ela tirou os óculos do rosto e fixou os olhos dele, falando com muita segurança:

— Em primeiro lugar, não o acusei de nada, muito menos o estou julgando precipitadamente. Em segundo, eu não disse que você violentou o menino porque é homossexual e porque também já foi violentado. Disse que você é acusado de ter violentado o garoto, que é homossexual e que já sofreu abuso sexual antes. Falei alguma mentira?

Romero corou de novo e tornou envergonhado:

— Peço que me perdoe novamente. Mas achei que a senhora pensasse como todo mundo.

— Quem pensa como todo mundo é você. Pensa que, só porque é homossexual, ninguém vai acreditar em sua palavra. Está sendo preconceituoso com você mesmo.

— Não é verdade! Sei que sou inocente, apesar de ter assinado uma confissão.

— Aquela confissão não tem valor jurídico nenhum. É muito fácil desacreditá-la em juízo, porque todo mundo sabe como são obtidas as confissões.

— Está me dizendo que acredita em mim?

— Não estou dizendo nada. Mas que mania você tem de querer adivinhar tudo que penso!

— Desculpe-me.

— Bem, voltando ao caso, vamos esquecer a confissão. Ela não é prova suficiente.

— Doutora — interrompeu Romero, agora com certo tom de angústia, e ela o olhou impaciente —, perdoe-me por perguntar. Mas tenho mesmo de ficar preso aqui? Este lugar é horrível. E os presos... fizeram-me tantas coisas...

Engoliu em seco e acabou por deixar escapar um soluço, sensibilizando imensamente o coração de Maria da Glória. Ela sentiu tremenda piedade dele, de sua fragilidade, do caminho que escolhera para sua vida, que o tornara culpado apenas por ser homossexual. Só naquele momento foi que se deu conta do que os outros presos lhe haviam feito e sentiu compaixão, não porque estivesse sendo preso e acusado, pois ela não sabia ainda se ele era inocente ou culpado, mas pela imensa injustiça por vê-lo atirado ali unicamente pelo fato de ser homossexual. Ele era uma alma sensível, podia perceber, e devia estar sofrendo muito com tanta brutalidade.

— Fique tranqüilo — falou com mais brandura. — Irei daqui direto ao juiz com um pedido de *habeas corpus*. Você é réu primário, estudante de medicina, embora sem endereço fixo.

— Estou morando numa pensão.

— Vai servir. Bem, acho que isso é motivo mais que suficiente para você ser solto. Desde que não fuja...

— Não vou fugir. Pode confiar em mim.

Naquele momento, um sentimento mais profundo começou a nascer entre Romero e Maria da Glória. Ela sentia que podia confiar no rapaz. Entrara ali com certa prevenção, imaginando que monstro poderia ter feito algo tão terrível a um garotinho. Mas, conhecendo-o, duvidava de que ele fosse mesmo culpado. Ele parecia tão frágil, tão sensível! Como alguém com aquela aura de sensibilidade poderia ter violentado uma criança? Resolveu que estudaria melhor o caso, em vez de preparar uma defesa formal e impessoal. Se Romero fosse inocente, ela queria descobrir. Se não fosse, deixaria a Justiça agir a seu modo.

capítulo 19

No astral, Judite assistia a tudo com o coração oprimido. Não fosse Fábio a seu lado, não teria conseguido manter-se em equilíbrio. Mas o espírito amigo ia encorajando-a e fazendo-a lembrar-se, a todo momento, de que nada na vida acontece em vão.

— Mas isso era necessário? — questionava ela, ainda tentando encontrar um meio de aliviar o sofrimento do irmão.

— Bem... sim e não. Nada que acontece no mundo é desnecessário. Por outro lado, Romero poderia ter optado por outros caminhos. Mas nada melhor do que a experiência para nos fazer conhecer e compreender os efeitos de nossos atos.

— Tem razão. Mas ele está sofrendo tanto!

— Sofre o que escolheu para si mesmo. Foi a opção dele, não para que sofresse, mas para que compreendesse. Só que nós, quando encarnados, estamos presos ao sentir da carne e medimos nosso sofrimento pelo que a atinge, seja física, seja emocional, seja mentalmente.

— Como assim?

— Fisicamente, reagimos à dor. Pancadas, escoriações, mutilações. Emocionalmente, sentimos tristeza, saudade, culpa, rejeição. Mentalmente, retemos lembranças difíceis, criamos ilusões e máscaras de comportamento para levarmos avante a personalidade que nos foi dada nessa vida. Tudo isso, embora se processe em níveis distintos de nossa consciência, acaba por refletir-se em nosso corpo físico. Tanto que adoecemos.

— É verdade...

— E isso porque não conseguimos enxergar além do mundo material. Quando conseguimos ver com os olhos da alma, vamos entendendo nossos processos. Para Romero, nesse momento, ele é vítima de uma trama e de uma injustiça. Para sua alma, ele apenas está acionando a roda da vida, fazendo com que se cumpra mais uma etapa em sua jornada de luta pela evolução. E, creia-me, Judite, nada acontece que não tenha sido escolhido ou aceito por ele. Porque ele quis, porque desejou, porque acreditou ser essa a melhor forma de aprender. Nada lhe foi imposto nem exigido. Ninguém quis castigá-lo nem o incentivou à autopunição. Foram suas culpas, seus medos, seus ódios que o fizeram escolher essa experiência. E seu desejo de mudar.

— Pobre Romero...

— Não diga isso. Ninguém é pobre quando está ganhando valiosos ensinamentos morais. Tudo que acontece é para nosso bem, se não nesta, em outra vida. Porque ninguém consegue escapar da vida espiritual. E é lá, quando deparamos com o que somos e com quem somos, que temos de acertar contas com nossa consciência. É ela que vai determinar o que já vencemos e o que ainda não.

— Sei que tudo na vida tem um porquê. Sei também que ninguém sofre por acaso. Sei de nossas escolhas e de tudo o mais. Mas Romero é meu irmão. Sinto pena dele.

— Pois não devia. Por que sentir pena de quem está crescendo? Agora pode não parecer, mas depois você verá os resultados. Quando ele se libertar das culpas que traz, do antigo vício da pedofilia, da total ausência de respeito por seus semelhantes, você me dirá se valeu ou não a pena. Nada como ser livre, Judite. E só seremos inteiramente livres quando nosso coração não se confranger mais diante das lembranças. No dia em que pararmos e olharmos para dentro de nós mesmos, evocando recordações de tempos idos, e isso não nos incomodar, aí, sim, já teremos nos libertado e estaremos prontos para viver novas experiências em outros mundos. — Fez uma pausa e mudou o tom de voz: — Mas ainda há outros espíritos sofrendo verdadeiramente, porque atirados num lamaçal de dor por sua ignorância e relutância em crescer.

— Quem? Alguém que eu conheça?

— Sim. Alguém que você conheceu de perto. Quer ver quem é?

— Não me diga que meu pai ou minha mãe desencarnaram!

— Não, seus pais vão muito bem, nos padrões que estabeleceram para si mesmos. É a outra pessoa que me refiro.

— Quem é? Quero vê-la.

— Então, venha comigo. Mas devo alertá-la de que iremos adentrar o mundo inferior, onde alguns espíritos ignorantes permanecem em profundo sofrimento.

Em questão de segundos, Judite viu-se numa caverna, no astral inferior, onde vários espíritos pareciam amontoados, gemendo, olhos vidrados. Alguns pareciam disputar alguma coisa, outros riam abobalhados.

— Mas o que é isso? — sussurrou horrorizada, agarrando-se ao braço de Fábio.

— Não se preocupe. Eles não podem nos ver nem ouvir.

Caminharam por entre aqueles corpos semimortos, até que chegaram a uma espécie de vala, onde alguns espíritos tossiam, como se estivessem engasgados com alguma coisa.

— O que eles têm? — indagou, entre aterrada e penalizada.

— São espíritos que desencarnaram em conseqüência das drogas e do álcool.

— Todos eles?

— Todos eles.

Nesse momento, Fábio avistou quem estava procurando. Jogado a um canto da vala, com uma seringa agarrada na mão, Júnior debatia-se. Judite fitou-o horrorizada. Mal o havia reconhecido.

— É Júnior! — exclamou, mais para si do que para Fábio. — Mas ele está muito mal!

— Muito mal mesmo. Ainda nem sabe que morreu.

— Depois desses anos todos, ainda permanece na ignorância?

— Sim. E, oferecendo-lhe drogas como recompensa, alguns espíritos se utilizam dele.

— Como assim?

— Pedem que ele perturbe encarnados. Como ele está num estágio de quase demência, nem se dá conta direito do que está fazendo. É levado de um lado a outro feito um autômato. Colocam-no junto a algum encarnado que queiram prejudicar, e ele fica ali, sugando as energias da pessoa. Depois, como pagamento, dão-lhe a droga que o mantém.

Judite sentiu imensa pena de Júnior. Naquele momento, pouco importava que fosse ele quem lhe houvesse tirado a vida. Sentiu o coração apertar-se e segurou a mão de Fábio, contendo nos olhos as lágrimas de compaixão.

— Não podemos ajudá-lo?

— Você pode.

— Eu?!

— Foi a culpa por havê-la assassinado que o colocou assim. Foi por remorso que ele aplicou aquela dose e se matou.

— Ele quis se matar?

— Intencionalmente, não. Mas assumiu o risco e responde como suicida.

— O que posso fazer para ajudá-lo?

— Por enquanto, reze por ele. Envie-lhe vibrações de amor e de perdão. Faça-o sentir que você não o odeia, que não lhe quer mal. Só quando ele acreditar em seu perdão é que conseguirá sentir-se digno de perdoar-se a si mesmo também.

— Não sei se posso fazer isso. Não me sinto capaz.

— Você ainda não o perdoou? Seja sincera.

— Já. Se não o tivesse perdoado, não estaria tão condoída.

— Pois, então, é o que basta.

— Não estou preparada para isso.

— Estamos sempre preparados para agir em nome do amor. Para ajudar, basta querer.

Voltaram à colônia espiritual. Judite estava impressionada. Jamais vira tanto sofrimento. Perto daqueles espíritos, Romero até que não estava tão mal. Podia estar sofrendo também, mas nada que não houvesse sido programado como parte de seu plano de crescimento. E, depois, estava assistido. Fábio estava sempre a seu lado, dando-lhe passes, encorajando-o com sonhos e pensamentos otimistas. Mas e Júnior? Não tinha ninguém por ele.

— Júnior não tinha família? — perguntou Judite de repente.

— Não. O pai era um bêbado e morreu cedo, atropelado. A mãe largou-o aos cuidados de uma tia e sumiu no mundo. Quando a tia descobriu que ele era homossexual, fez como seu pai fez com Romero e expulsou-o de casa. Júnior viu-se sozinho aos dezesseis anos. Virou garoto de programa, fez alguns biscates, arranjou uns empreguinhos suspeitos e de baixa remuneração. Até que aconteceu o que aconteceu.

— Pobre rapaz... Não é à toa que virou marginal.

— Vê, Judite, como nada acontece por acaso? Muitas vezes nem precisamos voltar a outras vidas para encontrar a causa de nossos infortúnios. E então? Está disposta a ajudá-lo?

— É claro que sim. Farei o que puder.

— Ótimo. Fico feliz.

Como precisava esperar que Júnior aceitasse sua ajuda, só o que Judite podia fazer por ele era enviar-lhe vibrações de amor, de paz, de coragem e, acima de tudo, de perdão. Todas as manhãs, aproveitando a energia renovadora do sol nascente, Judite sentava-se no jardim e irradiava para Júnior um pouco daquela luz.

E para Romero também.

capítulo 20

No mesmo dia em que Maria da Glória visitara Romero na prisão, ele fora solto. O juiz acatou o pedido de *habeas corpus*, pois ele era primário e tinha bons antecedentes, e Romero viu-se novamente livre. Nunca antes dera tanto valor à liberdade como naquele momento. Sentiu que era a coisa mais importante em sua vida e, estimulado por Judite e Fábio, decidiu que não deixaria de lutar por si mesmo. Afinal, não fora ele quem fizera aquilo. Não tinha de se entregar ao desânimo por estar sendo acusado de um crime que não cometera.

De volta à pensão, tomou um banho e foi descansar. Precisava estar apresentável quando reaparecesse no estágio. A bolsa era pequena, mas era só com o que podia contar. No dia seguinte, arrumou-se todo e partiu para o hospital. Entrou acabrunhado, temendo a reação das pessoas, e foi caminhando direto para seu posto, na pediatria. O médico encarregado dos estagiários daquele setor cumprimentou-o com ar de espanto, pediu licença e saiu. Voltou pouco depois, em companhia do diretor do hospital.

— Você é Romero Silveira Ramos? — perguntou o diretor, com cara de poucos amigos.

— Sou — foi a resposta lacônica de Romero.

— Venha comigo.

Romero seguiu-o em silêncio, sentindo os olhares de recriminação dos colegas e dos enfermeiros. Entrou em seu gabinete e sentou-se na poltrona que ele lhe indicara.

— Não sou homem de fazer rodeios — começou o diretor, carrancudo. — Por isso, vou direto ao ponto. Seu caso já é conhecido de todos aqui, e não creio que seja conveniente mantê-lo a serviço deste hospital.

— Mas, doutor...

— Não me interrompa, por favor. Ainda não terminei. — Romero sentiu as orelhas em fogo e baixou os olhos, enquanto o diretor prosseguia: — Não sei como uma coisa dessas foi acontecer justo em meu hospital. Mas não posso permitir que alguém como você mantenha contato com as crianças que são atendidas aqui.

— Doutor! — protestou Romero, indignado. — Não sou um monstro! Jamais tocaria numa criança.

— Não é o que parece.

— Não aconteceu nada entre mim e aquele menino. Posso lhe assegurar. Gosto de crianças, jamais lhes faria qualquer mal.

— Ah, não? — ele meneou a cabeça. — Nega que é homossexual?

— Não sei o que tem isso a ver... — revidou ruborizado.

— Tem tudo a ver! Se você não fosse um pederasta, não estaria sendo acusado de ter molestado um menino.

— O senhor tem razão. Se eu não fosse homossexual, ninguém pensaria em me acusar. Como sou, virei o culpado de todas as perversões do mundo.

— Não se faça de vítima. Ninguém mandou gostar de transar com garotinhos.

— Eu não transo com garotinhos! — objetou veemente, vermelho feito um pimentão. — Não sou nenhum marginal. Sou uma pessoa decente!

— Olhe, Romero, não quero entrar em discussões sobre o que é ou não ser decente. Mas o fato é que você é homossexual declarado e está sendo acusado de ter violentado o filho de um médico. Como espera que alguém confie os filhos a seus cuidados?

Já havia começado. O preconceito estava atirando sua rede, e o primeiro peixe a cair nela fora sua profissão. Em poucos segundos, Romero vislumbrou sua tão sonhada carreira de pediatra ir por água abaixo. O diretor tinha razão. Ninguém, em sã consciência, levaria seus filhos para ele cuidar. Teriam medo de que ele se aproveitasse de sua condição de médico e molestasse os meninos.

— Vai me mandar embora? — sussurrou vencido.

— Diante das circunstâncias, é a única coisa sensata a fazer. Você vai se tornar um médico! Devia pensar nisso e dar-se mais ao respeito. Você há de convir que já não fica nada bem um médico pederasta. Que dirá pederasta e pedófilo!

— Doutor... — suplicou, a voz embargada. — Não faça isso, por favor. Preciso desse emprego para sobreviver.

— Ora, vamos, meu rapaz. Isso nem emprego é. É apenas um estágio.

— Mas a bolsa é razoável. Estou me mantendo com ela.

— Não, não, sinto muito. Não é possível.

— Mas, doutor, o que vou fazer de minha vida? Fui solto porque estou estudando, tenho esse estágio e arranjei uma pensãozinha barata para morar. E se o juiz mandar me prender de novo?

— Não quero parecer insensível, mas isso é um problema que você mesmo terá de resolver. Não é por culpa minha que você está nessa situação. Cada um deve responder pelos seus atos.

— Mas eu não fiz nada!

— Isso é a Justiça que irá decidir.

— De que adianta a Justiça, doutor? O senhor já me condenou. O senhor e todo mundo. Só porque sou homossexual, acham que não presto. Mas não é assim. Sou um homem honesto, cumpridor de meus deveres, incapaz de fazer mal a quem quer que seja. Eu sei que sou assim. E o senhor não acredita em mim só porque sou homossexual. Não sou doente nem tenho nenhum tipo de peste.

— Pense como quiser, meu rapaz. Mas aqui você não fica mais. Passe no departamento pessoal e apanhe o resto de sua bolsa. E, para não dizer que não sou generoso, mandei que lhe pagassem a bolsa integral. Embora não tenha trabalhado o mês todo, vai receber como se tivesse.

Romero olhou para o diretor com profundo desgosto. No fundo, ainda esperava que ele agradecesse pela sua generosidade. Mas Romero apenas balançou a cabeça e saiu. Já se humilhara demais. Ainda assim, aceitou o dinheiro que ele lhe dera. Não era muito, mas Romero não estava em condições de recusar nenhuma ajuda.

Comprou o jornal a caminho da pensão e abriu-o, procurando nos classificados algo que lhe servisse. Havia poucos anúncios naquele dia, porque não era domingo. Depois de dar uma topada no meio-fio, fechou o jornal e fez o resto do caminho em silêncio.

Mais tarde, foi até a faculdade e trancou a matrícula. Estava no último semestre, mas Romero não sabia se conseguiria enfrentar os olhares do resto da turma. Nunca fora uma pessoa popular e não tinha muitos amigos. Pensou em sua família, tentando imaginar se eles já saberiam do ocorrido.

Ao receber a notícia, Noêmia chorara desconsolada, mas Silas nem queria ouvir falar no nome do filho. Sentia cada vez mais ódio por ele ter se tornado aquela aberração, como dizia. Apesar do medo, Romero resolveu ligar. Escolheu uma hora em que sabia que o pai não estaria e telefonou.

— Alô?

Era a mãe. Ele podia reconhecer sua voz cansada.

— Mãe? Alô, mãe! Sou eu, Romero.

Por uns instantes, Romero achou que ela ia desligar. Noêmia não respondera nada, e ele pensou que ela não queria falar com ele. Decepcionado, insistiu:

— Mãe, sou eu, Romero, seu filho.

— Sei quem é Romero — respondeu ela por fim, e Romero não saberia dizer se sua voz era de raiva, frieza ou medo.

— Fale comigo, mãe.

— Você sumiu. Há anos que não o vejo.

— O que você queria? Papai me expulsou de casa.

— Por que resolveu aparecer agora?

— Preciso de você. Estou encrencado.

— Já sei. Seu pai tem um conhecido que trabalha no fórum e tratou logo de vir contar a novidade.

— Por favor, mãe, me ajude. Estou arrasado.

— Por que fez aquilo, Romero? Por que não seguiu meu conselho e virou um rapaz direito? Viu no que deu?

— Não fui eu, mãe. Não fiz aquilo.

— Não dá para acreditar. Você é...

— Sou homossexual, mãe, não sou tarado nem criminoso. Quantas vezes tenho de repetir isso?

— O que você quer?

— Preciso de ajuda. Estou quase sem dinheiro.

— Lamento, meu filho, mas não posso ajudá-lo. Seu pai não quer.

Nesse momento, o espírito de Judite aproximou-se, atraído pelos pensamentos da mãe, que lamentava a perda dos dois únicos filhos. Fábio, que vinha junto, aproximou-se dela e deu-lhe um passe revigorante, e Judite soprou ao seu ouvido:

— Ajude-o, mãe. Ele é seu filho.

Recebendo as sugestões da filha como seus pensamentos, Noêmia respondeu:

— Gostaria de ajudá-lo, Romero. Mas seu pai...

— Papai não precisa saber — prosseguiu Judite.

— Não precisa contar a ele — retrucou Romero.

— Mas e se ele descobrir?

— Não vai descobrir — falou Romero, quase suplicando.

— Se descobrir, diga que agiu seguindo seu amor de mãe — orientou Judite.

— Não sei...

— Por favor, mãe! — implorava Romero. — Meu dinheiro está acabando. Preciso sobreviver.

— Devia ter pensado nisso antes de fazer o que fez.

— Mas não fui eu! Não fui eu! Por que ninguém acredita em mim? Só Judite. Se Judite estivesse viva, aposto como acreditaria em mim!

— Eu acredito nele, mãe — confirmou Judite. — Por que você também não acredita? E, mesmo que ele fosse culpado, não é seu filho? Ao aceitar recebê-lo como filho, não aceitou também todas as responsabilidades de mãe? Não se comprometeu a cuidar dele e orientá-lo pela senda do bem? E, depois, ajudá-lo não significaria compactuar com seus atos, ainda que ele tivesse feito isso. Você é mãe. Não deveria amá-lo acima de tudo e pelo resto da vida?

A saudade de Judite fez com que Noêmia quase que ouvisse as palavras da filha. Sentia, em seu coração, a súplica de ambos os filhos. Não sabia que a moça estava ali a seu lado, embora pudesse sentir sua presença.

— Pelo amor de Deus, mãe! — Romero começava a chorar. — Estou implorando. Só desta vez, ajude-me!

— Ajude-o, mãe — insistia Judite também. — Verá como isso lhe fará bem.

— Mãe! Diga alguma coisa, mãe! Por favor!

Romero chorava muito, e o coração de mãe de Noêmia falou mais alto.

— Está certo, meu filho — concordou por fim. — Diga-me onde está, e eu irei até aí. Não quero que seu pai nem desconfie de uma coisa dessas.

Ainda chorando, Romero deu-lhe o endereço da pensão. Ela anotou no caderninho e arrancou a folha, para que Silas não descobrisse.

— Amanhã, assim que seu pai sair para o trabalho, tomarei um ônibus e irei aí. Vou lhe arranjar algum dinheiro.

— Obrigado, mãe — soluçou Romero, agradecido.

Desligaram, e Judite beijou a mãe no rosto. Noêmia não sentiu o beijo, mas a saudade que sentia da filha intensificou-se. Olhou o papelzinho que tinha nas mãos e pensou em Romero. Por que tivera de perder os dois filhos de uma vez?

Assim que Silas saiu para o trabalho, Noêmia vestiu-se e preparou uma cesta de comida para o filho. Passou primeiro na Caixa Econômica Federal e sacou algum dinheiro da caderneta de poupança que ela e o marido tinham em conjunto. Em seguida, tomou um ônibus e foi para a pensão em que Romero se encontrava. Ele a estava esperando embaixo, na rua, e correu em sua direção logo que a viu, levantando-a no alto com um abraço.

— Mãe — murmurou enternecido, a voz embargada de emoção. — Como senti sua falta!

Ela acariciou seu rosto, em lágrimas, e respondeu emocionada:

— Como você cresceu! E que rapaz bonito ficou! Pena que está um pouco magrinho...

Romero beijou-lhe a mão e puxou-a para a pensão, subindo com ela para seu quarto. Ela estudou o lugar com olhar crítico, mas não fez nenhum comentário. Judite, a seu lado, em silêncio desencorajava-a de comentários desestimulantes. Em uma mesa, colocou a cesta e dela retirou o que levara. Um pouco de frango assado com farofa, pão, um pedaço de queijo, algumas frutas, uma garrafa de suco e um bolo de laranja que assara na véspera e escondera na cristaleira da sala, para que Silas não o visse.

— Isso tudo é para mim? — perguntou incrédulo.

— Imaginei que não estivesse se alimentando direito.

Ela tinha razão. Foi só quando se sentou e experimentou um pedaço do frango que ele percebeu o quanto estava faminto. Havia dias não comia nada decente e devorou o frango com farofa. Comeu uma banana de sobremesa e guardou o resto.

— Vou guardar para depois. Não sei quando terei chance de ver comida de verdade outra vez.

— Por quê, Romero? — perguntou ela, lutando para conter as lágrimas. — Por que teve de fazer isso?

— Não fiz nada, mãe. Não fui eu.

— Mas o menino falou que sim...

— Ele estava assustado. Falou o que mandaram.

— Quem? Quem o mandou falar uma barbaridade dessas?

— É o que vou descobrir.

— Ah! Romero, Romero. Por que não seguiu meus conselhos? Por que não largou esse vício e voltou para sua família? Você ficou um rapaz muito bonito. Podia se casar, ter filhos, levar uma vida normal.

Ele baixou os olhos e suspirou com tristeza. A mãe não conseguia entender. Jamais entenderia que casar e ter filhos, para ele, não seria uma vida normal.

— Não tenho nenhum vício, mãe — afirmou baixinho.

— E fazer o que você faz com outros homens não é um vício?

— Não, mãe. É só uma preferência.

— Pois essa preferência não é saudável.

— Está bem, mãe. Não quero discutir.

Apesar de desapontado com a incompreensão da mãe, Romero estava feliz porque ela viera. Já não se sentia tão só. Embora Noêmia nunca tivesse sido uma mãe decidida, jamais deixara faltar-lhe nada. Sempre fora carinhosa e atenciosa. Seu mal era que morria de medo do marido.

Após alguns minutos, Noêmia suspirou e observou:

— Já está ficando tarde. Preciso ir. Não quero que seu pai dê pela minha falta.

— Quando virá de novo?

— Não sei. Quando precisar de algo, ligue para mim. — Tirou o dinheiro da bolsa e colocou-o na mão dele. — Aqui está o dinheiro que me pediu. Não é muito, mas foi o que deu para arranjar.

— Como você conseguiu tanto assim? — tornou ele, espantado com as notas que virava em seus dedos.

— Saquei da poupança.

— Mãe!

— Seu pai não pode nem desconfiar. Sabe como ele é com aquele dinheiro. São as nossas economias.

Ele a fitou agradecido e correu a dar-lhe um beijo no rosto.

— Você é um anjo, mãe.

— Não sou, não. Sou apenas sua mãe.

Ela acariciou-o novamente e levantou-se. Desceram juntos, e Romero acompanhou-a até o ponto de ônibus. Estava mais tranqüilo. Aquela visita o confortara muito mais do que a comida e o dinheiro que ela lhe levara, porque ela lhe dera aquilo de que mais necessitava naquele momento: amor.

Dois dias depois, Romero teve de comparecer à primeira audiência de seu caso. Maria da Glória já havia chegado e aguardava-o.

— Como está, Romero? Nervoso?

— Um pouco.

— Pois não há com o que se preocupar. Você teve sorte: o juiz Vitório é muito humano.

— É preconceituoso?

— Não sei. Vamos descobrir agora.

Romero entrou cabisbaixo. Sentado a uma mesa, imponente, o juiz parecia-lhe Deus. À sua direita, um homem feio e carrancudo olhou-o com desdém, e Maria da Glória explicou que aquele era o promotor.

— É ele que vai me acusar? — quis saber Romero.

— Não. Ele só vai acompanhar o caso. Quem vai acusar você é o advogado do doutor Plínio, o doutor Antero Nunes.

Do outro lado da mesa, Plínio estava sentado ao lado do advogado, que Maria da Glória cumprimentou com um aperto de mão.

Sentaram-se, Romero evitando encarar Plínio. Foi quando Fábio se aproximou e soprou em seu ouvido:

— Não tenha receio de olhar para ele, Romero. Você não fez nada. É inocente. Não precisa evitar seu olhar.

Romero achava que aquele pensamento lhe aflorara espontâneo e concordou consigo mesmo. Ergueu os olhos, hesitante, e fitou Plínio de frente. O médico, sentindo o seu olhar, virou-se para ele e devolveu-o. Sentiu o coração enternecer-se e quase sorriu. Romero parecia-lhe um menino assustado e triste. Era tão frágil, com ar inocente e gentil. Como poderia ter feito uma coisa daquelas?

Quando a audiência começou, terminados os procedimentos preambulares, o juiz pediu a Romero que lhe contasse tudo que havia acontecido naquela noite.

— Cheguei da faculdade — começou ele —, e Dona Lavínia estava na sala. Ela foi esquentar o jantar para mim, e eu lhe mostrei uma miniatura de motocicleta que havia comprado para Eric. Depois do jantar, fui para meu quarto. Tomei um banho e fui dormir.

— Só isso? — tornou o juiz.

— Que eu me lembre, só.

O juiz havia se dado por satisfeito, e o advogado de Plínio fez-lhe algumas perguntas também. Por fim, chegou a vez de Maria da Glória.

— Excelência, gostaria que o senhor Romero nos dissesse onde colocou a miniatura.

— Pode responder à pergunta — disse Vitório a Romero.

— Na mesinha-de-cabeceira. Queria dá-la a Eric no dia seguinte.

— Tem certeza de que não a entregou naquele dia? — era Maria da Glória novamente.

O juiz olhou para ele, que respondeu:

— Absoluta.

— E como acha que ela foi parar no quarto de Eric?

— Como? — repetiu o juiz.

— Alguém a pegou.

— Quem? — foi o próprio juiz quem perguntou. — Quem você supõe que possa ter feito isso?

— Não sei.

— Não sabe ou não quer dizer?

— Não tenho certeza.

— Diga assim mesmo — incentivou o juiz.

Romero olhou para o advogado de Plínio. O médico havia se retirado da sala, de modo que não ouvisse seu depoimento.

— Fale, Romero — estimulou o espírito de Judite. — Não tenha medo de falar a verdade.

— Desconfio do tio do menino, Rafael.

— Mas isso é um disparate! — protestou o advogado. — O senhor está tentando se salvar acusando outra pessoa. Quanta indignidade!

Romero não disse mais nada. Sentia-se intimidado por aquele homem e pelo seu tom de voz agressivo. Talvez fosse melhor não falar mais aquilo. Ninguém iria acreditar nele mesmo. O juiz ainda tentou tirar mais alguma coisa de Romero, mas ele não quis responder, e a audiência foi encerrada.

— Por que não contou tudo? — perguntou Maria da Glória, quando já estavam do lado de fora.

— Para quê? Quem iria acreditar em mim?

— Não sei. Talvez o juiz acreditasse. A função dele é buscar a verdade.

— A verdade está do lado dos ricos e poderosos. Rafael é um rapaz de família rica e tradicional. Quem vai acreditar que ele violentou o sobrinho e colocou a culpa no pederasta enjeitado? Não lhe parece uma história por demais inverossímil?

— Nem sempre o que é verossímil é verdadeiro. A verdade, por vezes, se esconde sob a aparência do impossível.

— Pode até ser. Mas não vou me arriscar a ficar mais encrencado do que já estou.

— Você é muito estranho. Diz que é inocente, mas não quer se defender.

— Quero, sim. Só não quero acusar ninguém de algo de que não tenho certeza.

— Ouça, Romero: alguém violentou o menino. Isso está mais do que provado. A princípio, você parece ser o culpado. Mas, se não foi você, quem foi?

— Pergunte a Eric. Ele é o único que sabe. Além do violentador, é claro.

— Tem razão. Se alguém conhece a verdade, esse alguém é Eric.

— Vai falar com ele?

— Não. Seus pais não permitiriam. Mas talvez o juiz consiga fazer com que ele fale a verdade.

— Por que está fazendo isso, doutora?

— Porque sou sua defensora.

— Só por isso?

— E porque acredito em sua inocência. Ao tomar posse em meu cargo, jurei defender a justiça.

Movido por um impulso fraterno, Romero abraçou-a. Estava muito carente, e a amizade de Maria da Glória emocionou-o. Desde que aquele inferno começara, todos lhe voltavam as costas. Mas havia conseguido reaproximar-se da mãe e ganhara uma nova amiga. Até que as coisas não iam tão mal assim.

capítulo

21

Fábio e Judite acompanhavam tudo. Do mundo espiritual, tentavam alcançar a mente do juiz, assim como haviam feito com a defensora, incutindo-lhe pensamentos que revelavam a verdade. Com Maria da Glória, o efeito surtira rápido. Com o juiz, esperavam que não fosse diferente. Vitório simpatizara com o rapaz, achara-o um moço tímido e com ar decente. Teria mesmo sido capaz de uma atrocidade daquelas? Precisava descobrir. Interrogaria o menino e o levaria a falar a verdade. Não o intimidaria nem o pressionaria. Mas não era difícil a um magistrado extrair a verdade de uma criança.

Ao voltar da audiência, Plínio encontrou Lavínia e Rafael andando de um lado para o outro na sala, ansiosos por sua chegada.

— Até que enfim! — exclamou Lavínia, correndo para o marido. — E então? Como foi?

Plínio sentou-se no sofá e encarou-a com ar cansado.

— Como esperava que fosse? Constrangedor.

— Romero estava lá? — perguntou Rafael.

— O que você queria? Que ele não comparecesse e fosse preso de novo? É claro que estava lá.

— Não precisa falar com Rafael nesse tom — censurou Lavínia. — Não é ele o criminoso.

— Nem eu — respondeu Plínio rispidamente.

Levantou-se irritado e foi ao quarto de Eric. O menino havia retomado suas atividades normais e estava estudando. Voltara a freqüentar a escola, mas não conversava com ninguém sobre o que lhe acontecera. Estava triste, acabrunhado, evitando o contato com os amigos. Plínio entrou e sentou-se na cama, atrás dele.

— Olá, meu filho. Como está?

Eric soltou o lápis em cima do caderno e virou-se para ele, os olhos brilhantes das lágrimas que os umedeciam de quando em vez.

— É difícil, pai — desabafou, a voz embargada.

— Estão escarnecendo de você? Fizeram algum comentário maldoso?

— Não diretamente. Mas, por trás, sei que comentam e apontam para mim.

— Sinto muito, Eric. Deus sabe o quanto gostaria de ter evitado expor você a esse constrangimento. Mas sua mãe insistiu... E, depois, não acho justo um criminoso andar impune por aí. Eu não gostaria que isso acontecesse ao filho de mais alguém. Não concorda?

Eric apenas balançou a cabeça, evitando o olhar do pai.

— Não quero mais estudar lá — falou baixinho.

— Mas, meu filho, já estamos quase no fim do ano. Não seria melhor esperar um pouco mais?

— Não, pai. É muito difícil. Nem sei se vou conseguir passar de ano. Eu leio, leio e não entendo nada. E se for reprovado?

— Não faz mal. Se for reprovado, no ano que vem você se recupera.

— Todos vão me apontar na rua.

— Ninguém vai fazer isso. Não precisa se sentir envergonhado. Você não teve culpa.

— Ouvi uma conversa de alguns garotos maiores. Foi por acaso, na escola. Eles nem me viram. Mas sabe o que disseram?

— O quê?

— Que eu nunca mais serei o mesmo depois disso. Que já fui *arrombado*, e nada vai poder me remendar.

— Mas quanta grosseria! Quem são esses garotos? Vou falar com o diretor. Isso não pode ficar assim.

— Não, pai, por favor! Já é difícil saber que riem de mim. Vai ser pior se ainda me odiarem.

Plínio não sabia ao certo o que dizer. Já esperava por algo semelhante. Mas não podia simplesmente dizer ao filho que não ligasse ou que fingisse que não escutava nada. Aquelas palavras eram por demais aviltantes para serem ignoradas. O que poderia fazer? Eric tinha razão: falar com o diretor da escola para que tomasse uma providência seria pior. Só serviria para expor ainda mais o filho e provocar raiva nos outros garotos. E aí as humilhações e as chacotas seriam maiores, o que poderia ter efeitos desastrosos na cabeça do filho.

Vendo que o menino chorava, Plínio estendeu os braços para ele, e Eric aninhou-se em seu colo.

— Não quero que você sofra, meu filho.

— Não posso evitar. É muito difícil!

— Está bem. Olhe, se não quiser, não precisa mais ir à escola. Posso arranjar de você só aparecer nos dias de prova.

— Você faria isso?

— É claro. Vou amanhã mesmo conversar com o diretor do colégio. Com o dinheiro que pago, garanto que ele não irá se importar. Acha que consegue estudar em casa?

— Vou me esforçar.

— Se precisar, posso ajudá-lo. Sua mãe e seu tio Rafael também.

Plínio havia propositadamente tocado no nome de Rafael. Queria experimentar a reação do menino. Como era de se esperar, Eric encolheu-se todo e franziu o cenho, protestando veemente:

— Tio Rafael, não. Não preciso da ajuda dele.

— Por que não, meu filho?

— Porque não gosto dele.

Foi a resposta lacônica. Eric evitava falar sobre o tio, e Plínio já percebera isso. Para ele, aquele comportamento só tinha uma explicação. Eric tinha medo de acabar falando a verdade. Mas por quê? Na certa, porque Rafael o estava ameaçando. Tinha quase certeza disso.

— Não quer saber como foi a audiência de hoje? — indagou de súbito.

— Não... — hesitou o menino.

— Nem como vai Romero?

— Isso... não me interessa.

— Ele está muito abatido. Mais magro e muito pálido.

Plínio notou a sombra de tristeza que atravessou o olhar de Eric, deixando duas lágrimas caírem silenciosas. O menino, por sua vez, achando que devia dizer alguma coisa, retrucou com fingida raiva:

— Não tenho nada com isso.

— Tem certeza?

— Tenho. E não quero mais falar sobre esse assunto.

Com um suspiro profundo, Plínio deu um tapinha no joelho de Eric e levantou-se. Não queria forçá-lo a nada.

— Está bem, meu filho. Você é quem sabe.

Deu-lhe um beijo carinhoso na testa e saiu. Poucos minutos depois que ele se foi, a porta abriu-se novamente, mas dessa vez foi Rafael quem entrou. O rapaz acercou-se do sobrinho, que imediatamente sentiu o corpo retesar-se, e disse em tom de ameaça:

— Não se esqueça de nosso trato, Eric. O preço que irá pagar é muito alto para se arriscar.

— Não precisa vir aqui para me lembrar de nada.

— Será que não? Olhe para você! Está com cara de madalena arrependida.

— Deixe-me em paz! Já não basta o que você fez?

— O que seu pai veio lhe dizer, hein? Veio lhe falar sobre o coitadinho do Romero? Contar-lhe como a vida tem sido difícil para ele? Pois lembre-se de que será ainda muito mais difícil se você falar alguma coisa.

— Já disse que não vou falar nada!

— Calma, não precisa ficar nervoso. Vim apenas me certificar de que você está bem lembrado disso.

— Você é nojento!

— Ah! está ficando valente, é? A bichinha vai dar uma de macho agora, vai?

— Não sou bichinha! Você é que é! Uma bicha nojenta e covarde!

Rafael ergueu a mão para bater-lhe, mas recuou a tempo. Não podia perder a cabeça, ou poria tudo a perder. Tinha de manter o controle, dele e de Eric, até o fim. Se perdesse a calma, perderia também o domínio que mantinha sobre o garoto.

— Não sou bicha — protestou Rafael, olhos injetados de sangue. — Nunca dei o rabo por aí. Mas você... Você já, não é mesmo?

Eric era apenas uma criança. Espantado com o linguajar chulo do tio, desatou a chorar. Não sabia o que lhe responder.

— Vá embora... — soluçou. — Deixe-me em paz.

— Vou sim. Não tenho mais nada a fazer aqui. Já dei meu recado e espero que você o tenha entendido bem. Você entendeu? — Eric balançou a cabeça. — Ótimo.

Por que o tio não o deixava em paz? Desde quando o violentara, não passava um dia sequer em que não o atormentasse. Na maioria das vezes, não falava nada. Limitava-se a passar por ele e fazer um gesto de silêncio com o dedo. Outras vezes, passava o dedo no pescoço, como se o estivesse cortando, e Eric encolhia-se todo, de medo. Já não estava agüentando mais.

capítulo 22

Sozinho em seu quarto de pensão, o que mais Romero tinha tempo para fazer era pensar. Conseguira um emprego de frentista num posto de gasolina, mas foi despedido poucos dias depois, quando o gerente descobriu que ele estava sendo acusado de violentar um menino de onze anos. Depois, arranjou um lugar de estocador num supermercado, mas foi despedido na primeira vez em que teve de se ausentar, para ir à segunda audiência. Em todos os empregos que arrumava, acontecia sempre a mesma coisa: os patrões acabavam descobrindo seu caso e despediam-no. Era muito difícil esconder uma coisa daquelas.

Em sua solidão, voltou a pensar muito em Mozart. Fazia muitos anos que não tinha notícias dele. Por onde andaria? Teria já terminado seus estudos na Europa? Sentiu imensa saudade. Como o amara! Desde que ele partira, jamais conseguira se afeiçoar a alguém como se afeiçoara a ele. Tivera alguns relacionamentos, mas nada duradouro. Conhecera pessoas agradáveis, *gays* como ele, mas ninguém por quem pudesse realmente se apaixonar. Os anos iam passando, e seu coração ainda pertencia a Mozart.

Como o processo estava se arrastando muito, a mãe achou que era melhor não se falarem mais pelo telefone. Ficou acertado que ela o visitaria uma vez por semana, às segundas-feiras pela manhã. Levava-lhe então alguma comida, lavava e passava sua roupa, fazia-lhe companhia por algumas horas. Depois, voltava para casa e deixava-o sozinho com sua solidão.

Quando Noêmia entrou naquela segunda-feira, encontrou-o mais cabisbaixo do que nunca.

— O que houve, meu filho? — indagou preocupada, já lhe apalpando a testa. — Está doente?

— Não é nada, mãe.

— É, sim. Você está estranho. O que foi? Algo com o processo?

— Não. O processo vai caminhando.

— Mas como demora!

— A Justiça é demorada mesmo.

— Se não é isso, então o que é?

Romero ficou olhando-a, tentando imaginar se podia confiar a ela seu segredo. Embora a mãe estivesse mais atenciosa com ele e houvesse parado de recriminá-lo, ainda não o aceitava do jeito como ele era. Por vezes até parecia fingir que nada estava acontecendo, que ele não estava sendo processado e que não era homossexual. Uma ou duas vezes chegara a insinuar que tudo melhoraria depois que ele se casasse e tivesse filhos. Romero não dizia nada. Não queria magoá-la ainda mais e, por isso, escutava tudo em silêncio.

Mas ela era a única pessoa com quem podia contar. Era sua mãe, não lhe queria mal. Ao contrário, queria ajudá-lo. Só que a ajuda que ela lhe oferecia não era exatamente a que ele estava esperando.

— Mãe — começou ele a dizer cautelosamente —, se eu lhe pedisse um favor, você o faria?

— Depende. Que tipo de favor?

— Gostaria que encontrasse alguém para mim.

— Quem?

— Não vai se zangar se eu disser?

— Não. Quem está procurando? Alguém que eu conheça?

— É, sim, embora não o tenhamos visto por muitos anos.

— Quem é?

Ele titubeou por alguns segundos, até que respondeu com certa hesitação:

— É Mozart...

— O quê? Mozart? Ficou maluco? Por que quer encontrar o homem que desgraçou sua vida?

— Ele não desgraçou minha vida.

— Foi ele quem viciou você.

— Não sou viciado. E, depois, quem primeiro me iniciou nesta vida não foi ele. Foi Júnior.

— Não fale no nome daquele assassino na minha frente! Nunca mais repita o nome do animal que tirou a vida de sua irmã!

— Ele está morto.

— Espero que esteja queimando no inferno.

— Não quero falar de Júnior. Quero falar é de Mozart. Preciso saber onde ele está.

— Não faço a menor idéia. E nem faço questão de saber. Aquele moço foi um mal-agradecido; traiu nossa confiança bem debaixo de nosso nariz!

— Por favor, não seja rancorosa. Já se passaram tantos anos...

— Mas veja só no que deu. Você ficou assim até hoje. Não fosse por ele, não teria virado... virado... isso que você é.

Romero já estava arrependido de ter começado a falar. Devia ter imaginado que a mãe reagiria daquela forma.Soltou um longo suspiro e considerou:

— Está bem. Não vamos mais falar sobre isso. Eu só pensei que você pudesse me ajudar.

— Pois pensou errado. Não vou ajudar meu filho a se encontrar com nenhum marginal.

— Mozart não é marginal. É um artista e já deve estar famoso na Europa. Até você gostou da música dele.

— Isso não lhe dava o direito de fazer o que fez.

— Está certo, vamos mudar de assunto.

— Posso saber por que você quer encontrá-lo agora, depois de todos esses anos?

— Sinto falta dele. Ele era meu amigo.

— Bem sei a amizade que vocês tinham. Uma pouca-vergonha, isso sim!

— Já pedi para mudarmos de assunto.

— Acho bom mesmo. Não vou contribuir ainda mais com essa sem-vergonhice.

A muito custo, Romero conseguiu desviar o assunto. Por mais que Noêmia dissesse que não gostava de se lembrar do ocorrido, não parava de falar. Externava ainda sua indignação diante de tudo que acontecera. Parecia agora aceitar Romero melhor, desde que ele não tivesse nenhum parceiro nem tocasse no assunto. Romero era homossexual, mas ela bem podia fingir que não era.

Quando Noêmia chegou à casa mais tarde, Silas já havia voltado do trabalho. Ela levou tremendo susto ao vê-lo em casa tão cedo e pensou rápido numa desculpa para dar.

— Onde esteve? — perguntou ele, curioso.

— Fui à farmácia — respondeu rapidamente. — E você? Por que voltou mais cedo?

— Faltou água na escola, e as crianças foram dispensadas.

— Quer um café? Vou fazer um fresquinho.

Silas limitou-se a assentir. Achou estranho que ela tivesse ido à farmácia e houvesse voltado sem nenhum embrulho, mas não fez nenhuma observação. Estava conferindo a correspondência e indagou, mais para si do que para a mulher:

— Por que será que a Caixa não manda mais os extratos?

Noêmia gelou, mas conseguiu disfarçar e correu para a cozinha, rezando para que ele não perguntasse de novo. Não perguntou. Até aquele momento, Silas achava que o problema deveria ser do correio ou do próprio banco. Mais tarde veria o que estava acontecendo.

Depois que a mãe saiu, Romero ficou ainda mais pensativo. Pensava cada vez mais em Mozart, sem saber que o rapaz, recentemente de volta ao Brasil, também pensava em encontrar-se com ele. Jamais o esquecera. Perdera contato com ele por causa das circunstâncias, mas tinha esperanças de revê-lo e tornar-se, ao menos, seu amigo. Imaginava que ele pudesse estar compromissado com alguém, mas estava disposto a arriscar. Queria oferecer-lhe sua amizade.

Desconhecendo esse fato, Romero encheu-se de coragem e procurou, em sua caderneta de telefones, o número da casa de Alex, antigo namorado de Judite. Colocou o caderninho no bolso e desceu para telefonar. Parou num orelhão, enfiou as fichas e, dedos trêmulos, discou o número de Alex.

— Alô? — atendeu uma voz feminina do outro lado.

— Por favor, eu gostaria de falar com Alex — pediu, a voz hesitante.

— Ele não está.

— Quando posso encontrá-lo?

— Não sei. Talvez venha aqui no fim de semana.

— Quem está falando? É a mãe dele?

— É, sim. Quem fala?

— É um amigo da faculdade. É que estou precisando falar com ele...

— Bem, Alex está casado, se é que você não sabe. E não mora mais aqui. Mas costuma vir nos visitar aos sábados. Se quiser, pode telefonar para ele. Se não, deixe seu número, que darei o recado.

— Não precisa, obrigado.

Desligou. Então, Alex casara-se. Era mesmo de esperar, depois de tantos anos. Contudo, mesmo que tivesse conseguido falar com ele, o que lhe diria? Que estava sendo acusado de violentar uma criança e queria falar com Mozart? Alex lhe diria uns desaforos e bateria o telefone na cara dele.

Triste, voltou para a pensão. Seria melhor desistir daquela idéia. Mozart estava mesmo perdido para ele; não adiantava nada tentar encontrá-lo. E o que lhe diria? Escrever-lhe-ia uma carta, contando-lhe seus dissabores e pedindo-lhe para voltar? Não podia, não tinha esse direito.

Enquanto isso, Mozart também pensava em Romero. Havia desembarcado em Brasília e pedira notícias do rapaz, mas os pais não souberam lhe dizer. Tudo que sabiam era que Romero havia ido morar com o médico que o atendera, mas não sabiam o endereço. Também desconheciam o processo que o envolvia. A família de Alex, envergonhada com o que acontecera, nunca mais tocara no nome de Romero, e o caso acabou caindo no esquecimento. Só que agora Mozart não conseguia parar de pensar nele. Onde estaria? O que teria sido feito dele?

— Vá para o Rio de Janeiro — sugeriu o espírito de Judite, que em muito colaborara para que as lembranças de ambos se reavivassem. — Ainda não gosta dele?

Gostava. Mozart gostava muito de Romero. Por isso, resolveu partir à sua procura. Já era homem feito e viera ao Brasil em férias. Tinha tempo para procurá-lo sem ter de se preocupar com nada. Ficaria num hotel, para não envolver a família, e tentaria encontrá-lo sozinho. Se Deus ajudasse, conseguiria.

capítulo

23

Mais uma audiência estava para se realizar, e, dessa vez, Eric seria ouvido.

O dia ainda nem havia raiado quando o menino ouviu um ruído estranho em seu quarto e quase desmaiou de susto no momento em que Rafael pulou sobre ele.

— Nem um pio! — sussurrou o tio, tapando-lhe a boca com uma das mãos. — Só vim aqui para lhe dar um aviso: muito cuidado com o que vai dizer mais tarde.

Da mesma forma como veio, partiu. Eric ficou sozinho, fitando o teto escuro, com medo até de pensar. Não conseguiu mais dormir e ficou acordado até que a mãe viesse chamá-lo. Desde cedo, começou a passar mal. Sentiu dor de barriga, vomitou, chegou até a urinar nas calças. Estava apavorado.

— Não precisa se preocupar — tranqüilizou a mãe. — Fale a verdade e vai dar tudo certo. Não tenha medo de Romero. O juiz não vai permitir que ele o machuque mais.

Como dizer a ela que não era Romero que ele temia, mas o tio? Como contar que Romero nunca fora nada além de seu amigo, ao passo que Rafael, além de o violentar, aterrorizava-o todos os dias, ameaçando matar a ele e a Romero?

— Não tenho medo de Romero, mãe — admitiu.

— Você é um menino muito corajoso — elogiou Lavínia, beijando-o na bochecha. — E é um homem de verdade!

Não era. Eric não se sentia um homem. Sentia-se um menino,

uma criança frágil e indefesa. Por que a mãe exigia dele atitudes que estavam além de suas forças?

— Está pronto? — era a voz de Plínio, que chegara para buscá-lo. — Não devemos nos atrasar.

Lavínia ajeitou a gola da camisa do filho e deu-lhe novo beijo no rosto.

— Tem certeza de que ele precisa ir? — indagou ao marido, bastante aborrecida com aqueles procedimentos judiciais. — Ele já disse tudo à polícia. Vai ser difícil ter de relembrar e repetir tudo novamente.

— A defensoria insiste. É um direito seu.

— Mas que coisa! Que falta de sensibilidade.

— Não se esqueça de que foi você quem insistiu para que fosse assim. Ou pensou que Romero seria logo acusado, condenado e preso, sem nenhuma chance de defesa? Agora você não tem do que reclamar.

Pai e filho foram tomar o carro, enquanto Rafael os espiava da janela de seu quarto. Não queria aparecer diante do cunhado. Sabia que Plínio estava de olho nele e não queria que pensasse que ele estava pressionando o menino.

Quando a audiência começou, o juiz mandou que Romero saísse e começou o interrogatório, tendo a seu lado os espíritos de Judite e de Fábio.

— Eric, quero saber se você compreende bem o que está acontecendo aqui. Você compreende?

— Compreendo.

— Muito bem. Aquele homem que saiu daqui há pouco, o senhor Romero Silveira Ramos, está sendo acusado de haver violentado você. Isso é exato?

— Sim, senhor.

— Você mesmo o acusou, não foi?

— Foi.

— Pode me contar como foi que tudo aconteceu?

— Ele... ele... entrou em meu quarto... — começou a choramingar, e o pai abraçou-o.

O juiz mandou que trouxessem água para o menino. Esperou pacientemente até que ele bebesse tudo, para depois prosseguir:

— Sente-se bem? Podemos continuar? — O menino fez que sim.
— Muito bem. Do que você se lembra daquela noite?

— Eu... estava dormindo... ouvi um barulho... — soluçou e parou abruptamente.

— Era alguém?

Eric assentiu, e o juiz continuou:

— Quem?

— Ele...

— Ele quem?

— Ro... Romero... — gaguejou, em tom quase inaudível.

— Tem certeza?

Eric desatou a chorar novamente, redobrando o pranto de propósito. Queria que o juiz se comovesse e o liberasse daquele interrogatório. Não queria acusar Romero ali, diante do juiz, mas tinha medo de dizer a verdade. Se Rafael descobrisse, seria seu fim.

— Eric — tornou com calma o magistrado, apesar dos soluços do garoto —, não quero que pense que o estou obrigando a falar. Não é nada disso. Mas, se você disser a verdade, poderemos punir o homem que fez isso a você. Não deseja puni-lo?

Eric meneou a cabeça e baixou os olhos, agarrando o braço do pai.

— Excelência — protestou o doutor Antero —, está claro que o menino está transtornado e não tem condições de falar. Solicito que ele seja dispensado dessa situação tão penosa.

— Não concordo, excelência — objetou Maria da Glória. — O depoimento do menino é fundamental para esclarecermos os fatos.

O juiz olhou para ambos por alguns momentos e fitou Plínio, que abraçava o filho, tentando acalmá-lo.

— E o senhor, doutor Plínio? — dirigiu-se ao médico. — Como pai, o que diz?

Plínio teve de lutar com todas as suas forças para resistir à tentação de livrar o filho daquela situação embaraçosa. Mas sabia que somente ele poderia salvar Romero. Por mais que amasse e quisesse proteger o filho, não podia permitir que um homem inocente fosse condenado.

— Meu filho está muito nervoso — falou por fim —, mas não creio que isso deva obstruir a descoberta da verdade.

— Teremos então de adiar a audiência — determinou o juiz. — Está encerrada.

Juntaram suas coisas e saíram. Do lado de fora, Antero tornou indignado:

— Por que fez isso, Plínio? Deveria ter concordado com a dispensa de Eric. O juiz ia aceitar.

— O depoimento dele não é meio de prova?

— Os fatos já estão mais do que provados. Eric não precisava depor, a não ser por insistência da defesa. A doutora Maria da Glória insiste que foi outra pessoa que violentou Eric e acha que poderá provar com o depoimento do menino.

— Também acho — foi a resposta seca de Plínio.

No caminho de volta para casa, Eric seguiu em silêncio. Não tinha vontade de falar. Ver Romero ali fora extremamente embaraçoso. Eric não sabia se conseguiria sustentar aquela mentira por muito tempo. Sabia que não teria de contar nada na frente dele, mas o só fato de saber que o estaria prejudicando causava-lhe imensa dor.

Em casa, Lavínia correu para eles e abraçou o filho, beijando-o repetidas vezes nas faces.

— Meu menino — falou amorosa. — Como foi? Falou a verdade direitinho?

— Ele não falou nada — esclareceu Plínio. — Ficou nervoso, e a audiência foi adiada.

— Não me diga que ele vai ter de se sujeitar a isso de novo!

— Infelizmente, vai ter, sim.

— Mas que coisa maçante! Bem, não importa. Venha, querido, venha comer alguma coisa.

Levou o filho para a cozinha, a fim de preparar-lhe um lanche. Na sala, Plínio e Rafael haviam permanecido. O rapaz, desde que o cunhado entrara, não dissera uma só palavra. Podia-se perceber a tensão em seu semblante. Plínio também notou. Aproximou-se dele, que fingia ver televisão, e indagou:

— Não foi trabalhar hoje?

— Lavínia me pediu que ficasse e lhe fizesse companhia.

Plínio abaixou-se diante dele e encarou-o bem fundo nos olhos.

— Lavínia é uma tola, Rafael. Acredita em você e acha que o irmãozinho ainda é o bebê que ela segurou nos braços um dia. Mas você não perde por esperar. A verdade ainda virá à tona, e Lavínia há de descobrir o monstro em que você se transformou.

Apesar de intimidado, Rafael sustentou-lhe o olhar e respondeu com frieza:

— Tolo é você, se pensa que pode me acusar de algo. Não fiz nada, não sou culpado de nada. E não tenho culpa se seu queridinho é quem não presta. Tome cuidado, Plínio, pois está arriscado a chegar o dia em que Lavínia descobrirá aquilo em que *você* se transformou.

Plínio quase o esbofeteou. Segurou-o pelo colarinho, mas soltou-o a tempo. Não valia a pena sujar as mãos com aquele verme. Empurrou-o de volta para o sofá e foi ao encontro da mulher e do filho. Agora, mais do que nunca, estava certo de que fora Rafael quem fizera aquilo a Eric. Ele, apenas ele, era o culpado daquele crime. E iria pagar.

capítulo

24

Mozart retirou o fone do gancho e parou com o dedo sobre o disco do telefone, ainda em dúvida sobre se devia ou não tentar encontrar Romero. Os tios disseram-lhe que nunca mais ouviram falar dele, e Mozart, embora não acreditasse muito, não quis insistir. Por fim, tomou coragem e discou o número da casa do rapaz. Esperou alguns segundos, até que uma voz de mulher veio atender:

— Alô?

Assustado, Mozart não respondeu, e Noêmia continuou:

— Alô? Quem está falando?

Mozart desligou o telefone em silêncio. Por que não tivera coragem de falar? Do que tinha medo? Afinal, não fizera nada de errado. Se antes Romero era uma criança, agora já era um homem, e os pais não deveriam mais interferir em sua vida. Decidido, apanhou o telefone novamente e ouviu, pouco depois, a voz de Noêmia do outro lado da linha:

— Alô? Quem fala?

— Sou eu, Dona Noêmia — respondeu com hesitação. — Mozart...

Por alguns instantes, Noêmia pensou que houvesse entendido errado e retrucou perplexa:

— Quem!?

— Mozart... amigo de Romero... não se lembra de mim?

Lembrava-se muito bem, embora preferisse não se lembrar.

— O que você quer? — tornou ela, em tom agressivo.

— Desculpe-me incomodá-la, mas seria possível me dar notícias de Romero?

— Por quê? O que quer com ele?

— É que cheguei agora da Europa. Gostaria de revê-lo. Pode me dar seu telefone?

— Romero não tem telefone.

— E o endereço? Pode me dar?

— Não sei onde ele mora — mentiu. — E, por favor, não nos telefone mais. Silas não gostaria de saber que você ligou.

— Sinto muito... eu... não queria causar nenhum transtorno...

— Pois, então, faça como lhe digo: não telefone mais para minha casa. Não sei de Romero e, ainda que soubesse, não lhe diria. O que você fez a ele foi imperdoável.

Do outro lado da linha, Mozart sentiu o rosto arder e quase desligou o telefone. Seria possível que, depois de tanto tempo, eles ainda sentissem raiva dele? E Romero? Será que ainda não o haviam aceitado do jeito como era? Pelo visto, ele e os pais ainda continuavam sem se falar.

Contendo o desejo de desligar para fugir àquela acusação injusta, Mozart insistiu:

— Está bem, não ligarei mais. Mas a senhora podia anotar o telefone de onde estou?

— Para quê?

— Quem sabe, a senhora não se encontre com Romero por acaso e possa lhe dar meu número?

— Isso não vai ser possível.

— Ainda assim, não poderia anotar? Vamos, Dona Noêmia, não custa nada.

— Está bem — concordou, a contragosto. — Pode falar.

Apanhou a caneta na gaveta da mesinha de telefone e abriu o caderninho. Anotava ou não anotava? Pensou em não anotar. Não queria que Romero soubesse que Mozart estava de volta. Mas, estranho... Por que o filho fora perguntar pelo rapaz justamente no momento em que ele voltava ao Brasil? Teria tido alguma premonição? Pensando nisso, rapidamente mudou de idéia e tomou nota do número.

— A senhora anotou? — era Mozart novamente, preocupado com o silêncio repentino.

— Anotei. Mas não prometo nada. Não sei por onde Romero anda.

— Não faz mal. É só para o caso de a senhora encontrá-lo.

— Está certo. Bem, se é só isso...

— É só isso. Muito obrigado.

Mozart pousou o fone no gancho e ficou pensativo, evocando o tempo em que ele e Romero se encontravam diariamente. Desde que partira, não havia um só dia em que não pensasse nele. Depois de tudo que acontecera, principalmente da trágica morte de Judite, não conseguiram mais manter contato. Mesmo agora, as coisas pareciam difíceis. Noêmia dizia não ter notícias do filho, o que bem poderia ser verdade. Romero fora expulso de casa e estava vivendo na casa do médico...

O médico! Era isso. Romero fora acolhido pelo médico que cuidara dele no hospital. Então, se ele encontrasse o médico, encontraria Romero também. Vira-o apenas uma vez, quando fora despedir-se de Romero. Qual era mesmo seu nome? Não se lembrava muito bem, mas, ainda assim, tentaria descobrir. Tomou um táxi e foi para o hospital, torcendo para que o médico ainda trabalhasse lá. Já se haviam passado mais de dez anos, e tudo deveria estar diferente. De qualquer forma, precisava tentar.

No hospital, seguiu direto para a recepção e perguntou polidamente à enfermeira que estava atrás do balcão:

— Bom dia. Estou procurando um médico que trabalhava aqui há uns dez anos...

— Dez anos? Sinto muito, meu jovem, mas vai ser difícil. Eu não estava aqui há dez anos.

— Mas ele ainda deve trabalhar aqui.

— Não sabe o nome dele?

— Não me lembro. Só sei que atendia na emergência.

— Emergência? Hmm... deixe ver... Temos o doutor Paulo Sampaio...

— Paulo Sampaio? — Mozart pensou por alguns instantes e balançou a cabeça. — Não, não é esse.

— E o doutor Carlos Soares?

— Também não.

— Doutor Antônio Amorim Sobrinho? — Ele meneou a cabeça. — Doutor Plínio Portela? Doutor Vicente...

— Espere um instante! Plínio Portela... era isso! Era o doutor Plínio, agora me lembro. Foi esse nome que ouvi Judite falar.

A moça sorriu e foi consultar seus apontamentos.

— Ah! Que pena! — lamentou. — Hoje não é dia do plantão dele.

— E quando será?

— Deixe-me ver... Ah! Aqui está. Quinta-feira, ou seja, depois de amanhã.

— Ele continua no plantão noturno?

— Hmm... continua. O plantão da noite vai das oito horas até as oito da manhã seguinte.

— Obrigado.

— De nada.

Mozart saiu com o coração palpitante. Tinha certeza de que aquele médico poderia dar-lhe notícias de Romero. Quem sabe, até, ele ainda não estivesse morando em sua casa?

Enquanto isso, Noêmia chegava à pensão em que Romero vivia. O rapaz estava sentado em sua cama, um livro de medicina pousado no colo, quando ela bateu à porta. Sabendo que era a mãe, ele correu a atender. A mãe era a única pessoa que o visitava.

— Olá, mamãe — disse ele, beijando-a no rosto.

— Que cara é essa, meu filho?

— Estava lendo.

— Você parece desanimado.

Ele suspirou profundamente e tornou a sentar-se. Passou a mão pelos cabelos e baixou a cabeça, lutando para conter as lágrimas.

— Passei a semana toda procurando emprego. Não consegui nada.

— Nessa situação, é mesmo difícil. Você precisa primeiro se livrar desse processo.

— É o que estou tentando. A doutora Maria da Glória insiste no depoimento de Eric. Acha que isso vai ajudar.

— Deus queira.

Ela foi retirando da sacola as coisas que havia trazido, e, enquanto arrumava tudo em cima da pequena cômoda, Romero perguntou com jeito casual:

— Pensou naquilo que lhe pedi?

— Naquilo o quê?

— Sobre tentar encontrar Mozart.

Noêmia teve um sobressalto. Romero parecia sentir a proximidade do amigo, o que era muito estranho. Era muita coincidência. Romero começou a perguntar sobre Mozart justo no momento em que ele chegava da Europa e o procurava também. Haveria, por trás daquilo tudo, alguma estranha força movendo seus destinos? Com esse pensamento, pensou em lhe dizer que Mozart havia telefonado, mas mudou de idéia. Ainda não estava bem convencida de que aquela notícia seria realmente útil ao filho.

— Trouxe algum dinheiro para você — desconversou, colocando as cédulas sobre a cômoda, ao lado de um saco de biscoitos.

— Sacou da poupança outra vez?

— Foi.

— Mas papai vai acabar percebendo.

— Espero que não.

— Você é um amor — falou emocionado, abraçando-a com ternura.

— Eu apenas me preocupo com você. Embora seu pai o tenha renegado, eu ainda o tenho como filho. Ao longo desses anos, percebi que meu amor de mãe é maior do que qualquer coisa que você venha a fazer. Ainda não concordo com o que você faz... Juro que até tentei entender, mas, com seu pai martelando em minha cabeça, fica difícil!

— Não precisa se justificar, mãe. Estou feliz que tenha, pelo menos, me aceitado.

— Cansei de lutar contra isso. Gostaria muito que você se voltasse para o lado do bem e se casasse. Mas, se você não quer...

— Não estou do lado do mal, mãe. Sou uma pessoa direita. Estou até estudando para ser médico!

— É verdade... Bem, talvez seja isso mesmo o que importe nas pessoas, e eu não tenha ainda compreendido direito a verdade de

Deus. Seja como for, você é meu filho, e essa é a única verdade que me importa no momento.

Ele abraçou-a novamente e sentou-se na cama para comer o sanduíche que ela lhe havia preparado. Enquanto ia mastigando, perguntou novamente:

— E Mozart, mãe? Ainda não me respondeu...

— O que quer que lhe diga? Não sei dele e não tenho meios de saber.

— Mas você podia tentar.

— Não sei como. Quer que eu telefone para a família dele? Isso eu não vou fazer. Também tenho meu orgulho.

— Por favor, mãe, é importante. Não sei explicar, mas sinto que ele está próximo.

— Próximo? Como é possível? Ele foi para a Áustria.

— Isso foi há dez anos. Já deve ter completado os estudos. Quem sabe não está, agora mesmo, aqui no Brasil?

— Você está sonhando. É a solidão que o leva a crer em coisas absurdas.

— Por que absurdas? Mozart é um ser humano real. Não é nenhum absurdo que tenha resolvido voltar para a terra natal.

— Não pense mais nisso, Romero. Para não sofrer mais. Mozart sumiu no mundo, e não vai lhe fazer bem ficar pensando nele. Esqueça.

Embora silenciasse, Romero não esqueceu. Nem de longe desconfiava que Mozart havia telefonado para a mãe, mas algo lhe dizia que o rapaz não estava tão sumido assim. Quase que sentia sua presença, embora não soubesse explicar de onde vinha tanta certeza.

Talvez a mãe tivesse razão. Talvez a solidão o estivesse torturando-o a tal ponto que o fizesse imaginar coisas. Na certa, Mozart nunca mais voltaria ao Brasil, e eles jamais tornariam a se encontrar.

Do lado do astral, porém, Judite dizia-lhe que não. Seu espírito, que havia acompanhado toda a conversa, aproximou-se do irmão e soprou em seu ouvido:

— Não desanime de encontrar Mozart. Ele também o procura, e nós vamos ajudá-los a se reencontrarem.

Inexplicavelmente, Romero sentiu-se mais confiante. Era isso mesmo. Não havia nenhum motivo para ele crer que Mozart estivesse por perto, mas seu coração dizia-lhe que, em breve, voltariam a se ver. Romero lembrou-se de Judite e sentiu a saudade apertar-lhe o coração. Como gostaria que a irmã estivesse ali!

Na quinta-feira, muito antes de o relógio bater oito horas, Mozart estava parado no saguão do hospital em que Plínio trabalhava. Na recepção, fora informado de que ele ainda não havia chegado e pôs-se a esperá-lo. Quase às oito, Plínio entrou, cabeça baixa, carregando na mão sua maleta de médico. Mozart reconheceu-o logo que o viu. Embora dez anos se houvessem passado, ele continuava praticamente o mesmo. A não ser pelo ar cansado, não havia mudado em nada.

— Doutor Plínio? — perguntou Mozart, ainda hesitante.

— Sim — respondeu o médico, fitando-o curioso, puxando pela memória para lembrar-se de onde o conhecia.

— Não sei se o senhor se lembra de mim. Faz alguns anos que o conheci. Encontrei-o apenas uma vez...

— Mesmo? Em que posso ajudá-lo?

— É que sou amigo de Romero... Soube que ele está vivendo em sua casa.

Mozart percebeu que Plínio havia empalidecido e começado a suar frio. Teria acontecido alguma coisa a Romero?

— Como é seu nome?

— Mozart.

— Ah! Agora me lembro. Romero sempre falou muito em você.

— Quer dizer que é o senhor mesmo? Graças a Deus! Precisava tanto falar com ele! Pode me dizer onde está?

— Infelizmente, meu jovem, isso não será possível.

— Não? Por quê? Ele não mora mais com o senhor?

— Não. Faz alguns meses que Romero se foi.

— Para onde? O senhor não poderia me dar o endereço? Ele saiu da cidade? Mudou-se de país?

— Calma, rapaz, uma pergunta de cada vez. Em primeiro lugar, não lhe dou o endereço porque não sei onde ele está vivendo. Quanto a sair da cidade ou do País, tenho certeza de que ele continua aqui.

— Mas não tem idéia de onde ele está? Deve ter, ou então não afirmaria com tanta certeza que ele continua no Rio de Janeiro.

— Ouça, Mozart, sei que ele continua aqui porque está respondendo a um processo criminal em liberdade e está proibido de se ausentar.

— Processo criminal? — indignou-se o rapaz. — Mas por quê? O que ele fez?

— Lamento, mas não gostaria de tocar nesse assunto.

— Por favor, doutor, ajude-me. O senhor é amigo dele. Não pode tê-lo mandado embora só porque ele se meteu em alguma encrenca.

— E você? Por que o interesse depois de tantos anos?

— É que acabei de chegar ao Brasil...

— Por que não o procurou antes? Ele sentiu muito sua falta.

— Eu bem que tentei. Mas ninguém quis me dizer onde ele estava. Por isso, perdi o contato com ele. Só que agora estou de volta. Gostaria muito de vê-lo.

— Por quê?

— Por quê? Bem, gosto muito de Romero... somos amigos...

Plínio suspirou dolorosamente. Ouvira muito falar de Mozart e sabia quanto aquele rapaz havia sido importante na vida de Romero. E agora, vendo-o ali à sua frente, sentiu que podia confiar nele. O rapaz parecia estar dizendo a verdade, seus sentimentos pareciam genuínos. Ele gostava mesmo de Romero. Talvez pudesse ajudar.

— Venha comigo — falou incisivo, e Mozart seguiu-o.

Plínio levou-o para seu consultório e trancou a porta. Sentou-se defronte a ele e, sem mais rodeios, declarou:

— Muito bem, Mozart. Vou lhe contar o que aconteceu. Romero está sendo acusado de ter violentado um menino de onze anos de idade.

— O quê!? Mas isso é um absurdo! Uma calúnia! Romero jamais faria uma coisa dessas.

— Foi o próprio menino quem contou.

— Ele está mentindo! E o senhor deveria conhecer Romero melhor. Não podia ter acreditado numa barbaridade dessas!

— Acontece, Mozart, que o menino é meu filho.

Mozart quedou embasbacado.

— Seu filho? — repetiu atônito. — Mas como pode ser? Romero sempre foi um rapaz decente. O senhor sabe o que ele passou. Conhece sua história melhor do que ninguém.

— E é por isso que não acredito que tenha sido ele.

— Não? Não estou entendendo. Foi o senhor mesmo quem falou...

Plínio cortou-o e, em breves palavras, contou a Mozart tudo que estava acontecendo. O rapaz coçou o queixo e encarou o médico.

— Quer dizer então que o senhor não acredita mesmo que tenha sido ele?

— Não. Mas não posso provar. Ainda.

— Por quê? Como espera poder provar?

— Espero que meu filho nos diga a verdade. Ele está com medo de Rafael, mas talvez o juiz consiga fazê-lo falar.

Mozart fitou-o desgostoso. Agora, mais do que nunca, precisava encontrar Romero.

— Por favor, doutor, onde ele está?

— Quisera eu saber... Talvez sua defensora saiba.

— Quem é ela?

— Uma doutora Maria da Glória não sei de quê.

— Onde posso encontrá-la?

— Na defensoria pública.

— Irei até lá agora mesmo. Quanto antes encontrar Romero, melhor. Preciso lhe dar meu apoio, mostrar a ele que não está sozinho.

— Faça isso, meu rapaz. Torço para que você o encontre e o ajude a enfrentar esse momento difícil. E espero poder provar sua inocência.

— Ele é inocente, doutor, não tenho dúvidas disso.

Mozart saiu do hospital sentindo uma angústia sem fim. Por que permitira que o tempo e a distância os afastassem? Por que não insistira em encontrá-lo? Ele agora deveria estar sofrendo muito, pensando que não havia ninguém que se importasse com ele. Havia a mãe, mas ela dissera que desconhecia o paradeiro do filho. Estaria mentindo? Ou preferira não se envolver e fingia não ter conhecimento de nada?

Foi difícil trabalhar naquela noite. A figura de Mozart não saía do pensamento de Plínio. Depois de tantos anos, o rapaz resolvera aparecer, o que não deixava de ser uma pena. Por que não voltara alguns meses antes? Se tivesse aparecido há mais tempo, talvez Romero estivesse com ele, fora de sua casa, e nada daquilo tivesse acontecido. Mas as coisas não aconteceram daquele jeito, e ele precisava conformar-se.

Terminou o plantão e foi embora. Ao entrar em casa naquela manhã, Plínio logo percebeu que Rafael não havia ido trabalhar novamente. Já passava das dez horas, e ele estava tomando sol à beira da piscina. Eric, agora de férias, permanecia trancado no quarto, vendo televisão ou jogando *videogame*.

Foi conversar com o filho. Ele estava assistindo a um episódio de *Jornada nas Estrelas* e nem desviou os olhos quando o pai entrou.

— Olá, meu filho — cumprimentou Plínio, beijando-o nas faces. — Como estamos hoje?

— Bem...

— Por que não vai tomar um pouco de sol? Está fazendo um dia tão bonito!

— Não quero. Não tenho vontade.

— Seu tio está na piscina — falou de propósito. — Por que não se junta a ele?

Plínio percebeu que o corpo todo de Eric estremeceu, mas não fez nenhum comentário. Era evidente que o filho tinha medo de Rafael.

— Já disse que não quero — repetiu Eric.

— Gostaria de ir ao cinema?

— Com quem?

— Comigo. Se sua mãe quiser, também poderá ir.

— Tio Rafael também vai?

— Não, se você não quiser.

— Não quero.

— Então está certo. Vou dormir um pouco e, mais tarde, iremos ao cinema. Depois, poderemos lanchar e tomar um sorvete. Não é uma boa idéia?

— É.

Plínio beijou-o novamente e foi para seu quarto. Estava cansado, com sono e precisava descansar. Tirou a roupa, tomou um banho rápido e desabou na cama, sem nem falar com a mulher. Acordou com o pôr-do-sol e olhou pela janela. Ouviu um barulho de água e foi espiar. Lá embaixo, Rafael ainda se divertia à beira da piscina, mergulhando com uma garota.

— Olá, querido — disse uma voz atrás dele. — Dormiu bem?

Era Lavínia, que chegara sem que ele percebesse. Plínio virou-se para ela e abraçou-a.

— Muito bem — respondeu com um bocejo. — E você? O que fez durante o dia?

— Fui ao cabeleireiro.

— Por que não levou Eric junto?

— Ele não quis ir. Chamei-o para ir à piscina, mas ele se recusou terminantemente. Acho que vamos ter de colocá-lo num psicólogo.

— Talvez você tenha razão.

Ele não queria dizer que Eric estava com medo de Rafael e acabou concordando. Eric estava muito traumatizado, não só pela violência que sofrera, mas por estar sendo obrigado a mentir e a incriminar seu melhor amigo.

— Fiquei de levá-lo ao cinema hoje — continuou ele. — Não gostaria de nos acompanhar?

— É claro. Vou falar com Rafael. Tenho certeza de que também gostaria de ir.

— Por favor, Lavínia, não faça isso. Eric não iria gostar.

Apesar de contrariada, Lavínia não discutiu. Talvez fosse melhor mesmo que Rafael não fosse. Ele e o marido não vinham se entendendo muito bem ultimamente e, por mais que ela não acreditasse naquela versão de que fora o irmão quem violentara Eric, preferia não criar caso com Plínio. Depois que a verdade viesse à tona e Romero fosse preso, sua vida voltaria ao normal.

— Está bem — concordou. — Vou a seu quarto mandar que se vista.

A noite no cinema foi ótima. Assistiram ao filme e tomaram sorvete. Eric estava feliz, embora um tanto quanto acabrunhado. De volta à casa, foram dormir. Plínio deu uma espiada no quarto de Rafael e, constatando que o cunhado dormia, foi para a cama.

Na escuridão, Rafael abriu os olhos. Ouvira quando Plínio chegara e atirara-se na cama, apagando a luz do abajur. Sabia que o cunhado iria verificar se ele estava dormindo e ficou esperando.

Depois que Plínio saiu, aguardou ainda cerca de vinte minutos e então se levantou. Pé ante pé, foi ao quarto de Eric.

O menino havia acabado de adormecer quando sentiu a cama afundar e abriu os olhos, espantado. Ao deparar com o tio ali sentado, teve vontade de gritar, mas, a um gesto de silêncio de Rafael, ele se calou.

— O que você quer? — sussurrou o garoto no escuro, agarrando-se ao lençol.

— Soube que você não quis minha companhia hoje — respondeu sarcástico. — Posso saber por quê? Não somos amigos?

Acariciou o rosto de Eric, que recuou aterrado.

— Deixe-me em paz — suplicou, à beira das lágrimas.

— Não se preocupe, Eric. Não vou fazer nada. Não sou tolo. Só vim lhe dar um aviso. Você está me tratando muito mal. Sua mãe já percebeu e não está entendendo, ou finge que não entende. Mas seu pai sabe. Se você deixar escapar alguma coisa, vai se arrepender. Cumpro minhas ameaças, e aí a coisa vai ficar feia para seu lado. O seu e o daquela bichinha.

— Não falei nada.

— É bom que não fale mesmo. Estou de olho em você.

capítulo 25

Na defensoria pública, Mozart teve outra decepção. Como a Justiça estava em recesso de fim de ano, Maria da Glória não se encontrava, e ele não pôde obter o endereço de Romero. Mozart voltou ao hotel com o coração cada vez mais oprimido. Sabia que Romero estava próximo, mas onde encontrá-lo? Se ao menos a mãe dele soubesse...

Resolveu telefonar-lhe novamente. Ela devia saber de alguma coisa. Mozart discou o número de sua casa e aguardou que alguém atendesse. Dessa vez, porém, quem atendeu foi Silas. Mozart consultou o relógio e constatou que já era noite, hora em que Silas retornava do trabalho. Pensou em desligar, mas o desejo de encontrar Romero falou mais alto.

— Alô, seu Silas? — falou da forma mais cortês que podia. — Aqui quem fala é Mozart.

— Quem!? — foi a reação, igualzinha à de Noêmia. — Que Mozart?

— Amigo de Romero.

— Não conheço nenhum Romero.

— Por favor, seu Silas, preciso falar com Dona Noêmia.

Ele ia bater o telefone na cara de Mozart, mas, ao ouvir o nome da mulher, mudou de idéia. O que aquele pederasta podia querer com sua mulher?

— Noêmia não está — mentiu. — Pode falar comigo.

— Não... Pode deixar. Se é assim, prefiro ligar mais tarde.

— O que há, rapaz? Está de segredinhos com minha mulher, é?

— Não se trata disso. Mas é que o assunto é só com ela mesmo.

— Já disse que pode falar comigo. Eu e minha mulher não temos segredos.

— Obrigado, mas ligo depois.

— Escute aqui, moço! Não quero você telefonando para minha casa. Se tem algo a dizer, diga agora.

— É que... — titubeou — ...gostaria de dizer a ela que já sei de Romero.

— Sabe o quê?

— O que aconteceu a ele. Sei que está sendo processado.

— Isso por acaso é de sua conta?

— Não. Mas imaginei se ela não o estaria ajudando.

— Minha mulher não ajuda ninguém sem minha autorização! — berrou, a tal ponto que Mozart teve de afastar o fone do ouvido.

— Tudo bem, seu Silas, o senhor tem razão. Perdoe-me. Não vou ligar mais.

Desligou apressadamente, antes que Silas gritasse de novo, torcendo para que não tivesse causado nenhum problema a Noêmia.

Assim que Silas colocou o fone no gancho, Noêmia entrou na sala, trazendo uma tigela, que pôs na mesa do jantar. Com ela, estavam os espíritos de Judite e Fábio. Silas encarou-a desconfiado, e ela perguntou inocentemente:

— Quem era?

— Ninguém. Engano.

Embora não tivesse acreditado, Noêmia não perguntou mais. Percebera que ele havia demorado ao telefone, apesar de não ter ouvido o que dissera. Sentiu uma apreensão dominar-lhe o peito, mas tentou manter-se firme.

— O jantar está servido — falou secamente.

Silas sentou-se e esperou até que ela se sentasse e o servisse, para só então interrogar:

— Tem tido notícias de Romero?

— De Romero? — espantou-se. — Por que a pergunta?

— Responda-me apenas. Tem tido ou não notícias daquele safado?

Ela engoliu em seco e mentiu:

— Não.

— Tem certeza?

— Tenho.

— E de Mozart?

— De Mozart? Imagine, Silas, é claro que não. Mozart está na Europa.

— Digamos que ele tenha voltado. Será que não a procurou?

— A mim? E por que o faria?

— Para saber de Romero.

— Não sei de nada disso. Que eu saiba, Mozart está na Áustria, e Romero está sumido.

— E você não tem notícias de nenhum dos dois, não é?

— Já disse que não.

Ele pousou a colher no prato de sopa e olhou fixo nos olhos de Noêmia, o que a deixou deveras incomodada. Limpou os lábios com o guardanapo e disparou com mal contida raiva:

— Quero que me escute bem, Noêmia, que é para depois não dizer que não avisei. Se eu descobrir que você anda ajudando aquele veadinho do seu filho, coloco-a para fora de casa também, e você que vá viver na sarjeta com ele!

Judite aproximou-se mais ainda e quase que se colou ao corpo da mãe. Ela precisava reagir. Não era certo ser tratada como uma incapaz.

— Vamos, mãe, tenha coragem. Reaja! Ele não pode falar assim com você. Não é direito.

— Não gosto de brigas — pensou Noêmia. — É melhor não responder.

— Não precisa brigar — continuava Judite. — Apenas mostre-lhe que é preciso respeitar as pessoas. Você não é uma coisa, sem vontade ou sentimentos.

— Se responder, ele vai ficar ainda mais furioso.

— Não vai, não. Ele vai se espantar e vai parar para pensar. O que o estimula a ser arrogante e autoritário é sua passividade. Ajude-o, mãe. Ajude-o a se ver e a modificar esse temperamento difícil.

— Ouviu bem o que lhe disse, Noêmia? — era a voz de Silas, interrompendo o diálogo dela com o invisível.

— Agora, mãe! — incentivou Judite. — Responda! Coloque-se como gente!

— Ouvi, sim — respondeu Noêmia, um tanto hesitante. — Mas não precisa falar comigo desse jeito. Você não é o dono da verdade nem senhor de minha vontade. — Elevou o tom de voz, agora mais confiante. — Romero é meu filho, e, se eu quiser, vou ajudá-lo tanto quanto achar necessário. Quanto à ameaça de me colocar daqui para fora, isso não me assusta. Somos casados há quase trinta anos, e eu hei de ter meus direitos.

Era a primeira vez que Noêmia lhe respondia, o que deixou Silas deveras aturdido. Nem ela se reconhecia e ficou esperando que ele esbravejasse e gritasse com ela de novo. Mas Silas não fez nada disso. Olhou-a com indignação e retrucou:

— Não foi isso que eu quis dizer... Não vou realmente expulsá-la... — Com o rosto vermelho, explodiu: — Mas que droga, Noêmia! Só de ouvir o nome de Romero, fico fora de mim! Ele me deixa louco!

— Pois não devia — prosseguiu ela, inspirada pelo espírito da filha. — Romero é tão seu filho quanto meu. Devíamos ajudá-lo. Não somos seus pais? Não foi com isso que nos comprometemos?

— Comprometemos? Não me comprometi com nada. Não pedi para ter filhos!

— Mas teve. E é dever dos pais orientá-los pelo caminho do bem.

— Você está querendo dizer que Romero virou veado porque eu não o orientei direito? É isso, Noêmia?

— Não falei nem pensei nada disso. Romero é o que é por vontade própria, e não nos cabia direcionar seu destino. Mas nós deveríamos tê-lo mantido aqui em nossa casa, e talvez ele não estivesse envolvido nesse processo infamante.

— Ele deve arcar com as conseqüências do que fez. Ninguém mandou violentar o menino.

— Você não acredita nisso! Está apenas usando isso como desculpa para extravasar seu ódio. Por que odeia seu filho, Silas? O que foi que ele lhe fez?

— Ele é um pederasta, isso sim! Dormia com aquele sem-vergonha em nossa casa. Traiu nossa confiança.

— Nada disso teria acontecido se você não tivesse insistido em fazer dele o que você gostaria que ele fosse.

— Eu!? Gostaria que meu filho fosse homem. Será que isso é pedir demais?

— Pois deveria gostar que ele fosse um homem honesto e decente, e não apenas viril.

— Ora vamos, Noêmia, nenhum pai gosta de ter um filho homossexual.

— Isso, por si só, não é motivo para discriminar e renegar o próprio filho.

Silas jogou o guardanapo em cima da mesa e levantou-se bruscamente, quase derrubando seu prato no chão.

— Não estou entendendo você. Durante todos esses anos, concordou comigo. Posso saber o que aconteceu para mudar de idéia agora?

— Jamais concordei com você. Apenas lhe obedeci. Só que não sou uma boneca manipulável, Silas. Não sou marionete. Sou sua mulher, mãe de seus filhos, e tenho o direito de ter minhas próprias opiniões.

Ele não respondeu. No fundo, sabia que ela tinha razão, mas o orgulho não lhe permitia concordar com ela. Remoendo a raiva, deu-lhe as costas e saiu batendo a porta. Noêmia permaneceu sentada, sem se mover. Sentiu uma estranha emoção tomar conta de todo o seu corpo. Era como se, naquele momento, estivesse se libertando das amarras às quais vivera atada por toda a vida. Silas sentira-se intimidado, ela percebera. Dera importância ao que ela dissera, o que era uma sensação nova para ela. Nunca, em toda a vida, tivera voz ativa para nada. Ele nunca a escutara, e ela não tinha direito de ter opinião própria. Mas, agora, não. Impusera sua vontade e ele se espantara. E não tivera coragem de enfrentá-la.

Agora ela sabia. Era uma mulher, uma pessoa digna, que tinha direito de ser respeitada. Tinha o direito de ser ela mesma.

No ônibus para casa, Noêmia ia pensando. Acabara de visitar o filho na pensão e estava angustiada. Romero andava triste, cabisbaixo, sentindo-se extremamente só, sem amigos nem ninguém que o pudesse entender. Além dela, não havia mais ninguém no mundo disposto a ajudar. Ninguém, a não ser Mozart. Desde a última vez que telefonara e falara com Silas, nunca mais dera sinal de vida. Teria desistido de Romero? Teria voltado para a Europa, desiludido e certo de que nunca mais se encontrariam? Noêmia começou a pensar. Não concordava com aquele meio de vida do filho, mas agora se sentia em dúvida sobre o que seria o certo e o que seria o errado. Gostaria muito que Romero tivesse se casado e lhe dado netos, mas será que valeria a pena um casamento sem amor? O filho não dava para aquilo. Ele mesmo dizia que não havia jeito de gostar de mulheres. Como então pretender obrigá-lo a desposar uma e, pior, ter filhos com ela, filhos que acabariam sofrendo imensamente quando, mais tarde, a verdade viesse à tona? Ou será que Romero conseguiria viver a vida inteira fingindo ser o que não era? Mesmo que conseguisse, seria isso o ideal? Será que valeria a pena fingir que ele era igual a todo mundo, só para manter a aparência que a sociedade exigia, e viver infeliz? Já não estava bem certa.

Os pensamentos de Noêmia voltaram ao passado, à época em que Romero, recém-entrado na adolescência, sofrera aquela violência. Desde então, nunca mais fora o mesmo. Durante muito tempo, Noêmia quis acusar Júnior, e depois Mozart, pelos desvios do filho. Mas agora via que eles não podiam ser responsáveis pela escolha que Romero fizera de sua vida. Romero era o que era e teria sido o mesmo, ainda que Júnior ou Mozart jamais houvessem atravessado seu caminho.

Só que agora ele estava enfrentando um processo criminal sério. É claro que tudo isso acontecera porque ele era homossexual. Não que ela acreditasse que Romero houvesse violentado o garoto. Pelo que conhecia de seu filho, sabia que ele seria incapaz de uma atitude daquelas. Era o preconceito contra sua homossexualidade que fazia com que todos acreditassem que ele era o culpado. Mas, como Romero mesmo dizia, ele era apenas um homossexual, não um criminoso ou marginal. Era diferente, ela sabia. Romero sempre fora um bom filho, estudioso, educado, honesto, de bom coração. Será que todas essas qualidades haviam se apagado só porque ele escolhera outra forma de se relacionar sexualmente?

Por mais que Silas insistisse em que Romero não era um rapaz digno, ela não conseguia concordar. Por muito tempo, vivera à sombra do marido, pensando o que ele pensava, desejando o que ele queria, fazendo o que ele mandava. Repudiara o filho porque Silas assim determinara, e ela, embora desgostosa e contrariada, não teve coragem de enfrentá-lo. Mas isso agora havia acabado. Não que ela de repente, de uma hora para outra, virasse uma mulher ousada e atrevida. Também ela não ia tentar ser o que não era. Sempre fora mulher calma e pacífica, mas agora estava conseguindo ver a grande diferença que havia entre a pacificidade e a passividade. Precisava continuar pacífica, mas jamais voltaria a ser passiva. Afinal, não fora justamente isso que lhe tirara a paz?

Como se isso não bastasse, havia o amor. O amor não devia estar atrelado a esse tipo de coisa. Achava mesmo que o amor não devia estar atrelado a nada. Amor é um sentimento, não uma equação que deva ser resolvida à base da lógica. Fulano é um bom rapaz, logo é digno de ser amado. Já o outro não é, portanto não merece o amor. Para amar, basta sentir. Só isso. Não é preciso explicação, nem justificativa, nem motivo. O amor é simplesmente o amor.

Noêmia agora compreendia isso. Ainda mais ela, que era mãe e amava seus filhos desde quando nasceram. Perdera Judite havia alguns anos, e só agora conseguia compreender também a filha. Judite sempre amara Romero e nunca se importara com o que ele era. Para ela, o que contava era o sentimento. Em sua curta vida, tentara dizer-lhe isso, mas ela não entendera. Estava surda a qualquer coisa que não fosse a voz do marido.

Só que agora entendia. Entendia e iria fazer tudo que estivesse a seu alcance para não perder Romero tal como perdera Judite. A filha partira, e, se havia algum lugar para onde os espíritos bons iam, devia ser lá que ela estava, porque Judite sempre fora uma pessoa boa, e Noêmia acreditava que a filha estaria sendo ajudada por alguém. Mas o filho ainda vivia entre eles. Ela tinha tempo de reconquistá-lo.

Entrou em casa decidida. Silas ainda não havia voltado do trabalho, de forma que ela poderia agir sem maiores problemas. Apanhou o caderninho dentro da bolsa e tirou o fone do gancho. Sem hesitar, discou o número que Mozart lhe dera. Uma voz metálica atendeu do outro lado da linha, e ela pediu que a ligassem com o quarto do rapaz. Em poucos instantes, ele atendeu.

— Mozart? — indagou ela. — Aqui quem fala é Noêmia, mãe de Romero.

— Ah! Dona Noêmia, como vai? — replicou ele, ansioso.

— Vou bem. Estou ligando porque gostaria de saber se você ainda quer se encontrar com Romero.

— Se quero? Mas é claro que quero! A senhora sabe disso.

— Eu sei. Vou lhe dar o endereço. Quer anotar?

— Só um instante — Mozart correu a apanhar lápis e papel. — Pode falar.

Noêmia deu-lhe o endereço e explicou direitinho a Mozart onde ficava a pensão.

— Anotou tudo?

— Tudinho.

— Então vá. Ele ainda não sabe que você chegou ao Brasil. Vai ficar feliz.

— Obrigado, Dona Noêmia!

Mozart desligou e arrumou-se correndo. Tomou um táxi e deu ao motorista o endereço da pensão. Não demorou muito, e logo chegaram. O jovem saltou, cumprimentou o homem da recepção com um aceno de cabeça e subiu os degraus de par em par. No segundo andar, foi andando pelo corredor, com o papel na mão, procurando o quarto de Romero. Até que o encontrou. Parou à porta, indeciso, encheu os pulmões de ar e bateu.

Do lado de dentro, Romero assustou-se com aquelas batidas. A mãe saíra dali havia pouco, e ele não esperava a visita de mais ninguém, ainda mais àquelas horas. Encostou o ouvido na porta, mas não ouviu nenhum barulho do lado de fora. Inseguro, perguntou:

— Quem é?

Ouvindo aquela pergunta, proferida numa voz tão incerta e sumida, o outro respondeu:

— Sou eu, Romero. Mozart...

Nem precisou dizer mais nada. Reconhecendo-lhe a voz, Romero escancarou a porta. Não havia dúvida. Era mesmo Mozart quem estava parado ali, na sua frente, olhando-o com um misto de saudade e arrependimento.

— Mozart... — sussurrou. — Que milagre o trouxe aqui?

— Sua mãe. Ela me deu seu endereço, e eu vim.

— Você sumiu... Pensei que não quisesse mais me ver.

— Eu tentei. Fiz de tudo para encontrá-lo. Mas o destino não quis.

Calou-se, a voz embargada, e Romero abraçou-o comovido, escondendo o rosto em seu ombro, chorando feito uma criança. Não podia crer que, depois de tantos anos, Mozart estava ali novamente. O outro gentilmente empurrou-o para dentro e fechou a porta, estreitando-o num abraço amoroso e amigo.

— Como senti sua falta! — desabafou Romero entre soluços. — Só Deus sabe quanto senti saudade sua!

Com extremo cuidado, Mozart sentou-se ao lado de Romero na cama e permitiu que ele extravasasse o pranto. Ele precisava chorar. Estava passando por momentos difíceis, e o pranto aliviava a dor. Chorou por quase meia hora, agarrado ao pescoço de Mozart, sem conseguir falar. Apenas sentia o puro afeto que emanava do outro.

Depois que se acalmou, conseguiu falar com mais clareza. Os dois estavam felizes com o reencontro, e Mozart pediu a Romero que lhe contasse direitinho o que havia acontecido. Em detalhes, Romero contou tudo, desde o dia em que fora morar com Plínio, após a morte de Judite, até quando toda aquela desgraça acontecera. Mozart ficou revoltado com a atitude de Rafael, mas concordava que o melhor seria provar a inocência de Romero.

— É o que estou tentando fazer. E a doutora Maria da Glória espera que Eric conte a verdade ao juiz.

— Quando será a próxima audiência?

— Daqui a um mês, mais ou menos.

— É muito tempo. Você não pode continuar morando aqui até lá. Arrume suas coisas e vá comigo para o hotel.

— Você acha isso conveniente?

— Por que não?

— Talvez a doutora Maria da Glória não ache.

— Tem razão. É melhor falar com ela primeiro. Mas ela está de férias.

— Como você sabe disso? Você a conhece?

— Não, não conheço. Mas ouvi falar a seu respeito.

— Como? Quem lhe disse?

— Desde que cheguei, venho tentando localizá-lo. Primeiro,

procurei sua mãe. Não obtendo sucesso, fui atrás do médico com quem você morou. Eu sabia o hospital em que ele trabalhava e parti para lá.

— Você falou com o doutor Plínio?

— Falei, sim. Foi ele quem sugeriu que eu procurasse a defensora pública. Está muito preocupado com você.

— Não acredito. Foi ele quem abriu esse processo contra mim.

— Acho que ele foi obrigado. Mas ele não acredita que você tenha feito isso. Também desconfia do cunhado.

— Ele lhe disse isso?

— Disse. E também espera que Eric fale a verdade. Ele gosta muito de você, e me pareceu que estava sofrendo muito. Está ansioso para esclarecer tudo.

Romero sentiu-se duplamente feliz. Encontrara Mozart, em quem vinha insistentemente pensando, e agora ele lhe dizia que Plínio não acreditava que ele fosse culpado. Isso também era motivo de alegria. Gostava de Plínio como se fosse seu pai e ficara muito triste ao imaginar que ele estivesse acreditando que ele fora capaz de machucar Eric. Não bastasse o fato de que não era pedófilo, Romero amava o menino profunda e sinceramente, e jamais faria algo que pudesse magoá-lo. Não o faria a ele nem a nenhuma outra criança.

Do lado do astral, Judite e Fábio, de mãos postas, irradiavam fluidos de amor e esperança pelo ambiente. Deram um passe em Mozart e outro em Romero. A moça beijou o irmão na face e sorriu para Fábio.

— Mais uma etapa cumprida — disse o espírito.

— Sim. Minha mãe está conseguindo se libertar da prisão psíquica em que meu pai a colocou e tenta ser ela mesma. Mozart, finalmente, encontrou Romero. Em breve, o processo criminal chegará ao fim, com vitória de meu irmão, acredito, e tudo estará terminado. Apenas meu pai não consegue enxergar.

— Tudo tem sua hora, Judite. Seu pai ainda é um espírito muito empedernido. Vamos rezar para que ele também compreenda e aceite.

De mãos dadas, os dois espíritos afastaram-se, deixando Romero e Mozart a sós com seu amor e seus carinhos.

Quando Maria da Glória voltou das férias, faltavam poucos dias para a audiência de Romero. O rapaz fora procurá-la em seu escritório, acompanhado de Mozart. Maria da Glória foi apresentada a Mozart e ficou surpresa ao saber que ele era um músico famoso na Europa.

— Não acho que seja uma boa idéia você ir morar com um rapaz nesse momento — aconselhou ela. — Lembre-se de que você só foi acusado porque é homossexual. Não quer fazer parecer que estava louco para se atirar nos braços de outro homem, quer?

— Não.

— Pois, então, espere um pouco. Quando tudo terminar, você poderá levar sua vida normalmente.

— Doutora — interveio Mozart —, não gostaria que a senhora pensasse mal de nós. Romero e eu nos conhecemos há muitos anos e sempre nos amamos. Não quero que pareça que nossa relação é algo sujo ou imoral.

— Não estou dizendo isso. Mas é o que as outras pessoas vão dizer. Vocês, mais do que ninguém, devem saber o que é ser discriminado pelo preconceito.

— Sabemos...

— Pois, então, compreendam. Todo mundo vai acusar Romero de tarado, vão dizer que ele não pode passar sem homem e sem sexo. E o advogado do doutor Plínio vai se utilizar disso como uma arma. Fará parecer que Romero está desesperado para continuar transando com seus homens, tanto que nem liga para o que aconteceu e já foi viver com outro. Não. É melhor que Romero permaneça sozinho.

— Sei que tem razão — concordou Mozart. — Mas é importante que ao menos a senhora saiba que nós não somos imorais.

— Eu sei. Eu tive de aprender que ser homossexual não significa ser imoral ou criminoso. Aprendi isso com Romero, se você quer saber. Até então, eu também fazia uma idéia meio errada de vocês.

— É? — indignou-se Romero. — Como assim?

— Bem, perdoe-me, Romero, mas eu achava que os homossexuais eram pessoas sem moral, que seriam capazes de tudo para se satisfazer. Quando entrei em sua cela naquele dia, ainda pensava assim. Achava que você devia mesmo ser culpado, mas ia defendê-lo porque é minha função. Mas depois, conhecendo-o melhor, vi que não é nada disso. Hoje, faço uma idéia bastante diferente dos homossexuais. Sei que um homem gostar de outro não significa abandonar os princípios nem a moral.

— A senhora é casada? — perguntou Mozart.

— Sou.

— Tem filhos?

— Tenho. Um casal.

— Seria capaz de deixá-los aos cuidados de um homossexual?

— Essa é uma pergunta difícil. Mas sim... Se o homossexual for uma pessoa direita, eu os deixaria, sim.

— Como a senhora iria saber?

— Conhecendo-o como pessoa, como ser humano. Eu jamais deixaria meus filhos com uma pessoa qualquer, fosse hétero, fosse homossexual. Porque há homossexuais maldosos, tanto quanto há heterossexuais tarados e molestadores. Só que o fato de ser homossexual já não conta mais como um ponto a menos para a pessoa, como algo que deponha contra sua conduta. Hoje sei que as pessoas contam pelas suas atitudes, sua dignidade, seu caráter. E isso nada tem a ver com a sexualidade.

— Embora boa parte dos homossexuais acabe mesmo na marginalidade — observou Mozart.

— Para mim — continuou ela —, o que leva muitos homossexuais à marginalidade é o preconceito, a discriminação. Ou o medo de serem discriminados, mal compreendidos. Muitos homossexuais não conseguem se assumir, acham-se diferentes e não se julgam dignos ou merecedores de conviver normalmente com as outras pessoas. Por isso, não lutam, não competem com os outros por uma posição melhor na vida, e aí acabam mesmo caindo na marginalidade, ou seja, põem-se à margem da sociedade, julgando-se errados, condenando-se pelo que são. Daí porque há tantos homossexuais na prostituição, levando uma vida libertina, descambando para a obscenidade e a perdição, o que é uma pena.

— A senhora pensa exatamente como o doutor Plínio... — comentou Romero, com certa tristeza.

— A senhora é muito avançada para nossa época — considerou Mozart, tentando desviar a mente de Romero da lembrança do médico. — Se fosse na Europa, não dizia nada. Apesar de haver preconceito por lá também, ele não é tão forte quanto aqui.

— Está na hora de as coisas mudarem — ponderou Maria da Glória. — Eu, por mim, já mudei meu pensamento. Estou tentando deixar de lado toda forma de preconceito.

— Fico feliz — disse Romero. — Ainda mais porque a senhora é minha defensora.

— É isso mesmo, Romero. E, como sua defensora, vou voltar ao assunto que os trouxe aqui. Não vão viver juntos por ora. Mozart pode continuar visitando-o, mas tomem cuidado para que ninguém os veja e tire conclusões precipitadas e maldosas. Sua conduta é muito importante para firmar seu caráter. E o juiz me parece simpático a você. Tanto que vai interrogar Eric. Não estrague tudo, por favor.

— Pode deixar. Vou me comportar direitinho.

— Muito bem. Até o dia da audiência, então. Qualquer novidade, entrem em contato.

Apertaram-se as mãos e saíram. Apesar de desaconselhados de morarem juntos, Mozart e Romero não estavam tristes. Haviam se reencontrado, o que era o mais importante. Depois, poderiam assumir sua relação e continuar levando uma vida normal.

capítulo 26

Finalmente, chegara o dia da audiência em que Eric iria prestar depoimento. Como vítima, sua palavra era de suma importância, embora ouvida com os cuidados que toda criança requer.

Logo pela manhã, ele acordou passando mal. Sentia o estômago arder e chegou a ter uma pontinha de febre. Plínio, porém, medicou-o e cuidou dele, tentando fazer com que não ficasse nervoso.

— Talvez seja melhor ele não ir — sugeriu Lavínia, deveras preocupada com o filho. — O doutor Antero poderá dizer que ele não está bem. É uma criança; não há de advir nenhuma conseqüência ruim para ele.

— Não se trata disso, Lavínia — objetou Plínio. — O depoimento de Eric é muito importante para que se descubra a verdade.

— Mas que verdade? A verdade está mais do que na cara. Não sei do que você ainda duvida.

Plínio não respondeu. Limitou-se a olhá-la com desgosto e entrou no banheiro. Queria encerrar aquela discussão. Irritada, Lavínia saiu do quarto e foi ver como o filho estava. Ele parecia bem, apesar de extremamente nervoso.

— Você não precisa se preocupar, querido — tranqüilizou ela, abraçando-o com ternura. — Não precisa nem ir, se não quiser.

— Foi o que disse a ele — era a voz de Rafael, que vinha entrando nesse momento. — Que não precisa ir. Não foi, Eric?

O menino balançou a cabeça, mas não disse nada. Estava apavorado com a idéia de que teria de mentir diante do juiz. Não sabia se conseguiria. Além do mais, sentia que estava no limite de suas forças. Aquela mentira toda o estava sufocando, e o que ele mais queria era poder contar a verdade. Mas, se falasse, o tio cumpriria sua promessa, e ele e Romero poderiam acabar mortos. O que poderia fazer?

— Você quer ir, Eric? — perguntou Lavínia, de forma inocente.

Eric não respondeu, e Rafael falou no lugar dele:

— É claro que ele não quer. Você não está vendo, Lavínia? O menino está apavorado. A simples idéia de ter de se ver frente a frente com aquele monstro de novo deve lhe dar calafrios. Coitadinho! Isso é uma maldade, Lavínia! Plínio não devia expor o menino dessa maneira. Imagine como deve ser difícil ter de reviver todo aquele horror.

Essas palavras foram decisivas para Lavínia. De um salto, murmurou um "Tem razão" e voltou correndo para seu quarto. Depois que ela saiu, Rafael soltou um sorriso cínico, deu um tapinha no rosto de Eric e sibilou em tom de ameaça:

— Você não vai se esquecer do que eu lhe disse, vai? — Eric meneou a cabeça. — Ótimo. Porque, senão...

Fez novamente aquele gesto de quem cortava a garganta e foi embora, deixando o menino apavorado em sua cama.

Enquanto isso, Lavínia tornava a entrar em seu quarto.

— Ele não vai — comunicou incisiva. — Não vou permitir que você exponha meu filho a tanto sofrimento.

Plínio, que estava terminando de dar o nó na gravata, estacou a meio e fitou-a pelo espelho, respondendo com calma:

— Ele vai. Sou o pai dele, fui eu quem começou aquela maldita ação. E por sua vontade. Só que agora pretendo terminá-la. E de forma justa.

Virou-se e saiu pelo corredor, caminhando a passos rápidos. Ao entrar no quarto de Eric, encontrou o menino todo encolhido sobre a cama, os olhos brilhantes de lágrimas.

— Apronte-se, Eric — falou amoroso. — Já está quase na hora.

Lavínia veio logo atrás e protestou com veemência:

— Deixe-o em paz, Plínio! Não vê que ele está apavorado?

— Ele está apavorado, sim, mas não é por causa de Romero.

— Como não? Ele está com medo de se encontrar com aquele cafajeste novamente.

— Ele não tem o que temer. Sou seu pai e irei protegê-lo de tudo e de todos. Ainda que da própria família!

— O que está querendo dizer com isso? Que eu posso fazer-lhe algum mal?

— Você, não.

— Quem, então?

— Você sabe.

— Plínio, não vou admitir que faça insinuações sobre meu irmão! Não é justo você querer defender seu... seu...

— Meu o quê, Lavínia? Vamos, fale. Repita essa infâmia!

— É isso mesmo, Plínio. Eu não queria acreditar. Mas você já está passando dos limites. Nenhum pai expõe o filho dessa forma se não tem um motivo muito forte por trás de tudo!

— Em primeiro lugar, não estou expondo meu filho. Não foi minha a idéia de ajuizar essa ação. Foi sua. Em segundo lugar, não vou discutir com você os motivos que me levaram a fazer o que estou fazendo agora. Mentiras não me incomodam.

— Não vai discutir porque não tem o que dizer. É isso, não é? Quer salvar a pele de seu amante acusando o cunhado inocente e nem liga para o que ele fez a seu próprio filho!

— Cale-se, Lavínia! Já basta!

O pranto angustiado de Eric fê-los calar. Lavínia correu para ele e abraçou-o, afagando-lhe os cabelos.

— Eric — disse Plínio, incisivo —, faça como estou lhe mandando. Vista-se e vamos agora ao fórum. Está na hora de sua audiência.

Lavínia tentou protestar novamente, mas Plínio não permitiu. Pela primeira vez em sua vida, foi rude com ela. Segurou-a pelo braço com força e levou-a para fora, trancando a porta do quarto. Ela ficou do lado de fora, esmurrando a porta e gritando, mas Plínio, voltando-se para o filho, indagou:

— Você acredita no que sua mãe disse? — Eric meneou a cabeça. — Pois, então, faça como lhe digo. Vista-se e vamos à audiência. Sem medos. Eu estou a seu lado e nada nem ninguém poderá lhe fazer mal. Eu prometo.

Eric obedeceu. Vestiu-se vagarosamente e segurou a mão do pai.

Plínio apertou-a com força e abriu a porta. Parados no corredor, Lavínia e Rafael obstruíam a escada.

— Vai ter de me bater para passar por mim — rosnou Lavínia.

— Não sou nenhum covarde, Lavínia — respondeu Plínio. — Mas, se for para salvar a vida de um inocente e levar paz ao coração de meu filho, esteja certa de que não hesitarei em empregar toda a minha força para tirá-la de meu caminho.

Eric escondeu-se atrás do pai, com medo de encarar o tio. Não queria ir, mas também não queria ficar. Sentia-se movido por uma estranha força, algo que o compelia a ir avante, algo que nem sabia explicar. Só o que sabia, naquele momento, era que precisava ir.

Diante de tanta convicção, Lavínia chegou para o lado, e Plínio passou por ela a passos decididos. Nem se deu ao trabalho de olhar para o cunhado. Simplesmente empurrou-o para o lado e desceu as escadas, puxando Eric pela mão. Rafael não se atreveu a dizer nada. Do jeito que Plínio estava, era bem capaz de lhe acertar um soco.

Chegaram ao fórum em cima da hora, e Antero correu a seu encontro.

— Pensei que não viessem mais.

— Já chamaram?

— Já. A doutora Maria da Glória e Romero acabaram de entrar.

— Então vamos. O que estamos esperando?

— Tem certeza de que quer mesmo fazer isso? Pode ser doloroso para Eric.

— Não se preocupe. Sou o pai dele. E, depois, a verdade o reanimará.

Entraram apressados e foram sentar-se em seus lugares. Pelo canto do olho, Eric fitou o rosto sofrido de Romero, que olhava para a frente, evitando encará-lo. Por um momento, porém, seus olhares se cruzaram, e Eric baixou os olhos, tentando conter as lágrimas.

Terminadas as formalidades preliminares, o juiz mandou que Romero saísse para que começasse o interrogatório.

— Muito bem, Eric — começou o magistrado. — Sabe por que está aqui de novo, não sabe?

— Sim, senhor.

— Você não prestou nenhum compromisso de falar a verdade; é menor de idade e não está obrigado a responder a nenhuma pergunta. Quem vai lhe fazer todas as perguntas serei eu. Se seu advogado ou a doutora defensora quiserem saber alguma coisa, farão as perguntas por meu intermédio. Se você achar que está sendo difícil, pararei a audiência. Mas, se você conseguir ir adiante, peço que se concentre e fale apenas a verdade. Sem medos. Você aqui está protegido pela Justiça e ninguém lhe fará nenhum mal. Compreendeu? — O garoto assentiu. — Ótimo. Podemos começar, então?

— Podemos.

— Vamos retomar do ponto em que paramos na audiência passada. — Ele consultou os autos e interrogou: — Você disse que o senhor Romero entrou em seu quarto naquela noite, não foi?

— Foi.

— O que aconteceu?

— Ele... — soluços — ...fez coisas comigo.

— Entendo, Eric. Não precisa dizer que coisas foram. O que eu gostaria de saber é se você tem certeza de que foi mesmo o senhor Romero que entrou em seu quarto naquela noite.

— Foi...

— Você viu o senhor Romero com nitidez? Não estava escuro?

— Estava.

— E como você tem certeza de que foi o senhor Romero?

— Eu o conheço.

— Só por isso? — Silêncio. — O senhor Romero não lhe disse nada?

Ouvir o nome de Romero repetidas vezes, sendo acusado de algo que, absolutamente, não havia cometido, causou imenso mal-estar em Eric. À medida que o juiz ia falando, ele via e revia aquela cena, lembrando-se de tudo que Rafael havia feito com ele. Olhou discretamente para o pai, que lhe deu um sorriso encorajador, e respondeu.

— Não, senhor. Ele não me disse nada.

— O senhor Romero chegou a lhe mostrar o presente que lhe levara?

— Não.

— No entanto, ele o deixou cair no chão de seu quarto.

— Foi.

— Você viu quando a miniatura caiu?

— Não.

— Como você se sente, Eric, tendo sido violentado pelo homem que, depois de seu pai, você acreditava ser seu melhor amigo?

A pergunta foi dura e de efeito. Eric não resistiu mais. Agarrou-se ao pai e desatou a chorar convulsivamente.

— Excelência — protestou Antero —, está claro que o menino não tem condições de prosseguir. Peço que ele seja dispensado. Ele já contou essa história inúmeras vezes. O depoimento que deu à polícia está nos autos. Não vejo necessidade de submetê-lo a esse sofrimento de novo.

O juiz olhou para Maria da Glória, que contestou veemente:

— Não posso concordar, excelência. O depoimento do menino é fundamental para que descubramos a verdade. Lembre-se de que é a vida de um homem que está em jogo, um homem inocente que está prestes a pagar por um crime que não cometeu.

— Como não cometeu? — irritou-se o advogado. — Está mais do que provado que foi ele!

— Se estivesse tão bem provado assim, ele já teria sido condenado. Mas, que eu saiba, o juiz ainda não proferiu a sentença.

O juiz Vitório fez um gesto com as mãos, e ambos os advogados se calaram.

— Senhores, vou fazer apenas mais uma pergunta ao menino. Se ele não conseguir se controlar, e se eu perceber que essa audiência está causando efeitos danosos à sua mente, encerrarei a sessão e não o convocarei mais. Está certo? — Ambos assentiram. — Muito bem, Eric. Acha que pode responder apenas a mais uma pergunta?

— Por favor, Eric — sussurrou Plínio em seu ouvido —, conte a verdade. Se alguém lhe fez alguma ameaça, não precisa temer. Ninguém vai lhe fazer mal algum, eu prometo. E, depois, você não quer ser o responsável pela desgraça de seu amigo, quer?

Eric enxugou os olhos e olhou bem fundo nos olhos do pai. Virou-se para o juiz e respondeu, ainda soluçando um pouco:

— Está certo, senhor juiz. Pode perguntar.

— Muito bem. Quero que você me diga apenas uma coisa. Você está absolutamente certo de que foi mesmo o senhor Romero que entrou em seu quarto, imobilizou-o à força e o violentou naquela noite?

Eric engoliu em seco, lembrando-se das mãos do tio sobre seu corpo, machucando-o, e respondeu hesitante:

— Foi...

— Tem certeza?

— Te... tenho... — começou a soluçar novamente e, num rompante, acabou explodindo: — Não! Não foi ele! Não foi Romero. Foi meu tio! Tio Rafael! Ele entrou em meu quarto, estava escuro... fez carinho em meu rosto... depois saltou sobre mim e tapou a minha boca com a mão. Foi horrível! Eu não conseguia respirar. Aí ele me virou de bruços, encostou minha boca no travesseiro e... e... me forçou a fazer aquilo... Como doeu! Doeu muito!

— Excelência, protesto! — berrou Antero. — O menino está visivelmente transtornado. Está claro que só está fazendo isso porque tem medo do querelado.

— O querelado não tem acesso à vítima — apressou-se Maria da Glória em dizer. — Ao contrário de seu tio, que mora na mesma casa em que ele.

— Isso é um disparate! O senhor Rafael é um homem decente. Não está sendo acusado aqui.

— Mas foi ele! — gritou Eric novamente, bastante nervoso e vermelho. — Foi ele. E ainda me ameaçou. Disse que, se eu contasse a verdade, ele me mataria e mataria Romero. E eu menti. Estava com medo e menti. Não queria que ele machucasse Romero, não queria! Romero é meu amigo. Nunca fez mal a ninguém.

O juiz deu-se por satisfeito. Após certificar-se de que Eric estava bem, a audiência foi encerrada, e o juiz Vitório marcou uma nova, onde pretendia ouvir Rafael. Plínio voltou para casa com Eric, sob os protestos de Antero, que não se conformava com o depoimento. Maria da Glória também saiu, levando Romero. Ainda não era hora de seu cliente falar com o menino.

No caminho para casa, Plínio e Eric iam conversando.

— Sente-se melhor? — perguntou amoroso, e o menino assentiu. — Você foi muito corajoso, Eric. Estou orgulhoso de você.

— O que vai acontecer agora, papai? E se tio Rafael nos matar?

— Você já ouviu falar no ditado de que cão que ladra não morde?

— Já.

— Pois é. Seu tio Rafael é um covarde. Tinha medo de que você falasse porque sabia que estaria encrencado. E o ameaçou porque você é uma criança, e é muito fácil assustar as crianças. Mas estou certo de que não lhes fará mal, nem a você, nem a Romero. Falta-lhe coragem para isso. E, depois, eu estou aqui para protegê-lo.

Eric sorriu e apertou a mão do pai, sobre o volante.

— Eu sinto tanto por tudo isso! Espero que Romero consiga me perdoar.

— É claro que o perdoará. Você não teve culpa.

Quando chegaram à casa, Antero já havia telefonado para Lavínia, que desmaiara sobre o sofá, tendo sido acudida imediatamente pelos criados. Rafael nem precisou perguntar o que havia acontecido. Já sabia. Rodou nos calcanhares e ganhou a rua. Precisava sumir.

Plínio correu para Lavínia, preocupado. Ela havia acabado de desmaiar, e os empregados andavam de um lado para o outro, sem saber bem o que fazer. Rapidamente, Plínio foi a seu quarto e apanhou sua maleta de médico. Deu à mulher algo para cheirar, e ela acordou tossindo. Olhou para o marido, depois para o filho e começou a chorar:

— Não pode ser. Isso não pode estar acontecendo. Diga que não é verdade, Plínio, diga. É um pesadelo. Meu irmão, não!

— Temo ser verdade, sim, Lavínia. Como vocês souberam?

— O Dr. Antero telefonou ainda agora. Que desgraça! Meu próprio irmão! Eric! Você tem certeza do que disse, meu filho? Não estava com medo de Romero? Foi isso? Se foi, pode dizer. Mamãe perdoa você.

— Não foi isso, mãe — rebateu ele com uma vozinha miúda. — Eu estava com medo era do tio Rafael.

— Mas por quê? Ele é seu tio, tem seu sangue. Ah! meu Deus, por que ele foi fazer isso? Por quê?

— Onde ele está? — indagou Plínio.

Os criados menearam a cabeça. Ninguém sabia onde ele estava. Plínio mandou que fossem a seu quarto, mas ele estava vazio. Na piscina, ele também não estava. Vasculharam a casa toda, mas Rafael não foi encontrado.

— Ele sumiu — continuou Plínio. — Quer maior prova de sua culpa?

— Não pode ser. Ele não faria isso... faria?

— Ele fez, Lavínia. Eric contou tudo. O menino estava apavorado com as ameaças de Rafael. Por isso acusou Romero.

— Não terá sido o contrário? Ainda acho que ele temia uma reação de Romero.

— Já disse que não, mãe! — protestou Eric com raiva. — Tio Rafael me obrigou a mentir. Foi ele quem me violentou. É horrível, ninguém acha mais horrível do que eu. Ser violentado pelo próprio tio... Mas foi ele, e eu não posso mais continuar mentindo para encobrir seu crime!

— Mas Romero é que é o homossexual.

— E Rafael é pior — atacou Plínio. — É pedófilo, aquele canalha!

Lavínia silenciou. Só agora compreendia o quanto havia sido cega. Rafael sempre tivera um comportamento distorcido e vivia cercando Eric pela casa. O medo nos olhos do menino era bastante visível. Só ela que não enxergava, porque amava o irmão e não queria acreditar que ele fosse capaz de um ato tão abominável. Se ele tivesse violentado outro garoto qualquer, Lavínia o teria repreendido severamente. Teria até contratado um psiquiatra para cuidar desse desvio. Mas, com seu filho... não podia perdoar. Amava muito o irmão. Mas o amor pelo filho superava qualquer outro.

Por causa do irmão, ela levantara as mais infundadas suspeitas sobre o marido. Acusara-o de manter um caso espúrio com Romero, porque se deixara envolver pelas insinuações maldosas de Rafael, acreditando que havia uma paixão camuflada na relação entre Plínio e Romero. Mas não havia. Ela agora sabia disso. E o marido? Poderia perdoá-la?

— Vou para meu quarto — falou aflita. Precisava pensar.

— E Rafael?

— Não sei. E não sei se quero saber disso no momento. — Abraçou o filho e perguntou com angústia: — Pode me perdoar, Eric?

— Perdoar o quê, mãe?

— Por não ter percebido nada.

— Você não teve culpa. Tio Rafael a enganou.

Ela balançou a cabeça tristemente e subiu as escadas. Estava arrasada, com vontade de dormir e acordar em outro lugar, longe de todos aqueles problemas. Foi para seu quarto e recostou-se na cama. Queria esvaziar a mente e não pensar em nada, mas a imagem do irmão não saía de seus pensamentos. Rafael perdera os pais ainda menino, e ela fora para ele a única mãe que conhecera. Criara-o com mimos exagerados, fingindo não perceber a falha que se ia abrindo em seu caráter. Plínio tentara alertá-la, mas ela nunca lhe dera ouvidos. E, agora, ele se tornara um homem sem virtude nem dignidade.

Ainda assim, era seu irmão, e ela não podia deixar de sentir-se um pouco responsável pelo que ele se tornara. Deveria ter tido mais pulso com ele, ao invés de deixá-lo fazer o que bem entendesse. Sempre arranjara uma desculpa para seus atos negligentes e suas palavras desrespeitosas, justificando para si mesma que Rafael só era assim porque era um coitadinho e sentia a falta dos pais.

Suspirou dolorosamente e olhou para o lado, no exato instante em que a porta se abriu. Plínio entrou cauteloso e foi para o armário, afrouxando a gravata. Trocou de roupa em silêncio e só depois se voltou para a mulher.

— Como está se sentindo? — indagou.

— Como você esperava que eu me sentisse? Estou péssima.

— Posso imaginar.

— Custa-me crer que isso seja verdade. Jamais gostaria de ter tido um desgosto desses.

— Preferia que não tivesse lhe contado nada?

— Em absoluto! Como poderia viver enganada a respeito de uma coisa dessas? Rafael é meu irmão, e eu o amo muito. Sinto-me responsável por ele. Mas Eric é meu filho. Nada no mundo poderá superar o amor que tenho por ele.

— Você não deve se sentir responsável. Cada um age conforme seus próprios instintos e tendências.

— Mas Rafael ficou a meus cuidados. Tinha para com ele os mesmos deveres de mãe que tenho para com Eric, porque fui sua mãe depois que meus pais morreram. Não era minha obrigação educá-lo e orientá-lo?

— Um erro não justifica o outro. Ainda que você o tenha criado com liberdade excessiva, isso não serve de escusa para o que ele fez. É uma questão de tendência, de caráter.

Ela suspirou desanimada e perguntou com cautela:

— E agora, Plínio, o que faremos?

— Não sei. Nem sei as conseqüências jurídicas desse caso. Preciso antes conversar com o doutor Antero.

— Apesar de tudo, eu não gostaria que meu irmão fosse parar na cadeia.

— Mas não se importou quando Romero foi acusado e preso.

— Romero não tem meu sangue.

— Mas é um inocente. Ia ser preso por um crime que não cometeu.

— Eu sei, Plínio, eu sei. Lamento muito pelo que houve a Romero. Ainda assim, não gostaria de ver meu irmão atrás das grades.

— E Eric? Não se importa com o que aconteceu a ele? Vai permitir que Rafael faça a outros o que fez a nosso filho?

— É claro que me importo. Só não acredito que Rafael vá fazer isso novamente. Foi uma loucura que ele cometeu, mas deve ter aprendido a lição.

— Pode até ser... Só o tempo nos dirá.

Ela se aproximou dele e abraçou-o em lágrimas.

— Ainda bem que tenho você.

Gentilmente, Plínio desvencilhou-se de seu abraço e encarou-a com desgosto.

— O que há? — indagou ela, entre receosa e confusa. — Por que me evita?

— Ainda pergunta? — tornou ele angustiado, tentando evitar que ela o tocasse novamente. — Será que já se esqueceu de tudo que me disse?

— Eu estava com raiva... — justificou-se insegura, torcendo as mãos nervosamente. — Falei sem pensar.

— O caso é que você não me ama e não me respeita. Do contrário, jamais teria dado ouvidos a Rafael.

— Eu estava com raiva, acreditando que Romero era o culpado. Não conseguia entender por que você o defendia tanto. E Rafael trouxe argumentos que me pareceram viáveis. A princípio, não quis acreditar. Ralhei com ele, mandei que não repetisse mais aquilo. Mas depois, vendo você sempre defendendo Romero, comecei a duvidar. Que motivos teria para tentar desesperadamente inocentá-lo?

— A justiça, Lavínia. Só a justiça. Nunca ouviu falar nisso? Não pode imaginar o que deve ser para alguém pagar por um crime que não cometeu?

— Eu não acreditava nisso! Não acreditava em Romero! Para mim, ele era o culpado e estaria respondendo por seu próprio crime!

— Devia ter acreditado em mim.

— Eu acredito, Plínio. Agora sei que você estava com a razão.

— Agora você sabe, não é? Pois deveria ter sabido antes. Eu lhe disse, Lavínia, e você deveria conhecer melhor o homem com quem se casou. Posso ter muitos defeitos, mas a desonestidade não é um deles. Sempre fui um homem leal e sincero. Jamais trairia meus princípios ou os seus.

— Mas eu acredito em você agora. Isso não conta?

— Você não acredita em mim. Acredita nas provas irrefutáveis que apontam seu irmão como o único culpado.

Ela se aproximou novamente e começou a chorar.

— Será que você é tão duro que não pode me perdoar? Eu estava confusa, arrasada.

— E eu, não? Só que eu busquei a verdade, enquanto você se contentou com aquela que estava mais de acordo com o que você queria acreditar como verdade.

— Não seja injusto, Plínio. Rafael é meu irmão.

— E eu sou seu marido. Você só se lembra de que tem um irmão e um filho. E marido, não tem? O que sou para você?

— É meu marido, jamais me esqueci disso... E eu o amo... — Baixou os olhos, confusa, as lágrimas correndo abundantes. — Você se diz um homem justo e compreensivo, sempre em busca da verdade. Mas agora sou eu quem lhe pergunta: será que sua noção de verdade e de justiça sufocou a do perdão? E, mais, a do amor? Será que você não é capaz de compreender minha dor de mãe, minha posição de irmã, minha desconfiança de um estranho? O que você queria? Que eu não desse ouvidos às acusações de meu filho, que apontavam um estranho como o agressor, e fosse acreditar que o malfeitor era justamente meu irmão? Ponha-se em meu lugar, Plínio, e responda-me sinceramente. O que você faria se Rafael fosse seu irmão?

Plínio deixou cair os braços ao longo do corpo e fitou-a com um quase desespero. Jamais havia pensado nisso. Rafael não era seu irmão e eles nunca se haviam dado bem. Não que sentisse prazer em acusar o rapaz. Todavia, não fora difícil reconhecer-lhe a culpa, porque a antipatia mútua que sentiam facilitava isso. Mas, se Rafael fosse seu irmão querido, teria agido da mesma forma?

Durante alguns minutos, Plínio ficou refletindo no que Lavínia lhe dissera. Sentou-se na cama e afundou o rosto entre as mãos. Não sabia o que pensar. Não nutria bons sentimentos por Rafael e, por isso, não conseguia colocar-se no lugar da mulher. Estavam em pólos opostos. Ambos amavam Eric, não tinha dúvida. Mas cada um viu a verdade nos olhos daquele que mais amava. Lavínia acreditou em Rafael movida pelo seu amor de irmã. Assim como ele acreditara em Romero porque nutria um forte afeto pelo rapaz. Com quem estaria a razão? Como tachar os sentimentos de certos ou errados? Por que é certo amar alguém e seria errado amar outro alguém? O amor não faz escolhas. Lavínia acreditou no que queria porque estava mais de acordo com o que ela sentia por Rafael. Por isso ficara cega e não conseguira enxergar. Mas não poderia ter sido o contrário? Não poderia ter sido Plínio a se enganar com Romero? Por mais que o conhecesse e seu coração lhe dissesse que o rapaz era inocente, não poderia ele também estar se enganando, tentando, de forma inconsciente, transferir para o desafeto a culpa que jogavam sobre seu ente querido?

Com imenso desgosto, Plínio fitou a mulher, afundada numa poltrona, as faces pálidas, os lábios trêmulos. Nos olhos brilhantes de lágrimas, um mundo de medos e expectativas. Naquele momento, Plínio sentiu sua fragilidade e pôde ler em seu olhar a verdade do amor. Lavínia amava-o, não podia duvidar. Seu sentimento era quase palpável, e ele se sentiu invadido pela onda de amor que emanava dela. Junto, um forte arrependimento, a dor imensurável da culpa misturada à fraqueza do apego que ela confundia com amor.

Sentiu-se tomado por uma emoção indescritível. Lavínia surpreendera-o e revelara-se, mostrando-se uma mulher preconceituosa, precipitada em seus julgamentos e vingativa. Fora injusta com Romero e com ele. Acusara-os de uma indignidade que ambos jamais seriam capazes de cometer. Mas quem era ele para julgar seus motivos? Só porque a razão estava com ele não significava que Lavínia estivesse errada. À sua maneira, ela procedera de forma correta. Fizera aquilo em que acreditava, e não era culpa sua não haver enxergado o equívoco. Não era culpa de ninguém. Era apenas a obra da vida, levando a cada um seu quinhão de experiências.

De repente, tudo lhe pareceu mais claro, mais leve. Ninguém havia cometido erro algum. Nem Rafael. Era imaturo e mimado, mas talvez ainda tivesse chance de recuperar-se. Quem sabe Lavínia não tivesse razão, e só o que ele necessitasse fosse de um pouco de amor e compreensão? E quando é que Plínio fora compreensivo com Rafael? Nunca. O rapaz sempre fora rebelde, e Plínio tentara corrigi-lo chamando-lhe a atenção. Mesmo nas vezes em que tentara conversar com ele, sentia-se, por detrás de suas palavras, o tom intencional da repreensão. Jamais lhe dera um beijo ou um abraço. Não teria isso também contado?

Bem lá no fundo de seu coração, uma voz interna lhe dizia: perdoar é tarefa divina que ao homem cabe por obrigação; eis que a ninguém é dado ser juiz de seus semelhantes, porque não há no mundo alma que jamais tenha falhado no convívio com seu irmão. Aquele pensamento, vindo não sabia de onde, eclodiu espontâneo em sua mente, e Plínio foi capaz de enxergar, naquelas palavras, uma pequenina manifestação da divindade, que lhe alertava a consciência para que não incidisse na tentação do orgulho de se julgar dono do direito de não perdoar.

Ainda fitando a mulher, sentiu os olhos umedecidos. De um salto, ajoelhou-se diante dela e estreitou-a com ardor, sentindo que também a amava. Ficara magoado com suas palavras, mas nem a mágoa, nem a raiva eram sentimentos capazes de destruir o amor. Não respondeu à sua pergunta. Ao invés disso, pousou-lhe caloroso beijo nos lábios e sussurrou emocionado:

— Só o amor é capaz de compreender e perdoar. E de curar nossas feridas...

Calou-se, a voz embargada, e Lavínia agarrou-se a ele, certa também de que ele a amava. Já não sentia mais medo. Ao contrário, sentia-se agora mais confiante e mais lúcida para agir com equilíbrio e discernimento. Estavam agora integrados nas malhas do amor, compreendendo sua mais verdadeira e genuína feição. Abraçados, ambos agradeciam a Deus, cada um a seu modo, por terem conseguido manter-se unidos e fortalecidos. Em suas orações silenciosas, nem perceberam a presença dos amigos invisíveis que lhes faziam intuir as verdades do espírito, que cada qual ia absorvendo e depositando em seus corações.

Felizes com mais uma etapa da tarefa cumprida, Judite e Fábio deram-se as mãos e partiram.

Ao fugir da casa da irmã, Rafael começou a vagar sem rumo. Estava sem roupas de reserva e deixara a carteira em casa. Para onde iria fugir? Eric, o idiota, acabara contando tudo. Devia ter imaginado que aquilo acabaria acontecendo, e tolo fora ele de ficar esperando. Seria melhor se tivesse aprontado as malas, apanhado algum dinheiro com a irmã e fugido, talvez para a Europa ou os Estados Unidos. Agora, porém, não havia mais jeito. Estava sem o passaporte e não tinha dinheiro para comprar a passagem. O que poderia fazer?

Acabou passando a noite na casa de um amigo, mas, no dia seguinte, teve de ir embora. Contara-lhe o que havia feito, e o amigo acabou pedindo delicadamente que se retirasse. Não queria se envolver. Ninguém queria. Só então percebera que não tinha amigos. As pessoas com quem se relacionava eram como ele: interesseiras e oportunistas. Sua amizade era boa por causa das festas que dava à beira da piscina, dos presentes que ofertava às mulheres.

Foi vagando a esmo, pensando em quem deveria procurar. Não havia ninguém. O tal amigo deveria ter dado alguns telefonemas, e todo mundo parecia fugir dele. Amigos, namoradas, todos inventavam uma desculpa para não o receber. Parou numa banca de jornal, colheu do bolso algumas moedas esquecidas e comprou fichas de telefone. Procurou um orelhão próximo e discou para a casa da irmã. Não tinha escolha. Quem atendeu foi um dos criados, e ele disfarçou a voz, pedindo para falar com Lavínia. Ela atendeu. Algo no íntimo dela dizia-lhe que era o irmão.

— Alô! — falou apressada. — Quem fala?

— Lavínia? Sou eu, Rafael.

— O que você fez foi imperdoável, Rafael — atacou ela. — Jamais poderia esperar uma coisa dessas de você.

— Eu sei, Lavínia, perdoe-me. Foi um ato de loucura. Não sei o que me deu.

— Onde você está?

— Na rua.

— Venha para casa.

— Não posso. Estou com medo.

— Venha para casa e veremos o que fazer. Caso contrário, não conte comigo para mais nada.

Desligou bruscamente, e Rafael ficou parado na rua, segurando o fone na mão. O que deveria fazer? Lavínia dissera-lhe para voltar para casa, mas Plínio não concordaria. E se lhe desse uma surra? Se o levasse até a polícia e ele fosse preso? Sabia como eram tratados os criminosos sexuais na cadeia. Todo mundo sabia. Violentara Rafael, mas não era homossexual. Aquilo era apenas uma preferência que ele descobrira com o sobrinho. Nem sabia que era assim. Nunca havia se deitado com nenhum outro homem nem sentia atração por rapazes. Só gostava de certas particularidades que as mulheres, em geral, não gostavam de lhe oferecer. Não era culpa sua se não conseguia controlar seu desejo e seu ímpeto.

Mas ninguém iria entender. Ele seria trancafiado, e os outros presos, atendendo a seu código de honra distorcido, fariam dele a mulherzinha da cadeia. Não era como Romero. Romero conseguira suportar. Mas ele, não. Acabaria degolado ou enlouqueceria de tanto sofrer abusos.

Resolveu voltar para casa. Não tinha mesmo para onde ir. Quando chegou, Antero, o advogado, estava sentado na sala, conversando com Plínio e Lavínia. Eric estava na casa de um amiguinho. Não precisava ter de enfrentar o tio novamente.

Lavínia olhou para ele e não disse nada, e Plínio encarou-o com ar indecifrável. Rafael entrou cabisbaixo e foi recebido por Antero, que faria o papel de mediador. O principal, naquele momento, era manter a cabeça fria e evitar as brigas.

— Entre, Rafael — disse o advogado, puxando-o pelo braço. — E sente-se.

Rafael sentou-se acabrunhado, evitando encarar a irmã e o cunhado. Sentia certa hostilidade no ambiente e acomodou-se todo encolhido.

— Espero que tenha conhecimento dos graves atos que você cometeu — prosseguiu Antero.

Rafael balançou a cabeça e respondeu com voz quase inaudível:

— Sim, senhor.

— Muito bem. Pois, então, deixe-me esclarecê-lo. Você pode ser acusado, no mínimo, de quatro crimes diferentes...

— O quê? — indignou-se o rapaz.

— Deixe-me terminar, por favor. Em primeiro lugar, você é o autor do atentado violento ao pudor contra seu sobrinho. Em segundo, fez-lhe graves ameaças, o que constituiu outro crime. Como se isso não bastasse, acusou falsamente um homem sabidamente inocente, causando a abertura de processo criminal indevido, o que se chama denunciação caluniosa. É o de conseqüências mais graves para você, no momento. Isso sem falar no crime de calúnia de que Romero poderá acusar você.

Rafael sentiu o rosto arder. Nem ele sabia que havia cometido tantos crimes ao mesmo tempo. Estava apavorado, com muito medo do que poderia lhe acontecer.

— Por favor, Lavínia — apelou para a irmã, com voz chorosa. — Tente me perdoar...

— O que você fez não tem perdão... — rebateu ela, mais por mágoa do que por convicção.

— A princípio, Rafael — interpôs Plínio, com medo de Lavínia se descontrolar —, pensamos mesmo que você não seria digno de perdão. Você tem consciência do mal que fez a meu filho? Em todos os sentidos? O menino anda apavorado, tem pesadelos à noite, sente-se humilhado diante dos colegas. Foi brutalmente ferido, não só em seu corpo, mas em sua honra. E ainda foi obrigado a tolerar suas ameaças, apavorando-se cada vez que o via despontar no portão. Não, Rafael, decididamente, talvez você não mereça perdão. Contudo... — olhou para Lavínia, que chorava discretamente — você é meu cunhado...

— E isso deve contar, não deve? — falou Rafael, esperançoso. — Você não vai querer ver seu cunhado na cadeia, vai? De que vai adiantar querer se vingar de mim? O que os outros vão dizer?

— Não quero vingança nem estou preocupado com o que os outros vão dizer. Preocupo-me apenas com o bem-estar de meu filho e com a segurança de outros meninos que possam se ver na mesma situação. O que Eric passou, não desejo a mais ninguém. Sem contar ainda o que você fez a Romero.

— Pelo amor de Deus, Plínio, não me mande para a cadeia! — Virou-se para o advogado e suplicou: — Doutor, não deixe. O senhor é advogado da família há anos. Há de dar um jeito.

— Sua irmã e seu cunhado estão dispostos a perdoar o que você fez a Eric...

— Oh! — desabafou Rafael. — Graças a Deus!

— Entretanto — prosseguiu Plínio —, não o quero mais em nossa casa. Você terá de apanhar suas coisas e partir. É o mínimo que devemos a Eric.

Sem contestar, Rafael engoliu em seco e levantou-se para apanhar suas coisas, mas a voz de Antero o deteve:

— Gostaria de esclarecer mais algumas coisas. Seu cunhado pretende abandonar a causa, o que vai acabar com o processo contra Romero. Isso facilitará as coisas para você. Com um pouco de sorte, o juiz, ou o promotor, não mandará instaurar inquérito para apurar a denunciação caluniosa, e as ameaças que você fez a Eric também não serão levadas em conta. Amanhã mesmo pedirei para falar pessoalmente com o juiz e tentarei convencê-lo a terminar tudo por ali. Mas falta Romero. Se ele quiser mover outra ação contra você, por crime de calúnia, não haverá nada que possamos fazer. Se ele fizer isso, pode reavivar os fatos, e a denunciação caluniosa virá à tona outra vez. Talvez você venha a ser processado, julgado e condenado.

— O que devo fazer? — rogou Rafael.

— Vá falar com Romero — sugeriu Plínio. — Peça-lhe que o perdoe.

— Não posso fazer isso — desabafou Rafael.

— Não pode por quê?

— Não me atreveria. Ele vai me humilhar, me escorraçar.

— Você não teve coragem de ameaçar um menino de onze anos, dizendo que ia fazer e acontecer? Por que agora se acovarda diante do homem que você jurou matar?

— Não falei sério.

— Sabemos que não. Sua covardia não permitiria que passasse da ameaça para a ação.

Rafael baixou a cabeça, humilhado, sem saber o que dizer. Estava sendo obrigado a ouvir aquelas barbaridades, que nada tinham de mentiras, só para não ser acusado e preso. Não era intenção de Plínio, mas Rafael sentia-se humilhado pelo cunhado. Teria de humilhar-se também diante de Romero? Era demais. Contudo, se precisasse, ele o faria. Tentaria qualquer coisa para não ser preso.

— Vá aprontar suas coisas, Rafael — ordenou Plínio. — Não temos mais o que conversar, por ora. Mais tarde, telefone, informando-nos onde está, e no momento oportuno, o doutor Antero irá procurá-lo.

Rafael foi saindo da sala, arrasado, vencido, humilhado. Parou e olhou para a irmã, que permanecia quieta, fumando um cigarro atrás do outro.

— Não diz nada, Lavínia? — perguntou, cheio de esperança.

Ela apagou o cigarro no cinzeiro e olhou para ele com desgosto.

— O que você quer que eu diga? Estou arrasada, Rafael. Pode imaginar como me sinto? Saber que meu irmão, de quem cuidei como um filho, teve coragem de fazer o que fez ao próprio sobrinho? Não está sendo nada fácil para mim. Contudo, você é meu irmão, e não quero vê-lo preso. Mas concordo com Plínio. Não temos mais condições de mantê-lo aqui conosco. Não confiamos mais em você. E Eric... pode imaginar como seria penoso para ele também. Meu filho não merece isso. Merece um pouco de paz.

Não havia mais o que argumentar. A palavra final já havia sido dada, e ele mesmo concordava que tinha de ser assim. Começava a lamentar o que fizera, não sabia se por medo ou arrependimento. Só o que sabia era que não podia continuar ali. Iria embora, procuraria um lugar para ficar. Afinal, tinha seu próprio escritório de arquitetura. Dali em diante, porém, teria de ser responsável e comparecer mais vezes ao trabalho. Havia perdido a boa vida e agora teria de cuidar de si mesmo. Mas não era tão ruim assim. Tinha como sobreviver.

A única coisa que o preocupava era Romero. Como faria para falar com ele? Ou seria melhor esperar para ver se ele iria mesmo dar início a alguma ação penal? Será que ele faria mesmo isso? Romero sempre lhe parecera tímido e retraído. Será que o acusaria formalmente? Essa dúvida o assolava. Rafael tinha horror à cadeia. Tanto, que não conseguiria simplesmente sentar e esperar para ver o que viria em seguida. Não conseguiria esperar para ver se seria acusado ou não.

Enquanto aprontava suas coisas, lembrou-se de Eric. O sobrinho não estava em casa, e ele bem entendia por quê. Sentiu certa angústia e engoliu em seco. O que fizera fora grave. Só agora conseguia vislumbrar a gravidade de seus atos. Estava arrependido, sentia vontade de desculpar-se com o sobrinho também. Mas sentia medo. Medo e vergonha. Eric era apenas uma criança e jamais gostara dele. Um dia, se tivesse a oportunidade, talvez o procurasse para que se entendessem. Mas aquele não era o momento. Nem Plínio iria deixar. Estava protegendo Eric de todas as formas, o que era natural.

Era isso mesmo o que Plínio pensava. Quem sabe, um dia, Eric e Rafael não tivessem a oportunidade de conversar? Mas, naquele momento, não achava apropriado. O filho só tinha onze anos, embora fosse muito maduro para sua idade, ainda mais depois do que lhe acontecera. Mas ele ainda sentia medo do tio e não queria vêlo, e Plínio iria respeitar seu desejo. Era o melhor a fazer, naquele momento: esperar que Eric digerisse e amadurecesse bem tudo por que passara. Só então estaria pronto para conversar com o tio, de igual para igual, sem medo e sem repulsa.

capítulo 27

Ao receber a notícia de que Eric havia falado a verdade, Noêmia quase pulou de contentamento. O filho não mentira, afinal. Era mesmo inocente naquela história.

Desligou o telefone assim que ouviu ruídos na porta. Era Silas, que vinha chegando do trabalho. Mas não era prudente que ele recebesse a notícia. Ainda.

— Com quem estava falando? — indagou carrancudo.

— Com minha irmã — respondeu Noêmia, apressada, e saiu para a cozinha.

Silas não se convenceu e saiu atrás dela.

— Você está mentindo — acusou. — Aposto que falava com seu filho.

— Que filho? Não foi você mesmo quem disse que não temos mais filho nenhum?

— Não se faça de tola, Noêmia. Sei que você tem se encontrado com Romero.

Por um instante, sentiu-se tentada a falar a verdade. Ele não podia mesmo proibi-la, mas ela ainda não se sentia segura o suficiente para enfrentá-lo.

— Tudo isso por causa de Romero, não é? — indagou Silas com desdém.

— Romero é meu filho... — defendeu-se, afinal.

— Se é, é só seu, porque eu não tenho filho algum.

— Então, por que pergunta?

— Porque quero saber com quem você anda falando. Não a quero envolvida com aquele sem-vergonha.

— Ele não é sem-vergonha. É nosso filho...

— Já disse que não tenho mais filho! — gritou irado.

— Mas eu tenho — retrucou ela calmamente, lutando para conter o nervosismo. — Só lamento ter permitido que você tivesse me afastado dele por tanto tempo.

— Você o tem visto, não é? Tem visto aquele vagabundo.

— Ele não é vagabundo. Está no último ano de medicina.

— Está? — Silas espantou-se. Jamais poderia imaginar que Romero fizesse uma faculdade.

— Está. Vai se formar e ser alguém na vida.

— Como você sabe disso?

— Ouvi falar.

Silas calou-se novamente. Não queria nem saber como ela ouvira falar. Se descobrisse que ela e Romero andavam mesmo se encontrando, nem queria pensar na briga que iriam ter. Desde que Romero se fora, nunca mais tivera notícias dele. O máximo que soubera era que o médico o acolhera, porque fora o próprio doutor quem fora até sua casa buscar suas coisas. Mas que Romero estava estudando para ser médico era uma novidade e tanto. Não sentiu mais vontade de prosseguir com aquela discussão e voltou para a sala.

Talvez tivesse sido muito rigoroso com o rapaz. Ele dera um mau passo na vida, tudo por causa do atentado que sofrera. Fora aquele canalha do Júnior quem o viciara. E, depois, Mozart completara o serviço. Se ele não tivesse se envolvido com Mozart, talvez não tivesse ficado daquele jeito. Sim, a culpa não fora dele. Fora de Júnior e de Mozart. Foram eles que levaram o filho para o mau caminho, ensinando-lhe coisas que jamais teria aprendido na convivência com a família, porque eram uma família decente, e Romero não teria aqueles exemplos ali.

Ficou imaginando como andaria o processo em que se envolvera. Teria mesmo sido capaz de violentar aquele garoto? Pelo que conhecia de Romero, ele jamais teria cometido um ato infame daquele. Mas o filho tornara-se homossexual, e tudo era possível. Deixara de lado os princípios que Silas lhe ensinara para se entregar a uma vida transviada, interessando-se por homens. Não teria mesmo violentado o menino? Era um pederasta...

Deixou de lado esses pensamentos e foi até a caixa de correio. Fazia já algum tempo que o banco deixara de lhe enviar os extratos de sua caderneta de poupança. Ele perguntara a Noêmia se ela não os recebera, mas ela dissera que nenhum havia chegado. A caixa de correio estava vazia. Noêmia já havia recolhido a correspondência, e nada dos extratos. Precisava dar um pulo na agência para reclamar.

— Por que será que a Caixa não manda mais os extratos? — indagou, sentando-se à mesa para tomar um café.

Da beira do fogão, Noêmia teve um sobressalto. Cada vez que Silas perguntava pelos extratos, ela ficava apreensiva. Se ele descobrisse que ela estava tirando dinheiro para dar ao filho, teriam uma briga como nunca antes haviam tido. Eram suas economias, e ela as estava desviando para ajudar Romero. Por isso não chegavam os extratos. Toda vez que o carteiro passava, ela corria a apanhar as cartas e subtraía os extratos, queimando-os no fogão. Fazia isso havia alguns meses, e Silas não desconfiara, a princípio. Só que, nos últimos dias, vinha insistentemente perguntando pelos extratos.

— Devem estar se extraviando — tentou disfarçar Noêmia. — Mas, se você quiser, vou lá amanhã e procuro saber o que está acontecendo.

— Faça isso.

Silas nem desconfiava da mulher. Jamais poderia imaginar que ela estivesse sacando dinheiro da conta. Seria mesmo uma boa idéia que ela fosse à agência reclamar. Isso lhe pouparia o trabalho de ter de sair mais cedo da escola só para ir até o banco.

No dia seguinte, lá foi Noêmia para a Caixa Econômica. Não sabia como resolver aquilo. Precisava evitar ao máximo que Silas descobrisse que ela estava retirando o dinheiro. Entrou na fila do caixa e, na sua vez, pediu que lhe informassem o saldo. A moça do caixa consultou as listagens e anotou o valor num papelzinho, entregando-o a Noêmia. Foi assim que teve uma idéia que poderia enganar Silas, ao menos por enquanto, até que Romero fosse inocentado e voltasse a trabalhar, quando então reporia o dinheiro que tirara.

Aproximou-se de um rapaz que estava no balcão preenchendo uma ficha de depósito e pediu a ele que anotasse num outro papel a quantia que ela lhe ditara. O rapaz, julgando-a meio cegueta, fez como ela lhe pediu, e Noêmia saiu dali satisfeita. Quando Silas chegou à casa no fim da tarde, ela lhe mostrou o papelzinho que ela pedira ao rapaz para escrever, com um valor mais elevado.

— Tem certeza de que é só isso? — indagou ele, preocupado. — Pensei que tivéssemos mais.

Ela tomou um susto. Achara que havia chutado uma importância suficiente, mas, pelo que Silas dizia, equivocara-se. Nunca fora muito boa mesmo nas contas. Ainda assim, conseguiu se controlar e esclareceu:

— É só isso, sim. Foi o saldo que a moça do caixa me deu.

— Por que não tirou um extrato na máquina?

— Ora, Silas, você sabe que não sei mexer com essas máquinas modernas. Fico toda enrolada.

— Podia ter pedido a alguém para ajudar.

— Meu Deus, será que não serve o papel que a moça deu? Vai desconfiar do banco agora, vai?

— Não... Mas e os extratos? Por que não têm chegado?

— O gerente disse que nosso endereço estava errado. Está providenciando a correção.

Silas não se deu por satisfeito, mas não disse nada. Aquilo tudo era muito estranho, e ele agora começava a desconfiar. Por mais que Noêmia não soubesse lidar com aquelas novas máquinas, sempre havia uma mocinha disposto a ajudar. Ela estava escondendo algo, e ele iria descobrir. Na primeira oportunidade, iria, ele mesmo, à agência para saber o que estava acontecendo.

Noêmia, por sua vez, sentiu o coração apertar-se. Se o marido descobrisse, ficaria uma fera, e aí, sim, é que jamais perdoaria Romero. Precisava falar com o filho para repor o dinheiro o mais rápido possível.

Na segunda-feira, ao visitar o filho, encontrou-o em companhia de Mozart.

— Bom dia, Dona Noêmia — cumprimentou o rapaz.

— Bom dia, Mozart. — Aproximou-se de Romero e beijou-o no rosto. — E você, meu filho? Como está?

— Bem, mãe. Feliz.

— Também estou. Aliviada. Queria vir aqui antes, mas seu pai está ficando desconfiado.

— Não quero lhe causar problemas.

— Seu pai e eu temos muito que nos entender, e isso já não me assusta tanto. Não é com isso que estou preocupada.

— Com o que é, então?

— Seu pai está ficando desconfiado, porque os extratos do banco não chegam mais. Eu os separo do restante da correspondência e os queimo.

— Extratos do banco? — estranhou Mozart.

— Mamãe vem fazendo saques na poupança que tem com papai, para me ajudar.

— E agora ele está desconfiando. Mas eu não podia deixá-lo ver os extratos. Ia descobrir tudo.

— Por que não me avisou, Romero? — tornou Mozart. — Eu poderia tê-lo ajudado.

— Não é justo. Não quero seu dinheiro.

— Isso não é hora para orgulho. Se seu pai descobrir, vai brigar com sua mãe.

— Ele não pode descobrir — falou Romero.

— É por isso que preciso lhe pedir um favor — retrucou Noêmia. — Assim que isso terminar, arranje um emprego e reponha o dinheiro. Não sei se poderei enganar seu pai por muito mais tempo.

— É claro que não vai poder! — avaliou Mozart. — Quanto tempo acham que vai demorar até que ele descubra tudo? Mais um mês ou dois, no máximo.

— Estou tentando fazer com que ele acredite que os extratos se extraviaram. Acho que o convenci.

— Não se iluda, Dona Noêmia. Seu Silas é um homem esperto demais. Em breve, vai descobrir tudo.

— Não posso nem pensar numa coisa dessas — afirmou Romero. — Meu pai vai fazer um escândalo.

— Por isso, aceite minha oferta. Deixe-me emprestar-lhe o dinheiro. Quando voltar a trabalhar, você me paga.

— Talvez você deva aceitar — sugeriu Noêmia. — Não quero

mais encrencas com seu pai. E o que você nos deve, pode ficar devendo a Mozart.

— É isso mesmo — concordou Mozart. — Quanto antes repusermos a importância que sua mãe tirou, melhor. Vai evitar muitos aborrecimentos.

— Está certo, então — concordou Romero. — Mas é apenas um empréstimo. Quando eu for absolvido, vou terminar a faculdade e arranjar um bom emprego. Aí, pago-lhe tudo. Quanto foi que você já sacou, mãe?

Noêmia abriu a bolsa e retirou as guias de retirada. Rapidamente, Romero fez as contas e calculou mais ou menos os juros que perderam, apresentando o total a Mozart.

— Muito bem. Amanhã mesmo vou trazer o dinheiro.

— Que bom que você vai ajudar, Mozart — agradeceu Noêmia. — Essa situação já estava me afligindo.

— Não precisa agradecer. Será que a senhora pode voltar amanhã, para apanhar o dinheiro?

— Darei um jeito. Silas sai cedo para o trabalho e não perceberá minha ausência.

Era o que esperava. No dia seguinte, daria um jeito de tornar a aparecer, apanhar o dinheiro e correr para a Caixa Econômica, para fazer o depósito. Depois, pediria um saldo, já contando o depósito, e levaria o valor a Silas. Diria que a moça se enganara na outra vez, dando-lhe o saldo da conta de outra pessoa. E ele não teria motivos para desconfiar.

Assim que Silas saiu para o trabalho, Noêmia apanhou a bolsa e partiu ao encontro de Mozart. Haviam marcado na própria pensão em que Romero vivia, e ela não queria se demorar. Precisava fazer o depósito o mais cedo possível. Quando chegou à pensão, Mozart já estava lá e rapidamente lhe passou o dinheiro. Ela agradeceu e dirigiu-se ao banco.

Antes de a agência abrir, Silas já estava na fila para entrar. Aquela história de saldos no caixa não o havia convencido. Noêmia não era nada estúpida e não iria convencê-lo de que não sabia tirar um extrato na máquina. Foi logo um dos primeiros a chegar à máquina e digitou pausada e corretamente os números correspondentes. Em poucos segundos, retirou o extrato. Não foi nem preciso conferir atentamente para saber que algo estava muito errado. Logo no topo avistou a anotação de uma retirada; um pouco mais abaixo, outra. Por fim, o saldo bastante reduzido, bem inferior àquele que Noêmia lhe fornecera.

Pediu para falar com o gerente e solicitou que lhe mostrasse um extrato completo. Não havia como imprimir um naquele momento, mas o gerente consultou as anotações na ficha de Silas e informou as datas e os valores de todas as retiradas, o que o deixou estarrecido. Não disse nada, porém. Apanhou os papéis, agradeceu e foi embora. Noêmia tinha muito o que lhe explicar.

Quando Noêmia chegou para fazer o depósito, Silas já havia partido. Sem de nada desconfiar, depositou a importância que Mozart lhe dera e pediu novo saldo no caixa. Devia servir para convencer o marido. Foi para casa.

Ao chegar, estranhou que Silas a estivesse aguardando no sofá da sala. Aquilo não era comum. O marido nunca chegava à casa antes das seis horas. Por que voltara tão cedo?

— Silas? — alarmou-se. — O que houve? Por que está em casa tão cedo? Está doente?

Ele se levantou bruscamente e estendeu os papéis diante dela, quase esfregando-os em seu nariz.

— O que houve?! — esbravejou. — Eu é que lhe pergunto: o que é isso aqui?

Aturdida, Noêmia apanhou os papéis das mãos de Silas e examinou-os, imediatamente reconhecendo as anotações e o extrato bancário relatando, minuciosamente, cada retirada efetuada ao longo daqueles meses.

— Silas... — começou a balbuciar. — Não fique bravo... Posso explicar...

— Acho bom mesmo! Para onde foi nosso dinheiro, hein? O dinheiro que juntei com tanto sacrifício, para nossa velhice, Noêmia, para que você não tenha mais de forçar a vista costurando para fora. E agora, o que temos? Nada. Foi-se quase tudo.

— Não é bem assim...

— Não? Pois, então, o que é isto? Não sobrou nem a quarta parte do que tínhamos. Por quê? O que você fez com nosso dinheiro?

— Precisei dele.

— Aposto que sei para quê. Para ajudar aquele pederasta do seu filho, não é? Por quê? Ele queria fazer uma operação de mudança de sexo?

— Silas! — objetou chocada. — Como pode falar assim de nosso filho?

— Já disse que não tenho filho!

— Mas eu tenho.

— Pois ele é só seu filho. Não é meu.

— É uma pena que você pense assim. Romero é um bom rapaz e está estudando para ser médico.

— Imagino que belo médico não vai ser — ironizou. — Vai dar em cima de todos os pacientes homens.

— Isso é um absurdo! Romero é um rapaz decente. Só agora pude perceber isso.

— Não quero retomar essa discussão, Noêmia. O que quero saber é o destino que você deu ao nosso dinheiro.

— Quer mesmo saber? Pois dei a Romero, sim. Ele estava precisando, e eu não podia deixar meu filho passando necessidade por causa de sua mesquinharia.

— Mesquinharia? É errado não querer distribuir o que economizei para a velhice?

— Não distribuí nada. Dei a meu filho porque ele estava precisando. E, se você não gostou, lamento.

— Ele a convenceu, não é mesmo? Aposto como fez um draminha qualquer, e você logo ficou com pena.

— Ele está sendo processado por um crime que não cometeu.

— Quem garante? Ele é um veadinho declarado. Quem garante que não fez mal àquele garoto?

— O próprio menino! Ele revelou a verdade. Contou que não foi Romero!

— E daí? — disse Silas, com certa hesitação. — O dinheiro é nosso; você não poderia tê-lo dado a ninguém sem me consultar.

— Você disse bem, Silas. O dinheiro é nosso, não seu.

— Mas fui eu que ganhei. Com o suor do meu trabalho.

— E do meu também. Ou você se esquece quanto venho trabalhando esses anos todos, dentro desta casa, sem pedir nada, sem reclamar de nada, aceitando tudo que você me impõe? Será que você seria o que é hoje sem minha ajuda? Teria conseguido juntar algum dinheiro se não tivesse uma escrava dentro de casa, lavando, passando e cozinhando de graça para você? Sem falar em minhas costuras!

— Não precisa exagerar, Noêmia. Eu nunca lhe exigi nada. E sempre valorizei seu serviço. Temos vivido bem até então.

— Não. *Você* tem vivido bem. Eu sofro calada a falta que meus filhos me fazem.

— Não tive culpa pelo que aconteceu a Judite. Eu também sofri. Se há algum culpado, é Romero. Foi por causa de sua esquisitice que nossa filha foi assassinada.

— Foi por causa de sua intolerância e de seu preconceito. Você espancou Romero, colocou-o para fora de casa e impediu sua volta. Foi por sua causa que ela morreu, Silas, não dele. Se você tivesse feito esforço para compreender seu filho, nada disso teria acontecido. Ele jamais teria ido parar naquele hospital, e Judite não precisaria ter ido tirá-lo de lá. Ambos estariam em casa, sob nossa proteção, e talvez hoje pudéssemos todos estar vivendo felizes.

— Por que relembrar esses momentos tão difíceis agora? Já não basta tudo que aconteceu?

— Basta. E foi por isso que quis ajudar Romero. Basta de indiferença com ele, de fingir que ele não existe e não é meu filho. Ele é meu filho, eu o amo e vou ajudá-lo enquanto puder, quer você queira, quer não.

Silas olhou-a espantado. Nos últimos tempos, Noêmia estava muito mudada. Talvez ele não devesse ter sido tão duro com Romero. Talvez devesse ter permitido que ela o visitasse, que mantivesse contato com ele, embora não o quisesse mais em sua casa. Afinal, era mãe, e as mulheres tinham uma tendência a ser excessivamente protecionistas com os filhos e a desculpar todos os seus erros. Devia ter entendido isso.

— Muito bem, Noêmia — tornou cauteloso. — Quer ajudar seu filho, vá lá, ajude. Mas precisava gastar todo o nosso dinheiro? Romero é jovem, está estudando medicina, como você mesma disse, tem um futuro, sua vida está começando. Mas e nós? Já estamos no fim da vida. Não quero contar só com o dinheirinho da aposentadoria. Queria algo melhor para nós.

— Ele não teria futuro nenhum se fosse condenado por um crime que não cometeu.

— Muitos anos se passaram. As pessoas mudam. Romero deve ter tido muitas experiências. Como garantir que ele não tenha se desvirtuado para esse vício também?

— Isso é um disparate! Ninguém muda o caráter. Romero sempre foi uma pessoa decente. Por mais que goste de homens, jamais se aproveitaria de uma criança! E, depois, o menino já falou a verdade.

— E você acha isso certo? Acha certo que seu filho ande por aí se deitando com outros homens?

— Já não sei mais o que é certo ou errado. Só o que sei é que o amor está acima dessas coisas. Posso não entender muito bem o caminho que Romero escolheu, mas ele é meu filho, e vou tentar compreendê-lo e aceitá-lo da melhor forma que puder.

— Não acredito que você vá compactuar com uma imoralidade dessas!

— Não estou compactuando com nada. A vida de Romero, só a ele interessa. Quanto a mim, no que me diz respeito, é meu papel de mãe. Já falhei com ele uma vez, Silas; não quero falhar de novo.

Silas calou-se pensativo. Não sabia mais o que dizer. Depois de todos aqueles anos, ainda guardava dentro de si enorme mágoa pelo que Romero lhe fizera. Mas o que Romero lhe fizera? Não lhe roubara nada, não o traíra, não matara ninguém. Por que então sentia tanta raiva? Porque Romero lhe frustrara as expectativas. Porque se tornara exatamente o oposto do que ele esperava que ele fosse. Silas construíra para si a imagem do filho perfeito, machão e viril. Como depois aceitar que Romero não se transformaria em nada disso? Que era homossexual mesmo, não porque fora violentado ou porque Mozart o iniciara naquela vida, mas porque estava em seu sangue, era parte dele, fora para aquilo que nascera. Era uma coisa difícil.

Fitou a mulher com desgosto e ainda tentou rebater, embora sem muito ânimo:

— Mas e nosso dinheiro? Como faremos para nos manter na velhice? Romero, na certa, não vai nos sustentar.

— Se é só nisso que está interessado, não precisa mais se preocupar. Hoje mesmo depositei a quantia que saquei. Com juros e correção.

Abriu a bolsa e retirou o canhoto da guia de depósito e o papelzinho do saldo, estendendo-os para o marido. Silas apanhou-os e conferiu, indagando com visível assombro:

— Onde conseguiu esse dinheiro?

— Não importa. O que interessa é que o dinheiro foi depositado, e você não tem mais com o que se preocupar. Vai ter dinheiro em sua velhice, embora fique sem o principal, que são o amor e a amizade de um filho.

Virou as costas e foi para dentro. Já não tinha mais o que conversar. Dissera tudo que Silas precisava ouvir e não estava mais disposta a ficar se repetindo. Daquele dia em diante, visitaria o filho quando quisesse, sem se esconder. Se Silas gostasse, muito bem. Se não, era problema dele. Não deixaria mais que ele a conduzisse nem que mandasse nela.

Silas, por sua vez, desabou no sofá, as últimas palavras da mulher ainda ecoando em sua mente: *Vai ter dinheiro em sua velhice, embora fique sem o principal, que são o amor e a amizade de um filho*. O amor e a amizade de um filho... de um filho... um filho... Aquilo não lhe saía da cabeça. No fundo, Noêmia tinha razão. De que adiantava levar uma vida relativamente tranqüila, sem se preocupar com dinheiro, mas extremamente solitária? Não tinham netos e jamais os teriam. Judite estava morta, e Romero era homossexual. Qualquer esperança de um neto estava perdida.

Como seria quando ele e Noêmia estivessem bem velhinhos e não pudessem mais trabalhar? Como se sentiriam, vivendo sozinhos naquela casa, que se tornara um casarão, vazia que ficara, de filhos e de crianças? Será que conseguiriam suportar a solidão? Será que valia a pena continuar teimando em não aceitar Romero do jeito que ele era? Afinal, Noêmia tinha razão. Ele sempre fora um bom rapaz. Quando garoto, era estudioso e educado, e não havia quem não o admirasse. Por que agora tinha de ser diferente? Só porque era homossexual, havia perdido todos os seus valores e passara a ser um marginal? Não. Seu filho não era um marginal. Continuava estudando, fazia até faculdade, tinha um ideal. Queria ser médico. Ia salvar vidas. Haveria coisa mais bonita do que salvar vidas? Mas será que ele, Silas, conseguiria salvar a própria vida?

capítulo 28

Durante os trinta dias seguintes, o advogado de Plínio deixou de dar andamento ao processo, acarretando o abandono da causa. Antero fora procurar Maria da Glória e dissera-lhe o que pretendia. Reconhecia que o rapaz não fora o autor do crime e não queria mais prosseguir com aquela ação. Só o que pedia era que o caso morresse ali mesmo.

— Isso vai depender de meu cliente — informou ela secamente. — E da decisão do promotor. O senhor sabe que o que Rafael fez foi muito grave. Denunciação caluniosa dá cadeia. E calúnia também dá.

— Eu sei, doutora, e não me cabe questionar a atitude do promotor ou de Romero. Todavia, já falei com o promotor e com o juiz, e eles me disseram que, se Romero não insistir, darão por encerrado o caso e não farão pressão quanto à denunciação caluniosa. Plínio, por sua vez, resolveu deixar de lado o atentado violento ao pudor e não vai ingressar mais com nenhuma queixa-crime. O destino de Rafael está agora nas mãos de Romero.

— Vou marcar um encontro com Romero. E, o senhor, traga seus clientes.

O encontro ficou marcado para dali a três dias, no gabinete de Maria da Glória, na defensoria pública. Romero chegou logo cedo, ansioso para falar com Plínio. Esperava não um pedido de desculpas, mas uma reconciliação com o médico, que, mais do que um amigo, fora seu pai por vários anos.

Plínio também estava ansioso. Queria poder falar com Romero e pedir-lhe desculpas. Gostaria de convidá-lo a morar com eles, mesmo contra a vontade de Lavínia. Era o mínimo que lhes deviam, e era o desejo de Eric também.

Rafael, que alugara um apartamento, chegou cabisbaixo, nada satisfeito com a humilhação a que estava prestes a se expor. Teria de se desculpar com aquele sujeitinho de quem não gostava e ainda implorar para que ele não o processasse. E teria de manter a calma, porque seu futuro dependia única e exclusivamente de Romero.

— Boa tarde a todos — disse Maria da Glória, introduzindo-os em sua sala.

Todos entraram e se sentaram, e Plínio foi o primeiro a fitar Romero nos olhos. O rosto do rapaz estava sereno, embora ele se sentisse um tanto constrangido.

— Romero — disse Plínio, não conseguindo aguardar a hora de se manifestar. — Como esperei por este dia! Estou tão envergonhado.

Romero engoliu em seco e fitou-o com olhos úmidos.

— O senhor não tem do que se envergonhar. Não teve culpa de nada.

— Devia ter acreditado em você.

— Acreditou na palavra de seu filho. Até eu teria acreditado.

— No começo, acreditei mesmo. Mas, depois, comecei a achar que Eric estava sendo pressionado para mentir. E fiz de tudo para provar sua inocência.

Pelo canto do olho, Romero fitou Rafael, que se mantinha de olhos baixos, evitando olhar para quem quer que fosse.

— Posso imaginar... — prosseguiu Romero. — E só tenho a agradecer.

— Você não tem de me agradecer coisa alguma. Não fiz mais do que minha obrigação. Desconfiava de sua inocência e não podia permanecer inerte, vendo-o ser acusado de um crime que não cometeu.

Romero deu um sorriso sem graça e perguntou:

— E Eric? Como está?

— Aliviado. Sentia-se muito mal por estar acusando você. Mais tarde, você poderá encontrá-lo.

— Sim, isso mesmo — interveio Maria da Glória. — Deixemos essas coisas para mais tarde. Vocês terão muito tempo para acertar suas mágoas. Por ora, vamos ao que interessa.

Todos se empertigaram e olharam para Antero, que pigarreou e começou a falar:

— Bem, Romero, você sabe por que estamos aqui, não sabe? — Romero balançou a cabeça. — Estive conversando com a doutora Maria da Glória e ela sugeriu que falássemos com você. Bom, o que queremos saber é... que providências pretende tomar contra Rafael?

— Providências? — indignou-se Romero. — Como assim?

— Como lhe expliquei — esclareceu Maria da Glória —, Rafael pode ser acusado de vários crimes, em especial de denunciação caluniosa e de calúnia. Não se lembra do que lhe disse antes?

— Lembro-me. Mas o que posso fazer?

— Bem — continuou Antero —, conforme falei com sua defensora, o juiz e, principalmente, o promotor público não vão insistir num processo de denunciação caluniosa, desde que você não ofereça uma queixa por calúnia.

— Por quê?

— Porque, se você fizer isso, toda a história terá de ser revolvida, e o promotor não vai poder fingir que não tomou conhecimento da prática do crime de denunciação caluniosa. Vou tentar explicar de forma simples: a calúnia que Rafael cometeu é um crime cuja ação pertence ao ofendido, no caso, você. Só você pode decidir se vai ou não processá-lo, mais ninguém. Já na denunciação caluniosa, que foi a falsa acusação que Rafael fez a você, a ação pertence ao Estado, ou seja, ao promotor público. Se o promotor tiver notícia do crime, vai ter de pedir a abertura de inquérito para, posteriormente, instaurar a ação. A notícia do crime, no caso, será você quem irá dar, caso venha a oferecer queixa por calúnia. E o promotor não vai poder fazer como você, isto é, pensar se vai ou não processar Rafael. Está obrigado, por lei, a fazê-lo.

— Entendo...

— O destino de Rafael está em suas mãos, Romero. A você cabe decidir se oferece ou não a queixa.

Pela primeira vez, Romero encarou Rafael. Via diante de si o homem que fora a causa de tantos infortúnios, e estava tendo a chance de vingar-se dele. Por um momento, quase cedeu à tentação. Mas a imagem de Judite surgiu de repente em sua mente, e era como se ele a ouvisse dizer:

— Não faça isso, Romero. Não por vingança.

— Mas ele vai continuar fazendo isso com outras crianças — respondeu ele em pensamento, sem saber que conversava com o espírito da irmã.

— Você está camuflando seus sentimentos. No fundo, sente raiva de Rafael, o que é natural. Permita-se sentir essa raiva, porque ela foi provocada. Mas acusar Rafael não vai tirar essa raiva de dentro de você. Ao contrário, vai amargurá-lo ainda mais. Quando você se der conta de que um homem foi preso por iniciativa sua, vai se culpar, embora, no fundo, você não seja realmente culpado de nada. Mas, se você tem a chance de perdoar, faça isso. Jamais desperdice a oportunidade do perdão.

— É verdade — continuava Romero, pensando que falava consigo mesmo. — Estou num dilema. Tenho duas opções: ou me vingo ou perdôo.

— Perdoe.

— Mas ele merece ser punido. Precisa pagar pelo seu crime.

— Rafael apenas reagiu a uma ação do passado. Não o faça pagar por isso. Se você o perdoar, terá mais tarde um amigo. Mas, se o acusar, continuará alimentando esse círculo de ódio que se estabeleceu entre vocês.

— Eu não o odeio...

— Então prove. Perdoe-o e procure ajudá-lo.

— Mas seu castigo...

— O maior castigo para o crime de um homem é a dor de sua consciência. Deixe que ela se encarregue de determinar o destino de Rafael.

— Não quero que ele torne a fazer isso a mais ninguém. Ele precisa de correção.

— Não se engane, Romero. Seu desejo não é de corrigi-lo. É de vingança. E vingança não combina com você.

Romero ia conversando com o invisível sem se dar conta de que falava com o espírito de Judite. Julgava ouvir a voz de sua própria consciência. E sua consciência tinha razão. Ele não era um homem mau nem vingativo. Se acusasse Rafael, acabaria se arrependendo mais tarde. Já experimentara a vida na prisão e não desejava isso a mais ninguém. Nem mesmo ao homem que havia desgraçado sua vida e a de Eric.

— Por que não deixamos Rafael falar? — contrapôs Plínio, interrompendo os pensamentos de Romero. — Afinal, é ele o maior interessado.

Todas as atenções se voltaram para Rafael, que, rosto ardendo, coberto de vergonha, começou a gaguejar:

— Eu... não sei o que dizer... Sinto muito, Romero... Sei que o prejudiquei...

— Prejudicou? — tornou Maria da Glória. — Você arruinou a vida dele!

— Sim, eu sei... Talvez não mereça perdão... Mas já estou sofrendo as conseqüências do que fiz. Não espero que você me perdoe, Romero... — Calou-se, a voz embargada.

— Vamos logo com isso — prosseguiu Plínio. — Deixe de fazer rodeios e vá direto ao ponto.

Cada vez mais envergonhado, Rafael continuou:

— A questão, Romero, é que não sou forte como você. Se eu for para a prisão, sei que vou morrer...

— Não se faça de coitadinho, Rafael! — exasperou-se Plínio. — Não foi para isso que veio aqui. Não para despertar piedade.

— O que você quer que eu diga, Plínio? Que sinto muito? Pois bem. Romero, eu sinto muito. Peço que você me perdoe. Fui um cafajeste, um canalha... Não devia ter feito o que fiz. Nem a Eric, nem a você. Mas agora é um pouco tarde para desfazer o que fiz. Só o que posso esperar é que vocês me perdoem. Você e Eric... — Calou-se novamente, engolindo o pranto.

— Não vá fazer cenas agora — repreendeu Plínio.

— Deixe, doutor — interveio Romero. — Não precisa mais brigar com ele. Ele tem razão. O que fez está feito e não há mais como voltar atrás. Só o que lhe resta, neste momento, é conviver com sua consciência. E não serei eu que irei determinar como ele deve se entender com ela.

— O que quer dizer com isso? — perguntou Rafael.

— Que você não tem de se preocupar comigo. Não lhe cobrei nada nem lhe cobrarei.

— Quer dizer que não vai me acusar?

— Não. Não pretendo acusá-lo. Acho que você, sozinho, já deve estar se acusando o bastante. Só espero que compreenda a gravidade do que fez, principalmente a Eric, e nunca mais torne a fazer isso. Com mais ninguém.

Rafael baixou os olhos e chorou baixinho, respondendo entre contidos soluços:

— Obrigado.

Maria da Glória deu por encerrada a reunião. Estava satisfeita; fizera um bom trabalho. O juiz já havia proferido a extinção da punibilidade, e Romero estava livre. Embora ela lamentasse o fato de que Rafael continuasse solto, não se manifestou. Não lhe cabia mais influenciar a cabeça de Romero.

Apertaram-se as mãos e saíram. Do lado de fora, Rafael tornou a agradecer, nitidamente pouco à vontade, e pediu licença para se retirar. Precisava cuidar de seu escritório de arquitetura, que, entregue aos empregados, estava quase indo à falência. Antero também se despediu. Só ficaram Plínio e Romero.

O jovem, meio sem jeito, estendeu a mão para Plínio e falou:

— Bom, doutor, só tenho a lhe agradecer.

Com profunda emoção, Plínio apanhou a mão que ele lhe estendia e puxou-o para si, envolvendo-o num abraço afetuoso e amigo.

— Não vá embora — pediu. — Volte para casa comigo.

— Não posso. Não depois de tudo que aconteceu.

— Será que não vai poder me perdoar?

— Não é isso. Não tenho nem do que o perdoar. Mas acho que Dona Lavínia não se sentiria à vontade. E, depois, vou viver com outro alguém.

— Mozart?

— Ele mesmo.

Plínio suspirou e deu-lhe um tapinha no ombro.

— Se é para sua felicidade, então está certo. Mas não me guarde rancor nem mágoa.

— Jamais poderia guardar mágoa ou rancor do senhor. Sempre

foi meu amigo. Agora, contudo, quero viver minha vida. Reencontrei o único homem a quem realmente amei e não pretendo perdê-lo novamente.

Plínio sorriu e afagou-lhe o rosto, acrescentando em tom paternal:

— Faz bem. Não deixe o amor escapar. É o que há de mais valioso em nossa vida. No entanto, vou lhe pedir uma coisa.

— O quê?

— Não deixe de me visitar. Venha nos ver de vez em quando. Eric iria gostar.

— Certamente.

— Eric ainda não teve oportunidade de se desculpar.

— Nem precisa.

— Mas ele quer. Por favor, respeite isso. Vai fazer bem a ele.

— Se é assim, farei como ele deseja.

— Pode me dar o telefone de onde vai estar? Gostaria de ligar para você.

— Ainda não sei onde vou morar. Mas pode deixar, que telefonarei e darei meu endereço.

— Está bem. Só lhe peço que não se demore muito. Eric está ansioso para vê-lo.

— Não. Irei procurá-lo bem antes disso.

Abraçaram-se comovidos e separaram-se. Tudo estava terminado, e Romero sentia-se feliz consigo mesmo. Tivera uma dupla vitória. Vencera a adversidade que a vida lhe impusera e vencera a si mesmo. Conseguira perdoar.

O encontro com Eric fora marcado ao ar livre, numa praça alegre e ensolarada. Plínio queria evitar lugares tristes e constrangedores. Queria que Eric percebesse quanto a vida podia continuar sendo normal. O menino chegou bastante cabisbaixo, evitando encarar Romero. Sentia-se culpado pelo que lhe acontecera e temia não conseguir se desculpar.

— Vou deixá-los sozinhos — avisou Plínio. — Acho que vocês têm muito o que conversar e não quero que se sintam constrangidos com minha presença.

Beijou o filho no rosto e foi sentar-se em outro banco, distraindo-se com as crianças que brincavam no parquinho.

Romero tomou a mão de Eric e perguntou carinhosamente:

— Não vai me dar um beijo, como sempre fazia?

Eric, desconcertado, deu-lhe um beijo rápido na face e tornou a baixar os olhos.

— Não está com raiva de mim? — sondou Eric, baixinho.

— O que você acha? Pareço uma pessoa que está com raiva de alguém? — Eric meneou a cabeça, ainda sem encará-lo. — Então, por que age como se estivesse com medo de mim, como se eu fosse mordê-lo?

Gentilmente, Romero segurou o queixo de Eric e levantou sua cabeça, fitando-o bem dentro dos olhos. O menino tentou fugir com o olhar, mas Romero acompanhou-o, seguindo-o com um sorriso, até que o menino acabou se descontraindo e riu também. Pararam e olharam-se, e Eric deu vazão ao sentimento e abraçou o amigo.

— Perdoe-me, Romero, eu não queria! — desabafou aos prantos. — Foi o tio Rafael... tive tanto medo dele!

— Está bem, não precisa mais falar sobre isso. Já sei de tudo que aconteceu e como aconteceu. Você não teve culpa de nada.

— Gosto de você. Gosto de verdade. Mas não quero ser como você.

— Quem disse que tem de ser?

— Tio Rafael. Falou que vou virar veado só por causa do que me aconteceu.

— E você acredita nisso?

— Agora não. Meu pai me explicou tudo. Mas é que me sinto tão culpado...

— Culpado de quê?

— De gostar de você, de entender o jeito como você é, mas não querer ser igual a você. Quero namorar só as meninas.

— E precisa se sentir culpado por causa disso?

— Tenho medo de que você pense que não vou gostar mais de você só porque não sou igual a você.

— Ninguém precisa ser igual a ninguém para gostar. Seu pai e eu, por exemplo, somos muito diferentes, e gosto dele como se fosse meu pai também. Ele nada tem de homossexual e gosta de mim do jeito que eu sou.

— Não vai achar que eu o estou discriminando só porque não quero ser como você? Mesmo depois do que me aconteceu?

— É claro que não, Eric! Que bobagem! O que lhe aconteceu foi uma crueldade. Sei porque já passei por isso.

— Mas você não gostou?

— Pelo amor de Deus, não! Preferia que as coisas tivessem acontecido de outra maneira.

— Foi depois disso que você descobriu que era homossexual, não foi?

— Isso é outra coisa. O que aquele homem fez comigo despertou sentimentos e instintos que eu já possuía dentro de mim, embora os desconhecesse ou não os quisesse aceitar. O que não significa que tenha de ser assim com todo mundo.

— Pensei que você fosse se decepcionar comigo. Que fosse achar que eu o estava criticando só porque não senti a mesma coisa que você.

— É claro que não. E, se quer saber, fico até feliz que você não seja como eu.

— Por quê!? Tem preconceito de você mesmo?

— Não, exatamente. É muito difícil aceitar que somos diferentes da maioria das pessoas. Ninguém quer ser colocado à margem. Por isso, tenho medo. Medo de não ser aceito, de ser incompreendido, de ser discriminado.

— Tem vergonha do que você é?

— Durante algum tempo, tive, sim. Mas depois conheci pessoas boas, que me ensinaram a ver outros valores.

— Que pessoas?

— Seu pai foi uma delas. Você não tem idéia de quanto ele foi importante para mim. Foi ele quem me mostrou que ser homossexual não é nenhum crime e que eu não deveria me sentir inferior a ninguém só por causa de minha orientação sexual. Mostrou-me que ser digno não é ser viril, mas ser honesto consigo mesmo e com os outros. Ajudou-me a crer em mim mesmo, em minha capacidade, em meu direito de conquistar um lugar no mundo. Foi graças a ele que consegui ingressar na faculdade. Não fosse pelo seu pai, eu teria acreditado no que todo mundo diz, que veado não tem vergonha, que não é digno de conviver com pessoas de bem, e hoje eu seria um joão-ninguém, jogado na marginalidade pela minha própria fraqueza. Hoje, sei que sou uma pessoa de bem, porque pessoas de bem são todas aquelas que têm amor no coração.

Eric prestava imensa atenção ao que ele dizia, acompanhando cada palavra sua com os olhos úmidos.

— Você é mesmo uma pessoa de bem, Romero. Porque nunca conheci ninguém que tivesse mais amor no coração do que você. Só o que fez pelo meu tio Rafael...

— Seu tio é digno de pena, porque ainda não conseguiu encontrar seu valor no mundo. A própria vida vai lhe ensinar quais são os verdadeiros valores que devem ser cultivados pelo homem.

Eric abraçou-o novamente e tornou a indagar:

— Quem foram as outras pessoas importantes para você?

— Minha irmã, Judite.

— Ela já morreu, não é mesmo? Meu pai falou algo a respeito, mas muito por alto.

— Ela foi assassinada. Judite era uma pessoa maravilhosa. Se havia alguém no mundo com o coração bom, esse alguém era Judite. Não sei se existe vida além da morte, mas, se existir, minha irmã deve estar em um lugar muito bonito. E duvido que Judite esteja alimentando ódio por aquele que a matou. Se duvidar, ainda vai ajudá-lo algum dia.

— Você gostava muito dela, não gostava?

— Eu a amava mais do que tudo no mundo. Foi um choque para mim quando ela morreu. Mais uma vez, se não fosse seu pai, eu não teria sobrevivido. Teria me atirado na vadiagem, carregando uma culpa que não tive. Ninguém teve. Hoje Judite permanece viva em minha saudade. Penso nela com freqüência e sempre me lembro de seu sorriso, de sua coragem, de sua determinação.

Nesse momento, Judite aproximou-se, atraída pelos pensamentos saudosos do irmão. Abraçou-o comovida, e ele sentiu sua presença, embora não soubesse distinguir o que sentia. Nada conhecia sobre espiritismo ou fenômenos mediúnicos, e não encontrou justificativa para aquela sensação, apenas um imenso bem-estar, que era o que sempre sentia quando pensava na irmã.

— Também o amo, Romero — soprou ela em seu ouvido. — Vibro felicidade em seu coração, já tão combalido pelas agruras da vida. Mas jamais se deixe desesperar. Confie sempre e você verá quanto sairá glorioso dos reveses que a vida lhe impõe.

Pousou as mãos de leve sobre o peito de Romero, que teve um leve estremecimento e desatou num choro convulso e sentido.

— Ficou triste, Romero? — perguntou Eric, preocupado.

— Não foi nada. Foi só a saudade. Às vezes, parece que Judite ainda está neste mundo, e sinto-a viva ao meu lado.

— Eu estou viva — confirmou Judite. — Jamais sairei de seu lado.

Deu-lhe novo passe, reequilibrando suas energias, e Romero acalmou o pranto. Enxugou os olhos e alisou o rosto do menino.

— Estou bem — prosseguiu Romero. — Sério. Foi só a emoção do momento.

— Tem certeza?

— Tenho. Não se preocupe. Do que é que estávamos falando, mesmo?

— Falávamos de pessoas que foram importantes em sua vida.

— Ah! Tem razão. Há mais uma que não posso esquecer.

— Quem?

— Não adivinha?

— Não.

— Você, seu bobinho. Você é muito importante para mim. Gosto de você como se fosse meu filho, embora eu talvez jamais tenha um. E, creia-me, eu nunca lhe faria algum mal. A você ou a qualquer outra criança. Adoro crianças e quero ser pediatra.

— Você vai ser. Tenho certeza.

Romero não queria discutir com ele sobre as dificuldades que encontraria para concretizar aquele sonho. Mesmo não tendo sido condenado, a sombra da desconfiança ainda o perseguiria por muito tempo.

— Vai voltar para nossa casa? — foi a nova pergunta de Eric.

— Não posso. Já conversei sobre isso com seu pai.

— Eu gostaria tanto!

— Sei disso. Mas, depois de tudo que aconteceu, não me sentiria à vontade em sua casa. Sua mãe pode não gostar. Afinal, Rafael é irmão dela. Sei como deve estar se sentindo com relação a ele.

— Meu tio Rafael foi quem errou!

— Sua mãe ama seu tio, porque é irmão dela. Pode não concordar com o que ele fez e até recriminá-lo, mas não vai deixar de amá-lo por causa disso. Ver a mim em sua casa, e o irmão longe, pode ser muito sofrido para ela.

— Você tem razão...

— E, depois, há outro motivo.

— Que motivo?

— Reencontrei uma pessoa que eu não via há anos.

— Ela também foi importante para você?

— Das mais importantes.

— É homem ou mulher?

— Homem.

— Vai ser seu namorado?

— Bem... — gracejou — Digamos que sim.

Eric parou por uns momentos, pensando no que Romero lhe dizia, até que retrucou:

— Vai ficar feliz com essa pessoa?

— Muito feliz.

— Então, ficarei feliz também. Desde que você não se esqueça de mim.

— É claro que não. Amigos não se esquecem de amigos. Mais tarde, depois que tudo isso acalmar, vou apresentá-lo a você. Vai gostar dele. É músico, uma pessoa muito especial.

— Como é seu nome?

— Mozart.

— Não, o nome de seu namorado.

— Pois é, é Mozart.

Eric achou muito engraçado alguém ter o nome de um compositor famoso, ainda mais sendo músico também. A conversa acabou se descontraindo, e Plínio, percebendo que já não havia mais motivo para continuar afastado, foi até uma carrocinha de sorvete e comprou picolés para todos. Voltou para onde os dois estavam e ofereceu os sorvetes.

— E então? — perguntou bem-humorado. — Pelo visto, correu tudo bem.

— Melhor, impossível — respondeu Romero.

— Voltamos a ser amigos, papai — avisou Eric, todo feliz.
— Voltamos, não — corrigiu Romero. — Nunca deixamos de ser.

Plínio sentou-se junto deles e participou de sua alegria. Eram almas afins, embora não soubessem disso. Estavam ligados desde um passado remoto, mas que estabelecera entre eles fortes vínculos de amor e amizade. E o amor, por mais que os anos passem, jamais se consegue esquecer ou apagar.

capítulo 29

No mundo espiritual, Judite abraçava Fábio, comovida e feliz.

— Conseguimos, não foi, Fábio? O amor se impôs sobre o ódio e a vingança.

— Sim, Judite. Nada como a honestidade de princípios para fazer com que o amor prevaleça.

— Esses três... — Apontou para Romero, Plínio e Eric com o queixo. — Que mistério os une?

— O amor, Judite. Isso não é mistério algum.

— Sim, mas como foi que eles conquistaram esse amor?

— Você não se lembra porque não participou dessa parte da vida de Romero, que foi muito importante para seu crescimento.

— Mas o que aconteceu? Posso saber?

— Vamos voltar para a colônia. Lá eu lhe revelarei toda a verdade.

De volta à colônia, Fábio sentou-se com Judite perto de uma bonita fonte e começou a narrativa. Aos pouquinhos, as imagens daqueles tempos remotos foram aparecendo na tela mental de Judite, que, como espectadora, viu e ouviu tudo que acontecera então.

Novamente, viu Romero em sua última encarnação. Alguns anos haviam se passado desde o incidente com Júnior, quando ele fora morto pelas mãos de Judite. Ela e Fábio também já haviam desencarnado, e Romero contava agora cerca de sessenta anos.

Era um homem atormentado. Com a chegada da velhice, começou a questionar seus atos. Quantas e quantas crianças não havia seviciado só para satisfazer seus instintos? Meninos e meninas, todos eram vítimas de sua cupidez. Mas algo dentro dele o martelava e o fazia refletir. Por que tivera de se envolver com tanta sordidez? Tudo por causa da mãe. Se ela não o tivesse trocado por aquele falso efeminado, nada daquilo teria acontecido.

Olhou as mãos trêmulas e sentiu uma dor aguda no peito. A cela em que se encontrava recendia a ervas perfumadas, que haviam sido queimadas por padre Hipólito para purificar o ambiente. A cela era pequena e muito simples. Apenas um catre de ferro coberto por um colchão de palha, um pequeno baú com suas roupas, uma mesinha e uma cadeira. Acima de sua cama, uma pequenina janela dava passagem aos raios de sol e ao vento.

Romero ouviu batidas leves e fixou o olhar na pesada porta de madeira que se abria vagarosamente. Padre Hipólito entrou com seu habitual sorriso e foi sentar-se junto a ele, na cama.

— Não quer sair? — indagou. — Está um dia muito bonito lá fora.

— Não, padre, obrigado. Prefiro ficar aqui dentro.

— Não acha que já está na hora de esquecer o que aconteceu?

— Não posso. Sou um pecador condenado. Não existe perdão para meus crimes.

— Sempre existe perdão para Deus, meu filho.

— Não para mim.

Padre Hipólito suspirou profundamente e rebateu:

— Está na hora da missa das seis. Você não vem?

— Amanhã.

Depois que o padre saiu, Romero foi se debruçar na janela e ficou olhando o entardecer. Pouco depois, o sol sumiu por detrás das montanhas, e Romero voltou para dentro, fechando os olhos para não rever aquela maldita cena, tapando os ouvidos para não ouvir seu grito angustiado.

Sua mente se recusava a retroceder, e as lembranças se atropelavam pelos seus pensamentos aos borbotões. Não queria mais pensar naquilo, mas sua consciência não permitia que ele se esquecesse. Todos os dias, aquela mesma visão. A visão de algo aterrador que ele mesmo havia cometido. Muitos anos atrás...

Depois que o carrilhão do salão principal de sua mansão acabara de dar as seis badaladas, Lélio subiu as escadas, levando pela mão uma menina morena e muito bonita, que não devia ter mais que doze anos, recém-entrada na puberdade. Chegou à porta do quarto de seu amo, bateu e esperou. Pouco depois, Romero veio abrir. Ele vestia apenas um robe de chambre de veludo vermelho e sorriu para a menina.

— Vamos entrando, criança. Venha ver o que o titio comprou para você.

O criado afastou-se sem dizer uma palavra, e Romero levou a menina para dentro. Sentou-a em seu colo e mostrou-lhe uma boneca linda de porcelana, trajada num maravilhoso vestido de noiva, todo bordado com fios de prata, e a menina abriu a boca, extasiada. Jamais havia visto uma boneca tão bonita.

— E então? — indagou ele. — Gostou?

Ela apenas fez que sim com a cabeça, alisando os cabelos da boneca. Enquanto a menina se distraía com o brinquedo, Romero começou a acariciá-la. A jovem teve um sobressalto e encolheu-se toda, mas lembrou-se das palavras da mãe e não disse nada. Eram muito pobres, e a mãe lhe dissera que, se soubesse se comportar direitinho, ganharia bonitos presentes do senhor daquela casa. Se não, teria de agüentar as pancadas que ela iria lhe dar.

Com medo da surra da mãe, a menina aquietou-se e respondeu humildemente quando Romero perguntou seu nome:

— Janina, senhor.

— Ótimo, Janina. Seja boazinha, e não vou machucá-la.

Fez com que ela largasse a boneca e continuou a apalpá-la, para desespero de Janina. Ela estava apavorada, sentindo as mãos daquele bruto sobre sua pele, sem entender direito o que estava acontecendo. A mãe apenas lhe dissera que fizesse tudo que aquele homem mandasse, sem gritar ou se queixar. Mas ele a estava machucando.

Romero deitou-a sobre a cama e começou a despi-la, e Janina começou a chorar. Queria protestar, pedir que ele parasse com aquilo, mas não tinha coragem. Lembrava-se apenas das ameaças da mãe, o que era motivo mais que suficiente para não abrir a boca. Sabia o quanto a mãe podia machucá-la também, e era melhor obedecer.

Em silêncio, suportou tudo que Romero fez com ela, engolindo o pranto e a dor quando ele a deflorou. Nem sabia que aquilo podia existir e começou a chorar baixinho, sentindo-se toda dolorida, por dentro e por fora. Ao final, ele enxugou seu rosto e colocou a boneca em seus braços.

— Já terminamos — avisou friamente. — Pode se vestir e ir embora. E não se esqueça de levar a boneca. Foi um presente que você mereceu.

Toda dorida, Janina vestiu-se e apanhou a boneca. Nem queria mais levá-la, mas o homem dissera que a levasse. Se desobedecesse, ele podia se zangar e contar à mãe, e ela levaria outra surra. Saiu a passos trôpegos, arrastando a boneca, e foi para a cozinha, onde Clorinde, a mãe, esperava-a com ansiedade.

— E então? — indagou com rispidez. — Como foi?

Sem saber o que responder, Janina deu de ombros e exibiu a boneca.

— Muito bem — prosseguiu a mulher. — Agora vá me esperar lá fora. Quando eu chamar, você entra de novo.

Janina obedeceu e saiu para o ar frio da noite, encolhendo-se perto da porta. Alguns minutos depois, Lélio apareceu, com uma bolsinha de dinheiro, e colocou-a nas mãos da mulher.

— Isso é tudo — falou secamente. — Já pode ir.

— Ainda não — rebateu Clorinde, com ousadia. — Preciso falar com seu patrão.

— Meu senhor não se envolve com esses assuntos. Se tem algo a dizer, diga a mim, que eu transmitirei o recado.

— Tenho algo a dizer, sim. Mas só direi a ele.

— Pois, então, guarde para si o seu segredo. Meu patrão não está interessado.

Começou a enxotá-la com impaciência, até que a mulher agarrou-lhe o braço e falou com ódio:

— Pergunte-lhe quanto está disposto a pagar pelo meu silêncio, por ter dormido com a própria filha.

O criado largou-a aterrado e revidou incrédulo:

— O que está dizendo? Isso é mentira. Meu senhor não tem filhos.

— Pois eu afirmo que Janina é filha dele. E posso provar. Vá chamá-lo imediatamente.

Pelo sim, pelo não, era melhor chamar Romero. A menina até que era mesmo bem parecida com ele, mas também podia ser impressão. Romero levou um susto quando o criado lhe contou aquela história fantástica mas não impossível. Vestiu-se às pressas e foi ao encontro de Clorinde.

— Como ousa me chantagear com uma história absurda dessas? — esbravejou, logo que entrou na cozinha.

— Não é absurda. Janina é sua filha, e posso provar.

— Mas isso é um disparate! Como pretende provar um absurdo desses?

Ela deu um sorriso sarcástico para Romero e gritou para fora:

— Janina! Venha aqui imediatamente!

A menina entrou assustada, apavorando-se ainda mais ao ver Romero ali presente. Achava que havia feito algo errado e agora iria apanhar.

— Tire a roupa, Janina — ordenou a mãe, com voz glacial.

— O quê?

— Tire a roupa, vamos!

— Pare com isso, mulher! — protestou Romero. — Já vi o que tinha de ver da menina.

— Faça como eu digo, Janina. Tire a roupa!

Janina obedeceu. Não entendia o porquê de tudo aquilo, mas não ousou contestar. Rapidamente, largou a boneca em cima da mesa e, ajudada pela mãe, soltou o vestido e depois a fina combinação. Rápida e bruscamente, a mulher virou-a e, apontando para um sinal nas costas da criança, em forma de meia-lua, disse eufórica:

— Veja! É o mesmo sinal que o senhor tem! Igualzinho. Ou vai negar?

Romero engoliu em seco. Efetivamente, possuía um sinal idêntico, de nascença. Janina começou a chorar e vestiu-se novamente, evitando encará-lo, sem entender o que estava se passando.

— Ela é sua filha! — vociferou a mulher. — Não vê a semelhança?

Apertou o queixo de Janina, forçando-a a olhar para cima, e Romero sentiu uma pontada no coração. Como não havia percebido? Ela se parecia mesmo com ele. Os mesmos olhos, o mesmo formato do rosto, os mesmos lábios grossos e carnudos.

— Saia daqui! — esbravejou ele. — E leve essa criança com você. Nunca mais quero vê-las.

— Ah! Agora quer nos expulsar, não é mesmo? Há treze anos, quando eu era uma menina e você me estuprou, não pensava assim, não é? E agora faz o mesmo com sua filha, sangue do seu sangue, que bem pode, neste momento, estar também carregando um filho seu!

Janina não entendia nada do que estava acontecendo. Jamais conhecera o pai, e a mãe vivia acusando-a de ser fruto de uma relação pecaminosa, de um porco imundo que a estuprara e depois sumira. E agora aparecia ali aquele homem, a quem fora forçada a se entregar, e a mãe lhe dizia que ele era seu pai? Janina apavorou-se. Ter um filho do próprio pai era um pecado terrível, tão terrível que ela desmaiou, sendo amparada pelo próprio Romero.

— Que espécie de mãe é você, mulher? — redargüiu Romero, perplexo. — Que mãe, senão um verdadeiro monstro das trevas, seria capaz de empurrar a própria filha para tamanho pecado?

— E que pai seria capaz de se deitar com a própria filha inocente? Uma criança!

— Eu não sabia! Como poderia saber?

— Poderia saber, sim. Você a teve em seus braços, alisou seu corpo. Mas estava tão envolvido pela luxúria que nem se deu conta dessas semelhanças todas. Pergunto-lhe, senhor: quantas vezes não acariciou esse sinal, o sinal que o senhor mesmo lhe legou ao colocar dentro de mim a semente que a fez nascer? Vamos, responda!

Romero sentiu a vista turva e pensou que fosse desmaiar também. Aquilo não podia estar acontecendo; não com ele. Sempre fora cuidadoso, não aceitava dormir com crianças filhas de mulheres com quem já havia se deitado anteriormente. Como aquilo fora acontecer?

— Deixe-me em paz, demônio! — fremiu ele. — Saia daqui! Desapareça!

— Se me mandar embora, todos conhecerão sua história. Saberão que Janina é sua filha.

— Ninguém vai acreditar.

— Ah! todos vão acreditar, sim. Tenho provas robustas.

— O que você quer? O que quer para me deixar em paz?

— Dinheiro. Não é justo que sua filha continue a viver na pobreza em que hoje vive. A filha de um nobre merece coisa melhor.

— Quanto? Quanto quer pelo seu silêncio?

— Ouro. Muito ouro. E jóias. Diamantes, esmeraldas. O que tiver para me dar.

Romero deixou-se cair na cadeira. Estava apavorado, com medo do que poderia lhe acontecer. Mesmo naqueles dias, estuprar a própria filha era um crime hediondo. Olhou para a mulher com desgosto, depois para a filha, desmaiada sobre a mesa, e levantou-se, caminhando com passos arrastados.

— Cuide dessa infeliz — falou para o criado. — Vou providenciar o que ela me pediu.

Com ar pesaroso, foi para seu gabinete particular, retirar ouro e jóias do cofre. Demorou cerca de dez minutos. Quando voltou, levou tremendo susto. A mulher jazia morta no chão frio da cozinha, o pescoço quebrado, enquanto Lélio, debruçado sobre Janina, apertava seu pescoço também.

— Por Deus, Lélio! — gritou Romero, enquanto corria para ele e retirava suas mãos do pescoço da menina. — O que está fazendo? Ficou louco?

— Pensei que tivesse me mandado cuidar delas.

— Mas não mandei que as matasse!

— Não posso permitir que elas estraguem sua vida, patrão.

Lélio era muito fiel. Estava com Romero havia muitos anos e era quem "comprava" as crianças para ele. Contudo, Romero não podia permitir que ele matasse sua filha. A mãe, ainda podia fechar os olhos e fingir que não via. Mas Janina era uma criança. E era sua filha. Algo dentro dele despertou sua consciência, e ele sentiu o peso daquela responsabilidade.

Caída no chão, Janina chorava ao lado da mãe morta, esfregando a garganta e tossindo com vigor. Aquele homem quase a sufocara, tentara matá-la, assim como matara a mãe. Começou a chorar descontrolada, apavorada com sua sorte. Mas nada aconteceu. Romero afastou Lélio de seu caminho e ergueu a criança.

— Não tenha medo — tranqüilizou. — Nada irá lhe acontecer.

— Mas minha mãe... está morta! — horrorizou-se.

— Foi um acidente, Janina. Isso foi um acidente.

O acidente não passou despercebido pelas autoridades, e Lélio, surpreendido quando tentava se livrar do corpo, foi preso em flagrante e acabou se suicidando na cadeia. Romero negara qualquer envolvimento com o ocorrido, e Lélio recebeu sozinho todas as acusações.

Janina, grávida, permaneceu na casa de Romero, até que deu à luz um menino, nove meses depois. O parto foi complicadíssimo, e ela não resistiu, morrendo logo em seguida, sem nem ver o rostinho do filho. Coube a Romero, então, criar sozinho a criança. Entretanto, atormentado pela culpa, isolou-se da cidade. Vendeu tudo que tinha e saiu pelo mundo com o filho nos braços, até que foi recolhido no mosteiro de padre Hipólito, uma alma boa, que vivia para a caridade e o auxílio aos pobres.

E era ali que Romero vivia desde então, juntamente com o filho incestuoso, agora aos cuidados dos bondosos padres.

Quando Fábio terminou a narrativa, Judite estava chorando.

— Que coisa triste — falou emocionada.

— Sim, Judite. O drama pessoal de Romero é dos mais tristes. No entanto, naquela vida mesma, ele começou a tomar consciência de seus atos e se arrependeu.

— Quem eram aquelas pessoas? Não vivi com ele naquela época, não as conheço muito bem.

— É verdade. Você as conheceu somente no astral. Padre Hipólito, alma generosa e amiga, reencarnou nessa vida como o bom doutor Plínio, que tem sido um pai para Romero. A seu lado, Eric, que foi o filho incestuoso de Romero, hoje aos cuidados paternos de Plínio.

— E aquelas mulheres? Quem são elas?

— Clorinde, ambiciosa e venal, capaz de levar a própria filha ao leito incestuoso, voltou como Rafael, com todo o seu ódio acumulado e mal resolvido.

— O quê? Não acredito.

— Pois é a mais pura verdade. Rafael, ou Clorinde, jamais conseguiu perdoar Romero, ainda mais depois de desencarnado, julgando-o culpado pelo seu assassinato.

— Aí resolveu trocar de sexo. Por quê?

— Há muitas vidas, Rafael vem nascendo na pele de mulheres sensuais e egoístas, sempre se utilizando do sexo para satisfazer seus desejos.

— Por isso voltou como homem?

— Também por isso. Para Rafael, assim como para Mozart, foi uma forma de tentar acalmar a sexualidade desenfreada e experimentar um pouco do universo masculino, que nunca soube respeitar.

— Rafael também é homossexual?

— Não. O que ele fez a Eric foi apenas a resposta ao ódio que sentiu por ter sofrido o que sofreu nas mãos de Romero. Em outras palavras, quis pagar na mesma moeda.

— Só por isso?

— Não. Eram inimigos de outras vidas, porque Eric já o havia estuprado quando fora mulher.

— O que será dele?

— Também está aprendendo. Se tudo correr bem, com o auxílio dos amigos espirituais, vai conhecer a moça certa, casar-se e receber como filho o homem que o matou.

— O criado?

— Esse mesmo. O plano espiritual encadeia as coisas de forma a que se restabeleça o equilíbrio perdido. Depois da morte de Rafael, a menina, Janina, permaneceu aos cuidados de Romero, sem, contudo, perdoá-lo pelo abominável incesto a que fora submetida. Ainda mais porque carregava no ventre o fruto de seu pecado. Essa mesma menina reencarnou como Lavínia, que, apesar de ter sido maltratada por Rafael em outra vida, assumiu o compromisso de orientá-lo, porque já estava mais bem preparada para tanto. Por isso, conseguiu amá-lo e criá-lo da melhor forma que pôde. Tentou perdoar Romero e até que foi mais bem-sucedida nesse intento, embora, por vezes, os velhos ressentimentos voltassem, o que fez com que ela se virasse contra ele na primeira oportunidade que teve de acusá-lo. — Fábio fez uma pausa e prosseguiu: — E ainda há Eric. Como filho de Romero naquela vida, foi verdadeiramente amado pelo pai, amor que perdura até hoje. Da mesma forma, Plínio, que ajudou em sua criação, também desenvolveu por ele forte afeto. E Lavínia, se não tivesse desencarnado, tê-lo-ia amado imensamente, despertando dentro dela a beleza do amor materno. Apenas Rafael não conseguiria alcançar esse amor e tentaria utilizar-se do neto para extorquir ainda mais dinheiro de Romero.

— Creio que Romero já deu sua quota de sofrimento. Foi o único que foi preso e acusado injustamente. Por quê?

— Porque se sentiu culpado pela morte de Lélio, o criado, que se suicidou na cadeia.

— Mas Romero não havia matado ninguém!

— Não. Mas em seu íntimo sentiu-se aliviado ao ver a mulher morta. E mais ainda quando todas as acusações recaíram sobre Lélio, sem que Romero dissesse uma palavra em sua defesa. Negou até que conhecia a vítima.

— Talvez ele tenha exagerado nessa culpa. Não precisava ter passado por tudo que passou.

— Ninguém passa pelo que não precisa. Se ele passou, foi porque julgou importante.

— De todos, ainda acho que Romero foi quem mais sofreu.

— Não há como se medir o sofrimento, porque sua intensidade depende do que cada um já consegue suportar. Mas, no caso de Romero, essa foi a forma que ele encontrou de se ajustar com a vida.

— Será que todo mundo que troca de sexo vira homossexual?

— Em absoluto! Isso ocorre muitas vezes porque o espírito ainda está muito apegado a determinado sexo e não consegue se adaptar à mudança que ele mesmo se impôs. Não consegue compreender que a felicidade não está ligada à forma física ditada pelo sexo, não aceita perder o masculino ou o feminino. Muitas vezes, sente-se um estranho em seu próprio corpo, como se o veículo carnal que ocupa não lhe pertencesse, como se fosse prisioneiro de um corpo físico que está em desacordo com seu desejo. Pensa que só nascendo como homem ou mulher é que se sentirá completo e inteiro, e não quer mudar. Não se conforma em experienciar coisas diversas, porque não quer se desapegar da situação de homem ou mulher que, um dia, foi a fonte de seus maiores prazeres. É como se a materialidade do sexo se embrenhasse em seu ser a tal ponto que ele não conseguisse perceber a sutileza do espírito, despertando a consciência apenas para o que é carnal. Mas isso não é uma regra, e cada um vive aquilo que precisa viver. Há vários motivos por que os espíritos escolhem nascer homossexuais. Há pessoas que só vêm viver o preconceito; há pessoas que abusaram do sexo, seu e de outros; há pessoas até que já mataram em nome da chamada virilidade. Veja Romero, por exemplo. Ele vem reencarnando como homem heterossexual há muitas vidas, mas somente nesta se tornou homossexual. Foi a forma que escolheu para tentar se libertar de tantas culpas, principalmente da pedofilia e do apego excessivo a você. Cada caso é um caso, Judite, e não há como estabelecer uma regra.

— E nada disso é errado?

— Tudo está certo na criação de Deus, e todas as coisas que existem no mundo trabalham em favor de nosso crescimento. A vida dispõe de muitos métodos para nos auxiliar, cabendo a nós optar por aqueles que mais se adaptam a nossos propósitos.

— Não poderíamos chamar o homossexualismo de doença?

— Não é uma doença. É claro que há um redirecionamento na energia que gera o desejo sexual, e a causa desse redirecionamento está associada às experiências que cada um precisa viver. Homens e mulheres são seres de dupla polaridade, onde vai predominar, energeticamente, o pólo que é próprio de seu sexo, permanecendo o outro em estado latente e germinal. Mas ninguém é só masculino ou só feminino. Todos nascemos dotados dessa duplicidade de forças, e é preciso que elas estejam em harmonia. Tudo em nós, como no universo, se manifesta em dualidade. Se temos um ponto masculino, havemos de possuir o contraponto feminino, e vice-versa, o que é nosso equilíbrio e nos auxilia na utilização saudável dessas duas forças. Há homens heterossexuais que são extremamente femininos, assim como há homossexuais de atitudes pronunciadamente masculinas. E daí? Ambas as energias estão lá, na mesma proporção, embora vibrando em intensidades diferentes em cada um. A vida coloca diante de nós situações que desafiam nosso feminino e nosso masculino, e o desejo sexual é uma delas. Se um homem se sente atraído por outro homem, é claro que algo de seu feminino vibra mais nesse momento, porque ele tem essa polaridade dentro dele, só que não tão latente. Por outro lado, na relação em família, por exemplo, pode ser o sustento do lar, não só financeira como emocionalmente, "segurando a barra" de todo mundo, como se diz por aí. Nesse momento, o feminino, que vibra com mais intensidade no desejo sexual, cede lugar ao masculino, que precisa se sobrepor para garantir a subsistência. — Fábio fez breve pausa e concluiu: — Mas o que conta verdadeiramente para o espírito é a forma como o ser humano se conduz diante da vida, porque só aqueles que já aprenderam a abrir o coração para o amor é que são capazes de vivenciar todas essas experiências com dignidade e respeito.

Judite calou-se por uns instantes, refletindo nas palavras de Fábio.

— Tudo isso é muito confuso, Fábio. Para mim, o que importa mesmo é o amor.

— Tem razão. O amor transcende essas coisas todas e não faz qualquer distinção entre as pessoas. Pode até se revelar de formas diferentes, mas será sempre um só.

— É verdade...

— Por falar nisso, como vai indo seu coraçãozinho com relação a Júnior?

— Tenho orado muito por ele. Todas as manhãs, aproveitando a força de renascimento do sol, aproveito para enviar-lhe vibrações de amor e de perdão, conforme você me orientou.

— E tem feito isso muito bem, com muita sinceridade. Tanta, que Júnior já começa a ver as coisas com mais clareza. Está se cansando de ser escravo e não se satisfaz mais com as drogas.

— O que isso quer dizer, exatamente?

— Quer dizer que, em breve, poderemos resgatá-lo. Seu coração anseia pela libertação, e ele tem pensado muito em você e em Romero. Está muito arrependido do que fez, principalmente a você. As vibrações de perdão que você está lhe enviando têm servido para que ele consiga ao menos pensar em perdoar-se a si mesmo.

— Por que não vamos tirá-lo de lá agora, então?

— Ainda não. Precisamos esperar que ele nos chame. Quando ele quiser mesmo sair de lá, vai se voltar para Deus e pedir ajuda.

— Será que vão deixá-lo partir? Quero dizer, sei que os espíritos das trevas adoram escravizar os ignorantes, como Júnior.

— Quando Júnior desejar alcançar a luz, não haverá espírito das trevas que o impeça. Se tentar, esse espírito poderá até vir junto.

— Será? Acho-os tão empedernidos...

— Muitos são mesmo, porque o poder das trevas é algo inebriante. Mas nada se compara ao bem-estar e à felicidade que emanam da luz, e muitos espíritos se vêem tentados a acompanhá-la, tamanho seu poder de conforto e atração.

Judite calou-se novamente, impressionada com as palavras de Fábio. No fundo, ansiava pelo momento em que iriam resgatar Júnior. Já não lhe tinha mais ódio. Ao contrário, começava mesmo a amá-lo. Porque conseguira compreender.

capítulo 30

Romero acabou mudando-se para o hotel em que Mozart estava hospedado, e os dois, sentados na saleta, faziam planos para o futuro. Romero havia conseguido destrancar a matrícula e concluiria o curso de medicina no fim do semestre.

Conversavam animados, quando o telefone tocou. Mozart foi atender e, com uma das mãos sobre o bocal do fone, disse para Romero:

— É sua mãe. Está lá embaixo, pedindo para falar-lhe.

— O hotel permite que ela suba?

— Claro que sim.

Mozart deu ordens para que a deixassem subir, e ela apareceu poucos minutos depois. Após cumprimentá-la, Mozart pediu licença e foi para o quarto.

— Mamãe! — exclamou Romero, abraçando-a com efusão. — Vencemos! Eu não lhe disse que era inocente?

— Eu sabia, meu filho. No fundo, sempre soube que você não era nenhum marginal.

— Obrigado. Sua compreensão e sua ajuda foram fundamentais para que eu continuasse a lutar. Não fosse por você, não sei o que teria sido de mim.

Noêmia enxugou discretas lágrimas e afagou as faces do filho.

— E o que pretende fazer? — perguntou, disfarçando a emoção.

— Mozart e eu estávamos combinando. Ele vai esperar até que eu termine a faculdade, e então vamos viajar para a Europa.

— Não! Você não pode me deixar agora!

— Lamento, mas é a única saída. Mozart tem vida feita lá. É músico consagrado, integra a filarmônica de Salzburgo. Não pode deixar tudo isso de lado. E eu, o que tenho? Nada. Minha vida mal começou e já está destruída.

— Não diga isso.

— É verdade. Que pais levariam os filhos a meu consultório depois de descobrirem do que fui acusado?

— Mas você é inocente! A Justiça provou isso.

— Na verdade, o doutor Plínio abandonou a causa. Não fui propriamente absolvido. Sempre restará uma dúvida no coração das pessoas, e, pelo sim, pelo não, ninguém confiará os filhos a mim.

— E você acha que na Europa vai ser diferente?

— Mozart vai me ajudar. Tem muitos conhecidos e vai me arranjar residência num hospital. Depois, vou fazer pós-graduação por lá mesmo. Quem sabe, até um mestrado ou doutorado?

— Vou sentir sua falta... — choramingou.

— Sei disso. Também vou sentir a sua. Mas não há outro jeito. Não posso pedir a Mozart que abandone tudo que conquistou e não estou disposto a me expor ainda mais ao preconceito. Considero-me quite com a sociedade por ser homossexual.

Com a voz embargada, Noêmia indagou:

— Quando vão partir?

— Se tudo correr bem, no final de julho.

— Tão cedo assim?

— Não posso esperar mais. Já sou um homem. Perdi tudo que tinha, não tenho mais estágio nem emprego. O que espera que eu faça? Que viva à custa de Mozart?

— Gostaria que você ficasse perto de mim. Já perdi tanto tempo... Gostaria de participar do resto de sua vida.

— Lamento, mas não posso ficar. Não me faça sentir culpado por querer viver minha vida.

— Não se trata disso. É que vou sentir sua falta.

— Vou escrever para você. Virei visitá-la nas férias, e quem sabe você também não possa ir à Áustria? Dizem que é lindo por lá.

Noêmia deu um suspiro de decepção. Não esperava que ele partisse. Pensava tê-lo junto de si pelo resto da vida, se não em sua casa, ao menos por perto. Mas compreendia a decisão dele. Ela e Silas haviam-no ignorado durante todos aqueles anos, perderam sua juventude, e agora ela não tinha o direito de lhe cobrar nada. Seria egoísmo de sua parte exigir que ele pensasse nela e ficasse. Não tinha esse direito. Ainda que ele houvesse vivido sob seu teto durante todo aquele tempo, não teria o direito de lhe pedir aquilo. Romero tinha sua vida, e era direito seu vivê-la como e onde quisesse. A ela, só caberia respeitar.

— Você está certo, meu filho — concordou ela a contragosto. — Sou eu que estou sendo egoísta. Não tenho esse direito.

— Não se trata disso.

— Sei que não. Trata-se de sua vida, e vou respeitar o que você decidir. Mas não posso dizer que não sentirei sua falta. Você é tudo que me restou...

— Você tem papai. Têm um ao outro.

— Seu pai é um homem duro, Romero. Não sei como será nossa vida daqui para a frente.

— Por que diz isso?

— Não lhe contei que ele descobriu sobre o dinheiro?

— Não.

— Pois descobriu. E ficou uma fera.

— Lamento muito. Não queria que as coisas acontecessem assim.

— Mas consegui me impor. Dessa vez, consegui. Disse a ele que você é meu filho e que vou vê-lo a hora que quiser.

— Você fez isso?

— Fiz. De que outro jeito estaria aqui hoje, conversando com você sem preocupações?

— Talvez tenha sido bom. Para você e para ele. Papai precisava mesmo de alguém que o enfrentasse. Quando Judite estava viva, fazia bem isso.

— Judite era filha dele e, de certa forma, devia-lhe obediência. Eu não.

— Tem razão. Fico feliz que tenha conseguido se impor. É muito ruim viver sob o domínio de alguém.

— Isso já não acontece mais comigo. Continuo a respeitar seu pai, mas não mais o obedeço cegamente. Não sou propriedade dele.

Conversaram por mais algum tempo, aliviados de tantas culpas e dissabores.

No mundo invisível, Judite acompanhava tudo com satisfação. O que mais queria, no momento, era reconciliar a família.

— Pena que meu pai seja tão cabeça-dura — queixou-se a Fábio.

— Por enquanto.

— Acha que ele vai amolecer?

— Tenho certeza. Espere e verá.

— Minha mãe está feliz. Reconquistou o filho, que nunca lhe saiu do coração.

— Sua mãe deu um grande passo em sua jornada. Já não é mais a mulher submissa de outrora. Conseguiu impor sua vontade sem brigas nem ódios. Simplesmente aprendeu que precisa se fazer respeitar. Do contrário, ninguém mais a respeitará. Vê como agora seu pai a respeita muito mais do que antes?

— É verdade.

— Agora venha. Temos algo importante a fazer.

— O quê?

— Lembra-se de quando lhe disse que deveríamos esperar até que Júnior nos chamasse? — Ela assentiu. — Pois chegou o momento.

Emocionada, Judite acompanhou Fábio até o astral inferior, onde Júnior vivia, cercado de espíritos pouco esclarecidos, envolvido com drogas. Ao se aproximarem, Júnior sentiu algo estranho no ar e levantou a cabeça, olhando na direção em que Fábio e Judite se encontravam, sem vê-los, contudo.

— Quem está aí? — indagou com voz pastosa, apontando para o invisível. — Vamos, apareça!

Aos poucos, a visão de Júnior foi se desanuviando, e a imagem de Judite e Fábio foi se tornando visível. A princípio, Júnior não a reconheceu, tamanho o estado de perturbação em que se encontrava, fruto da essência das drogas que absorvia.

— Quem são vocês? — tornou a perguntar, tapando parcialmente os olhos ofuscados. — Não consigo vê-los direito.

— Sossegue — acalmou Fábio. — Viemos ajudá-lo.

— Vocês não são daqui, são? Nunca os vi por essas paradas.

— Não moramos aqui, se quer saber. Viemos de longe só para vê-lo.

— Por quê? Quem os enviou?

— Suas preces.

— Minhas preces? Não estou entendendo.

— Você não tem rezado e pedido ajuda a Deus? — Júnior fez que sim, completamente confuso. — Pois, então? A ajuda veio.

— Vocês não se parecem nada com Deus.

— Somos seus enviados.

— Pensei que seus enviados fossem anjos.

— Podemos ser o que você quiser.

Júnior fitou-os desconfiado, primeiro Fábio, depois Judite. Ao fitar o espírito da moça, seus olhos se detiveram, e ele a olhou mais atentamente.

— Você... — hesitou. — Não a conheço?

— Creio que já nos encontramos.

— Onde? Onde foi que já vi seu rosto?

— Foi há muitos anos. Isso não importa mais.

— Importa, sim. Quero saber quem é você. Não me lembro muito bem, mas sinto que você foi muito importante em minha vida... — Calou-se aterrado, recuando até o fundo da caverna. — Agora me lembro! Você é... você é...

— Judite. Sim, sou Judite.

— Meu Deus! O que está fazendo aqui? Veio se vingar?

— Ela parece alguém que quer se vingar? — interveio Fábio. — Olhe bem para ela e diga: Judite parece ter vindo até aqui, depois de tantos anos, para se vingar de você?

— Mas eu... eu a matei... Ela deve me odiar.

— Não odeio você — falou Judite com convicção. — Do contrário, não teria vindo até aqui. Se vim, foi porque você pediu ajuda e eu estava em condições de ajudar.

— Não pedi ajuda a você...

— Pediu, sim — rebateu Fábio. — Quantas e quantas vezes sua alma não pediu perdão a Judite pelo que lhe fez em vida? Não é verdade?

— Isso é outra coisa. Estou arrependido. Não devia ter feito o que fiz. Eu estava enlouquecido pela raiva. Não raciocinava direito. Mas não pedi a ela que me ajudasse. Jamais faria isso.

— Por que não?

— Porque... porque não mereço. Imagine se um assassino como eu vai merecer o auxílio justamente de sua vítima? Eu não teria esse atrevimento.

— Pois não é atrevimento nenhum — esclareceu Judite. — É arrependimento sincero, primeiro passo para o perdão, preparação para o amor.

— Amor? Isso é demais para mim.

— O amor não é demais para ninguém.

— Por que não vem conosco? — convidou Fábio. — Vai se sentir melhor.

— Não posso. Não mereço.

— Se não merecesse, a ajuda não teria chegado até você.

— Tem certeza de que vocês estão aqui para ajudar?

— Por que não paga para ver?

— Tenho medo.

— O que tem a perder? Nada pode ser pior do que a vida que leva aqui.

— Isso não é vida. É apenas a continuação da morte.

— Que seja. Acha que pode existir um lugar pior que este? Ou será que prefere continuar executando os servicinhos sujos de que o incumbem, em troca de um pouco de droga?

— A droga me dá a sensação de vida.

— Como você mesmo disse, é apenas uma sensação. Você está morto, não tem mais um corpo de carne. Tudo que vem da matéria física, neste momento, é ilusório para você. São coisas que você plasma ou cria com sua mente. É tudo parte de uma realidade reconstituída. Não é natural.

— Venha conosco — incentivou Judite. — Garanto que não irá se arrepender.

— Há drogas nesse lugar?

— Não. Há conforto.

— E se eu sentir falta da droga?

— Há pessoas encarregadas de ajudá-lo nesse processo de desintoxicação. Irão ajudá-lo, você verá.

— E se eu não suportar?

— Vai ter de se esforçar. Se você quiser mesmo mudar, libertar-se do vício, vai precisar fazer uma forcinha. Mas será melhor do que esse torpor em que você está vivendo. Mais um pouco, e já não terá nem mais um corpo fluídico para lhe garantir a forma humana. Quer virar uma massa disforme de energia, sem consciência nem vontade?

— Não!

— Pois, então, por que não se liberta desse jugo antes que isso aconteça?

— Vou ser bem tratado lá? Não serei obrigado a fazer nenhum tipo de serviço degradante?

— Não. Mais tarde, se você quiser, poderá trabalhar em prol de seu crescimento e de seus semelhantes.

— Tem certeza?

— Absoluta.

Júnior pensou por alguns instantes, até que se decidiu:

— Vou com vocês. O que mais quero agora é readquirir um pouco da dignidade perdida. Chega de ser tratado feito um bicho, drogado feito um demente. Quero voltar a sentir a brisa da manhã em meu rosto.

— Dê-nos a mão, então — pediu Fábio, estendendo para ele uma das mãos.

A seu lado, Judite estendeu a outra. Júnior ainda titubeou por uns instantes, mas acabou colocando-se entre ambos e segurando suas mãos. Na mesma hora, viu-se transportado a um mundo completamente diferente daquele em que estava. Tudo ali era muito branco, fresco e ensolarado. Inspirou profundamente, sentindo o ar penetrar em seus pulmões, aliviado e contente. Sentia-se agora mais confiante. Sabia que não fora enganado. Fizera um grande mal a Judite, mas ela falara a verdade quando lhe dissera que não lhe guardava raiva. Queria mesmo ajudá-lo.

Alguns enfermeiros vieram ajudá-lo e conduziram-no a um quarto muito limpo e perfumado. Deitaram-no na cama e ministraram-lhe passes calmantes. A seu lado, Judite fitava-o com compaixão. Júnior estendeu a mão para ela, e Judite apertou-a. Ele sentiu-se seguro novamente, fechou os olhos e, enfim, adormeceu.

epílogo

Lavínia vinha chegando das compras e encontrou Plínio e Eric prontos para sair, o marido dando o último retoque no penteado. Eric, sentado na cama dos pais, aguardava pacientemente até que ele terminasse.

— Vão a algum lugar? — perguntou ela, curiosa.

— Vamos nos despedir de Romero — respondeu Eric. — É hoje que ele vai para a Europa.

— Ah... Digam-lhe que mandei lembranças.

Não conseguia dizer mais. Desde que Eric acusara Rafael, não se atrevera a encontrar-se com Romero. Ser-lhe-ia extremamente penoso se ele continuasse vivendo em sua casa. Não lhe guardava rancor, porém. Sabia que o que Rafael fizera fora muito sério, não apenas para Romero mas, principalmente, para o filho.

Rafael saiu de casa, e ela raramente o via. Estava magoada e ferida, traída em sua confiança. Confiara cegamente no irmão, e ele lhe aprontara aquela perfídia. Mais tarde, soube por intermédio de amigas que ele conseguira reerguer sua firma de arquitetura graças a dinheiro emprestado ao banco utilizando-se do nome e do prestígio de Plínio. Disseram que ele estava mais interessado no trabalho, mais responsável e menos irrequieto. Conhecera até uma moça direita, com quem andava saindo e falava até em namoro sério.

Mesmo com Rafael longe, Lavínia não conseguia encarar Romero. Sentia-se envergonhada pelo que dissera e não se atrevia a pedir-lhe desculpas. Fora preconceituosa e mesquinha, mas o orgulho ainda era um entrave para ela. Por mais que tentasse, não tinha forças para olhá-lo de frente. Por isso, preferia não se encontrar pessoalmente com ele. As poucas vezes em que ele fora à sua casa, visitar o marido e o filho, levando aquele amigo, ela dera uma desculpa e saíra, permanecendo na rua até que eles se fossem. Tinha vergonha de si mesma.

Eric, por sua vez, dera-se muito bem com Mozart. Uma simpatia mútua e genuína logo fluiu entre eles, e os dois conversaram como se já fossem velhos conhecidos.

Só que, agora, Romero ia partir. Plínio e Eric iam ao aeroporto despedir-se, mas Lavínia, não. Quando os dois estavam prontos, ela lhes deu um beijo e pediu novamente que transmitissem a Romero seus votos de uma boa viagem. Ainda era cedo, mas eles não queriam atrasar-se e perder a oportunidade de abraçar o amigo pela última vez.

Entrementes, Noêmia também se preparava para sair. Já havia terminado de se aprontar e verificava as coisas na cozinha.

— Aonde você vai toda arrumada desse jeito? — quis saber Silas, fitando-a com ar desconfiado.

— Vou me despedir de meu filho no aeroporto.

— É hoje que ele vai embora?

— É, sim, e fiquei de ir ao embarque. Mas não se preocupe. Deixei o jantar pronto nas panelas. É só esquentar.

— A que horas parte o vôo?

— Às onze da noite.

— Tão tarde!

— Vôo internacional é assim mesmo. Os horários são todos trocados. Deve ser por causa do fuso.

— Por que você vai agora, então?

— Já são oito horas. Não quero chegar lá e descobrir que ele já entrou na sala de embarque.

Voltou para o quarto e apanhou a bolsa. Conferiu o dinheiro e deu um beijo de leve no rosto do marido.

— Até mais tarde. Não se preocupe comigo.

— Vai voltar sozinha?

— O que posso fazer? Tomo um táxi no aeroporto mesmo. Dizem que os táxis de lá são seguros. Bom, agora chega de conversa. Não quero me atrasar.

Beijou-o novamente e saiu, deixando Silas aparvalhado, parado no umbral da porta.

No aeroporto, o movimento era intenso. Noêmia seguiu as instruções que Mozart lhe dera, pediu algumas informações e encontrou a área de embarque dos vôos internacionais. Romero e Mozart estavam no balcão da companhia aérea, fazendo o *check in*, e ela parou do lado de fora, esperando até que eles terminassem.

— Mamãe! — exclamou ele, vendo-a parada perto de uma pilastra. — Pensei que não viesse.

— Ora, Romero, como pôde pensar uma coisa dessas? Não disse que vinha?

— Romero ficaria desapontadíssimo se a senhora não aparecesse — informou Mozart.

— Não podia deixar de vir me despedir de meu filho. E de você também, Mozart, que já considero como um filho também. Afinal, vão ser... — calou-se, confusa e envergonhada, e os dois riram do rubor que lhe subia às faces.

— Não tem importância, mãe. Mozart e eu, acima de tudo, somos amigos.

— É isso mesmo, Dona Noêmia. A senhora não precisa ficar constrangida.

Olhando por cima do ombro da mãe, Romero avistou Plínio chegando com Eric. O menino foi quem primeiro o viu e correu para ele, atirando-se em seus braços. Romero rodou com ele no ar e estalou-lhe um beijo na bochecha.

— Que bom que vieram também. Vou sentir muito sua falta, Eric.

— E eu, a sua.

Plínio aproximou-se também e enlaçou-o num abraço carinhoso e paternal, e Romero encostou o rosto em seu ombro, enxugando duas discretas lágrimas.

— Não sinta vergonha de chorar por aqueles que ama — falou Plínio. — São as lágrimas mais merecidas.

Romero não agüentou e desabou num pranto sentido e emocionado. Chorava, não de tristeza, mas de pura emoção. Via-se cercado de amigos que realmente o amavam, que se importavam com ele, o que o deixou bastante sensibilizado. Plínio puxou-o gentilmente pelo braço, e foram juntar-se ao resto do grupo. Ficaram conversando, até que Mozart apontou para a frente e anunciou:

— Olhe só quem vem vindo lá.

— Não! — disse Romero, olhando atônito para a figura que se aproximava. — A senhora era a última pessoa que esperava ver aqui.

— Não podia deixar de me despedir. Você foi um caso muito interessante, Romero.

Maria da Glória abraçou-o efusivamente, e ele correspondeu com alegria. Contudo, não deixou de sentir uma pontada de tristeza. Não estava sendo sincero quando dissera que ela era a última pessoa que ele esperava ver. Na verdade, só não contava com a presença do pai.

— A que horas parte o vôo? — indagou Maria da Glória.

— Às onze horas.

— É direto?

— Não. Faremos uma conexão em Paris, para Viena. De lá, iremos de trem até Salzburgo.

— Que maravilha! Desejo-lhes toda a felicidade do mundo.

— Obrigado.

As horas iam avançando. O grupo foi junto tomar um café, até que chegou a hora do embarque.

— Já são dez horas — avisou Mozart. — Está na hora de ir.

— Já? — lamentou Noêmia. — Que pena.

— Não fique triste, Dona Noêmia — confortou Mozart. — Voltaremos no ano que vem.

— Quem sabe, mãe, você não poderá nos visitar um dia? — sonhou Romero.

— Quem me dera... Mas não creio que isso seja possível.

— Não diga isso — objetou Plínio. — Quando a gente acredita, consegue.

Chegaram ao portão de embarque, e Romero abraçou a todos novamente, demorando-se um pouco mais nos braços de Plínio. Aquele era o pai que jamais tivera. Soltou-o com lágrimas nos olhos e virou-se para dentro, dirigindo-se para o portão. Antes de entrar, porém, escutou alguém gritar seu nome e voltou-se abruptamente. Correndo pelo corredor do aeroporto, todo esbaforido, vinha Silas, vermelho e agitando as mãos, gritando feito um louco:

— Romero! Romero! Espere, meu filho, não vá ainda!

O rapaz estacou onde estava, e Mozart teve de segurá-lo para não cair. A última pessoa no mundo que esperava ver ali aparecera subitamente, contrariando todas as suas expectativas... mas não sua esperança. Todos pararam para ver a cena. Silas chegou suado e ofegante, quase sem conseguir falar.

— Pai... — balbuciou Romero. — Você veio...

— Quase não vim. Mas na última hora me decidi. Não podia perder a oportunidade de revê-lo, ainda que pela última vez. Já estou velho... sabe-se lá se o verei de novo algum dia...

— Não diga isso. Você ainda é um homem forte.

— Sou um homem tolo, isso sim. Perdi os melhores anos de sua vida, e sabe por quê? Porque fui orgulhoso. Porque esperava de você algo que você jamais poderia me dar. Queria que você seguisse meu exemplo de virtude, aquilo que eu achava que era bom. Mas você não quis, e eu o condenei por isso. Não consegui compreendê-lo e acho que ainda não compreendo. Mas vou me esforçar. Vou fazer o possível e o impossível para entender por que você é assim. Os motivos que levaram você a escolher esse tipo de vida ainda são muito confusos para mim. Mas de uma coisa, agora, tenho certeza: você é e sempre será o meu filho. Não importa o que você faça.

— Pai...

Sem conseguir dizer nada, Romero abraçou-o. E chorou, muito mais do que já havia chorado em toda a sua vida.

— Pode me perdoar? — continuou Silas, também em lágrimas. — Pode perdoar um velho idiota e cabeça-dura, que só agora entendeu o que é amar?

— Não há o que perdoar, pai. Você agiu conforme suas crenças. Não se culpe por isso.

— Você é um bom filho — acrescentou emocionado, dando-lhe tapinhas na face. — Depois de tudo que fiz, ainda quer me justificar.

Abraçou-se a Romero novamente, chorando em seu ombro feito uma criança. Como se arrependia do que fizera! Se pudesse, voltaria no tempo e faria tudo diferente. Mas o tempo não voltava atrás, e era preciso aguardar até que nova oportunidade surgisse.

Ouviram uma voz metálica soar pelo alto-falante, anunciando o vôo de Romero.

— Venha, Silas — chamou Noêmia, também chorando. — Ele precisa partir.

Silas soltou-se dele e beijou-o nas duas faces. Enxugou os olhos e virou-se para Mozart, estendendo-lhe a mão, que o outro apertou, em sinal de amizade.

— Cuide bem de meu filho, rapaz — ordenou, com um misto de gracejo e tristeza. — Se não, vai se entender com o pai dele depois.

Todos riram, e Mozart respondeu com bom humor:

— Pode deixar, seu Silas, que cuidarei dele direitinho.

Foi um custo para que Romero conseguisse desvencilhar-se da família e dos amigos. Uma parte de seu coração queria partir e outra queria ficar. Tinha vontade de aproveitar a onda de afeto que os atingira, mas sabia que não poderia viver sem Mozart. Seu lugar era ao lado dele, e era com ele que iria ficar. Deu um último adeus e entrou.

Depois que eles sumiram na sala de embarque, todos se dirigiram ao terraço para ver o avião partir. Em alguns minutos, viram o avião movimentar-se e taxiar pela pista. A aeronave foi ganhando velocidade, avançando até elevar o nariz e erguer-se no ar. Romero partia para o novo e o desconhecido.

Uma lágrima brilhou nos olhos de cada um dos presentes, enquanto o avião subia cada vez mais alto, suas luzes piscantes de encontro às estrelas. Num último gesto de prematura saudade, ergueram as mãos ao mesmo tempo e lhe acenaram adeus.

Fim

Sucessos de ZIBIA GASPARETTO

Crônicas e romances mediúnicos.
Mais de seis milhões de exemplares vendidos.
Há mais de dez anos Zibia Gasparetto vem se mantendo na lista dos mais vendidos, sendo reconhecida como uma das autoras nacionais que mais vende livros.

- Crônicas: Silveira Sampaio

PARE DE SOFRER
O MUNDO EM QUE EU VIVO
BATE-PAPO COM O ALÉM

- Crônicas: Zibia Gasparetto

CONVERSANDO CONTIGO!

- Autores diversos

PEDAÇOS DO COTIDIANO
VOLTAS QUE A VIDA DÁ

- Romances: Lucius

O AMOR VENCEU
O AMOR VENCEU *(em edição ilustrada)*
O MORRO DAS ILUSÕES
ENTRE O AMOR E A GUERRA
O MATUTO
O FIO DO DESTINO
LAÇOS ETERNOS
ESPINHOS DO TEMPO
ESMERALDA
QUANDO A VIDA ESCOLHE
SOMOS TODOS INOCENTES
PELAS PORTAS DO CORAÇÃO
A VERDADE DE CADA UM
SEM MEDO DE VIVER
O ADVOGADO DE DEUS
QUANDO CHEGA A HORA
NINGUÉM É DE NINGUÉM
QUANDO É PRECISO VOLTAR
TUDO TEM SEU PREÇO
TUDO VALEU A PENA
UM AMOR DE VERDADE

Sucessos de LUIZ ANTONIO GASPARETTO

Estes livros irão mudar sua vida!
Dentro de uma visão espiritualista moderna, estes livros irão ensiná-lo a produzir um padrão de vida superior ao que você tem, atraindo prosperidade, paz interior e aprendendo acima de tudo como é fácil ser feliz.

ATITUDE
SE LIGUE EM VOCÊ *(adulto)*
SE LIGUE EM VOCÊ - nº 1, 2 e 3 *(infantil)*
A VAIDADE DA LOLITA *(infantil)*
ESSENCIAL *(livro de bolso com frases para auto-ajuda)*
FAÇA DAR CERTO
GASPARETTO *(biografia mediúnica)*
CALUNGA - "Um dedinho de prosa"
CALUNGA - Tudo pelo melhor
CALUNGA - Fique com a luz...
PROSPERIDADE PROFISSIONAL
CONSERTO PARA UMA ALMA SÓ *(poesias metafísicas)*
PARA VIVER SEM SOFRER

série CONVERSANDO COM VOCÊ *(Kit contendo livro e fita k7):*
1- Higiene Mental
2- Pensamentos Negativos
3- Ser Feliz
4- Liberdade e Poder

série AMPLITUDE:
1- Você está onde se põe
2- Você é seu carro
3- A vida lhe trata como você se trata
4- A coragem de se ver

INTROSPECTUS *(Jogo de cartas para auto-ajuda):*
Modigliani criou através de Gasparetto, 25 cartas mágicas com mensagens para você se encontrar, recados de dentro, que a cabeça não ousa revelar.

OUTROS AUTORES

Conheça nossos lançamentos que oferecem a você as chaves para abrir as portas do sucesso, em todas as fases de sua vida.

LOUSANNE DE LUCCA:

- ALFABETIZAÇÃO AFETIVA

MARIA APARECIDA MARTINS:

- PRIMEIRA LIÇÃO - "Uma cartilha metafísica"
- CONEXÃO - "Uma nova visão da mediunidade"

VALCAPELLI:

- AMOR SEM CRISE

VALCAPELLI e GASPARETTO:

- METAFÍSICA DA SAÚDE:

vol.1: sistemas respiratório e digestivo

vol.2: sistemas circulatório, urinário e reprodutor

vol.3: sistemas endócrino *(incluindo obesidade)*, e muscular

MECO SIMÕES G. FILHO:

- EURICO um urso de sorte (infantil)
- A AVENTURA MALUCA DO PAPAI NOEL

E DO COELHO DA PÁSCOA (infantil)

RICKY MEDEIROS:

- A PASSAGEM
- QUANDO ELE VOLTAR
- PELO AMOR OU PELA DOR...
- VAI AMANHECER OUTRA VEZ

MARCELO CEZAR (ditado por Marco Aurélio):

- A VIDA SEMPRE VENCE
- SÓ DEUS SABE
- NADA É COMO PARECE
- NUNCA ESTAMOS SÓS
- MEDO DE AMAR

MÔNICA DE CASTRO (ditado por Leonel):

- UMA HISTÓRIA DE ONTEM
- SENTINDO NA PRÓPRIA PELE
- COM O AMOR NÃO SE BRINCA
- ATÉ QUE A VIDA OS SEPARE
- O PREÇO DE SER DIFERENTE

LEONARDO RÁSICA:

- FANTASMAS DO TEMPO - Eles voltaram para contar

LUIZ ANTONIO GASPARETTO

Fitas K7 gravadas em estúdio, especialmente para você!
Uma série de dicas para a sua felicidade.

• PROSPERIDADE:
Aprenda a usar as leis da prosperidade.
Desenvolva o pensamento positivo corretamente.
Descubra como obter o sucesso que é seu por direito divino, em todos os aspectos de sua vida.

• TUDO ESTÁ CERTO!
Humor, música e conhecimento em busca do sentido da vida.
Alegria, descontração e poesia na compreensão de que tudo é justo e Deus não erra.

• série VIAGEM INTERIOR (1, 2 e 3):
Através de exercícios de meditação mergulhe dentro de você e descubra a força da sua essência espiritual e da sabedoria.
Experimente e verá como você pode desfrutar de saúde, paz e felicidade desde agora.

• TOULOUSE LAUTREC:
Depoimento mediúnico de Toulouse Lautrec, através do médium Luiz Antonio Gasparetto, em entrevista a Zita Bressani, diretora da TV Cultura (SP).

• série PRONTO SOCORRO:
Aprenda a lidar melhor com as suas emoções, para conquistar um maior domínio interior.
1. Confrontando o desespero
2. Confrontando as grandes perdas
3. Confrontando a depressão
4. Confrontando o fracasso
5. Confrontando o medo
6. Confrontando a solidão
7. Confrontando as críticas
8. Confrontando a ansiedade
9. Confrontando a vergonha
10. Confrontando a desilusão

• série CALUNGA:
A visão de um espírito, sobre a interligação de dois mundos, abordando temas da vida cotidiana.
1. Tá tudo bão!
2. "Se mexa"
3. Gostar de gostar
4. Prece da solução
5. Semeando a boa vontade
6. Meditação para uma vida melhor
7. A verdade da vida
8. "Tô ni mim"
9. Quem está bem, está no bem
10. Sentado no bem
11. O poder de construção do bem

• série PALESTRA
1- A verdadeira arte de ser forte
2- A conquista da luz
3- Pra ter tudo fácil
4- Prosperidade profissional (1)
5- Prosperidade profissional (2)
6- A eternidade de fato
7- A força da palavra
8- Armadilhas do coração
9- Se deixe em paz
10- Se refaça
11- O teu melhor te protege
12- Altos e baixos
13- Sem medo de errar
14- Praticando o poder da luz em família
15- O poder de escolha

PALESTRAS GRAVADAS AO VIVO:

• série PAPOS, TRANSAS & SACAÇÕES

1- Paz emocional
2- Paz social
3- Paz mental
4- Paz espiritual
5- O que fazer com o próprio sofrimento?
6- Segredos da evolução
7- A verdadeira espiritualidade
8- Vencendo a timidez
9- Eu e o silêncio
10- Eu e a segurança
11- Eu e o equilíbrio

• série PALESTRA AO VIVO

1- Caia na real *(fita dupla)*
2- Casamento e liberdade *(fita dupla)*
3- Segredos da auto-estima *(fita dupla)*
4- A vida que eu pedi a Deus *(fita dupla)*

• LUZES

Coletânea de 8 fitas k7. Curso com aulas captadas ao vivo, ministradas através da mediunidade de Gasparetto.
Este é um projeto idealizado pelos espíritos desencarnados que formam no mundo astral, o grupo dos Mensageiros da Luz.

LUIZ ANTONIO GASPARETTO EM CD:

• *Títulos de fitas k7 que já se encontram em CD:*

- Prosperidade
- Confrontando a ansiedade
- Confrontando a desilusão
- Confrontando a solidão
- Confrontando as críticas
- Confrontando a depressão

• série REALIZAÇÃO:

Uma coleção de cds para todas as pessoas que estão sinceramente interessadas em aprender a melhorar.

LUIZ ANTONIO GASPARETTO

em vídeo

• SEXTO SENTIDO

Conheça neste vídeo um pouco
do mundo dos mestres da pintura,
que num momento de grande ternura
pela humanidade, resolveram voltar
para mostrar que existe vida além da vida,
através da mediunidade de Gasparetto.

• MACHU PICCHU

Visite com Gasparetto a
cidade perdida dos Incas.

• série VÍDEO & CONSCIÊNCIA

Com muita alegria e arte, Gasparetto
leva até você, numa visão metafísica,
temas que lhe darão a oportunidade de
se conhecer melhor:

O MUNDO DAS AMEBAS
JOGOS DE AUTO-TORTURA
POR DENTRO E POR FORA

ESPAÇO VIDA & CONSCIÊNCIA

Acreditamos que há em você muito mais condições de cuidar de si mesmo do que você possa imaginar, e que seu destino depende de como você usa os potenciais que tem.

Por isso, através de PALESTRAS, CURSOS-SHOW e BODY WORKS, GASPARETTO propõe dentro de uma visão espiritualista moderna, com métodos simples e práticos, mostrar como é fácil ser feliz e produzir um padrão de vida superior ao que você tem. Faz parte também da programação, o projeto VIDA e CONSCIÊNCIA. Este curso é realizado há mais de 20 anos com absoluto sucesso. Composto de 8 aulas, tem por objetivo iniciá-lo no aprendizado de conhecimentos e técnicas que façam de você o seu próprio terapeuta.

Participe conosco desses encontros onde, num clima de descontração e bom humor, aprenderemos juntos a atrair a prosperidade e a paz interior.

Maiores informações:

Rua Salvador Simões, 444 • Ipiranga • São Paulo • SP

CEP 04276-000 • Fone Fax: (11) 5063-2150

E-mail: espaco@vidaeconsciencia.com.br

Site: www.vidaeconsciencia.com.br

Gasparetto

INFORMAÇÕES E VENDAS:

Rua Agostinho Gomes, 2312
Ipiranga • CEP 04206-001
São Paulo • SP • Brasil
Fone / Fax: (11) 6161-2739 / 6161-2670
E-mail: editora@vidaeconsciencia.com.br
Site: www.vidaeconsciencia.com.br